O ERRO

ELLE KENNEDY

O ERRO

Tradução
JULIANA ROMEIRO

17ª reimpressão

paralela

Copyright © 2015 by Elle Kennedy

A Editora Paralela é uma divisão da Editora Schwarcz S.A.

Grafia atualizada segundo o Acordo Ortográfico da Língua Portuguesa de 1990, que entrou em vigor no Brasil em 2009.

TÍTULO ORIGINAL The Mistake: An Off-Campus Novel
CAPA Paulo Cabral
PREPARAÇÃO Lígia Azevedo
REVISÃO Renata Lopes Del Nero e Adriana Bairrada

Dados Internacionais de Catalogação na Publicação (CIP)
(Câmara Brasileira do Livro, SP, Brasil)

Kennedy, Elle
  O erro / Elle Kennedy ; tradução Juliana Romeiro. — 1ª ed. — São Paulo : Paralela, 2016.

  Título original: The Mistake : An Off-Campus Novel.
  ISBN 978-85-8439-041-0

  1. Ficção norte-americana I. Título.

16-05573   CDD-813

Índice para catálogo sistemático:
1. Ficção : Literatura norte-americana   813

Todos os direitos desta edição reservados à
EDITORA SCHWARCZ S.A.
Rua Bandeira Paulista, 702, cj. 32
04532-002 — São Paulo — SP
Telefone: (11) 3707-3500
editoraparalela.com.br
atendimentoaoleitor@editoraparalela.com.br
facebook.com/editoraparalela
instagram.com/editoraparalela
twitter.com/editoraparalela

O ERRO

1

LOGAN

Abril

Estar a fim da namorada do melhor amigo é uma merda.

Primeiro, é estranho. Tipo, pra caralho. Ninguém quer sair do quarto e dar de cara com a garota dos seus sonhos depois de ela ter passado a noite com o seu melhor amigo.

Depois, você fica com ódio de si mesmo. É meio difícil não se achar um babaca quando se fantasia com a pessoa que seu melhor amigo acredita ser o amor da vida dele.

Por enquanto, estou na fase estranha. O maior problema é que moro numa casa com paredes muito finas, o que significa que posso ouvir cada gemido ofegante que escapa da boca de Hannah. Cada suspiro e arquejo. Cada baque da cabeceira na parede enquanto outro cara transa com a garota que não sai da minha cabeça.

Superlegal.

Estou deitado de costas na minha cama, olhando para o teto. Já até parei de fingir que estou procurando alguma coisa na biblioteca do iPod. Coloquei os fones de ouvido na intenção de abafar os sons de Garrett e Hannah no outro quarto, mas ainda não apertei o play. Pelo jeito estou a fim de me torturar esta noite.

Não sou idiota. Sei que ela está apaixonada por Garrett. Vejo o jeito como olha para ele, e como os dois ficam quando estão juntos. Faz seis meses que estão namorando, e nem mesmo eu, o pior amigo do planeta, posso negar que são perfeitos um para o outro.

E, cara, Garrett merece ser feliz. Ele dá uma de machão, mas a verdade é que é um santo. O melhor jogador de centro com quem já joguei e a melhor pessoa que conheço. E estou seguro o suficiente da minha masculinidade para dizer que, se jogasse no outro time, não só pegaria Garrett Graham como casaria com ele.

O que torna a situação um trilhão de vezes mais complicada. Não posso nem odiar o cara que está pegando a garota de quem gosto. Não posso nutrir fantasias de vingança, porque não odeio Garrett, nem um pouco.

Ouço um ranger de porta e passos ecoando no corredor, e peço a Deus que nem Garrett nem Hannah bata no meu quarto. Ou abra a boca, aliás, porque ouvir a voz de qualquer um deles agora só vai me machucar ainda mais.

Por sorte, a pancada forte que faz o batente da minha porta tremer vem do outro cara que mora conosco, Dean, que entra sem esperar por um convite. "Festa na Phi Omega hoje à noite. Você vem?"

Pulo da cama muito rápido, de um jeito que beira o patético, porque, neste momento, uma festa parece uma excelente ideia. Encher a cara é um jeito infalível de parar de pensar em Hannah. Na verdade, preciso encher a cara *e* comer alguém. Assim, se só uma dessas coisas não for o suficiente para não pensar em Hannah, a outra serve de apoio.

"Tô dentro", respondo, já procurando uma camiseta.

Visto uma limpa e ignoro a fisgada no braço esquerdo, que ainda está dolorido da entrada violenta que tomei na final do campeonato, na semana anterior. E valeu a pena — pelo terceiro ano consecutivo, o time de hóquei da Briar ganhou o Frozen Four. Aparentemente três *não* é demais, e todos os jogadores, inclusive eu, ainda estão colhendo os louros do tricampeonato nacional.

Dean, que joga na defesa comigo, chama a fase que estamos vivendo de "Três Fs da Vitória": festa, fama e foda.

E ele acertou em cheio, porque tenho feito todos os três desde a grande vitória.

"Você é o motorista da vez?", pergunto, enquanto visto um moletom preto e fecho o zíper.

Ele deixa escapar uma risada. "Como é que é?"

Reviro os olhos. "Foi mal. Onde eu tava com a cabeça?"

A última vez que Dean Heyward-Di Laurentis esteve sóbrio numa festa foi *nunca*. Sempre que sai da casa, o cara enche a cara e fica completamente doidão. E se você acha que isso afeta o desempenho dele no gelo, está muito enganado. Dean é uma dessas raras criaturas que consegue se divertir como o antigo Robert Downey Jr. e, não sei como, ser tão bem-sucedido e amado como o atual Robert Downey Jr.

"Não esquenta, Tucker vai dirigir", diz Dean, referindo-se ao outro membro da nossa república. "Ele ainda tá de ressaca de ontem. Disse que precisa de um tempo."

Não culpo o cara. A pré-temporada só vai começar daqui a umas duas semanas, e estamos todos aproveitando a folga um pouco além da conta. Mas é o que acontece quando você vem de uma onda de vitórias no Frozen Four. No ano passado, fiquei bêbado por duas semanas depois que ganhamos o campeonato.

Não estou ansioso para voltar a treinar. O esforço e o condicionamento físico para se manter em forma são cansativos e se tornam ainda mais desgastantes quando você trabalha dez horas por dia. Mas não tenho escolha. Preciso treinar para continuar no time, e o trabalho, bom, fiz uma promessa ao meu irmão e não posso pular fora, não importa o quanto me atrapalhe. Jeff vai me esfolar vivo se eu não cumprir minha parte no trato.

Quando Dean e eu descemos, o motorista da vez já está esperando na porta da frente. Seu rosto parece ter sido devorado por uma barba castanho-avermelhada que dá a ele uma pinta de lobisomem, mas Tucker está determinado a seguir com o visual desde que uma garota que conheceu numa festa na semana anterior disse que ele tinha cara de criança.

"Você sabe que essa barba de Abominável Homem das Neves não deixa você mais macho, né?", pergunta Dean, animado, ao sairmos de casa.

Tuck dá de ombros. "A ideia é parecer mais rústico."

Contenho uma gargalhada. "Tá longe disso também, bebezão. Você tá parecendo um cientista maluco."

Ele me mostra o dedo do meio enquanto caminha para a porta do motorista da minha caminhonete. Sento no banco do carona, e Dean pula para a caçamba, dizendo que quer um pouco de ar fresco. Acho que ele está tentando imitar o visual descabelado que faz as meninas ficarem doidas. Dean se acha, mas tem a maior cara de modelo, então talvez esteja certo em se achar.

Tucker liga o motor e eu batuco com os dedos sobre as coxas, ansioso para começar a noite. A arrogância do pessoal das fraternidades universitárias me irrita, mas estou disposto a deixar para lá... Se organizar festas fosse um esporte olímpico, as irmandades e fraternidades da Briar seriam medalhistas de ouro.

Tuck engata a ré e meu olhar repousa sobre o Jeep preto de Garrett, brilhando na vaga, enquanto o dono passa a noite com a garota mais legal do planeta e...

E *chega*. Essa obsessão por Hannah Wells está começando a me enlouquecer.

Preciso pegar alguém. Logo.

Tucker está excessivamente tranquilo no caminho até a festa. Parece estar franzindo a testa, mas é difícil dizer, considerando que alguém raspou todos os pelos do corpo do Hugh Jackman e colou na cara dele.

"Por que o silêncio?", pergunto, na boa.

Ele vira o rosto na minha direção com um olhar azedo, então volta a atenção para a estrada.

"Ah, qual é? É por causa da barba?", pergunto, exaltado. "Essa é a primeira lição do *Manual da barba*, cara: se quiser virar um homem das cavernas, seus amigos vão tirar sarro de você. Fim de papo."

"Não é isso", murmura ele.

Franzo a testa também. "Mas você *está* chateado com alguma coisa." Quando ele não responde, insisto um pouco mais. "O que aconteceu com você?"

Seus olhos irritados encontram os meus. "Comigo? Nada. Com *você*? Tanta coisa que não sei nem por onde começar." Ele xinga em voz baixa. "Você tem que parar com essa merda, cara."

Fico confuso, porque, até onde sei, tudo o que fiz nos últimos dez minutos foi ficar empolgado com a festa.

Tucker percebe a confusão em meu rosto e esclarece, num tom sombrio: "Essa história com a Hannah".

Embora meus ombros fiquem tensos, tento manter uma expressão vaga no rosto. "Não sei do que você tá falando."

Pois é, escolhi mentir. Que novidade. Parece que tudo o que faço desde que cheguei à Briar é mentir.

Certeza de que vou virar um jogador profissional!
Adoro passar o verão sujo de graxa na oficina do meu pai. A grana é ótima!
Não estou a fim de Hannah. Ela é namorada do meu melhor amigo!

Mentiras, mentiras e mais mentiras, porque, em todos esses casos, a verdade é um pé no saco, e a última coisa que quero é que meus amigos e a galera do time fiquem com pena de mim.

"Guarda essas desculpas para o G.", retruca Tucker. "Aliás, sorte sua ele estar distraído com toda aquela baboseira romântica, senão ia ter notado como você tá se comportando."

"E de que jeito eu tô me comportando?" Não consigo afastar a irritação da voz ou a forma defensiva como minha mandíbula se fecha. Odeio que Tuck saiba que sinto alguma coisa por Hannah. Odeio ainda mais que ele tenha tocado no assunto, depois de todos esses meses. Por que não pode deixar quieto? A situação já é ruim o suficiente sem ninguém me dando bronca.

"É sério? Quer que eu diga? Tudo bem." Ele começa a recitar todos os detalhes que fazem com que eu me sinta tão culpado. "Você sai da sala toda vez que eles aparecem. Se esconde no quarto quando ela passa a noite em casa. Quando você *fica* na mesma sala que a Hannah e acha que não tem ninguém olhando, fica olhando para ela sem parar. Você..."

"Tá legal", interrompo. "Entendi."

"E isso sem falar na pegação desenfreada", resmunga Tucker. "Você sempre foi mulherengo, mas, cara, só esta semana já ficou com cinco."

"E daí?"

"E daí que ainda é quinta-feira. Cinco meninas em quatro dias. Faça as contas, John."

Merda. Ele me chamou pelo primeiro nome. Tucker só me chama de John quando está irritado *de verdade*.

Só que agora é ele quem me deixou irritado, então entro no jogo dele. "E qual é o problema com isso, *John*?"

Pois é, nós dois nos chamamos John. Acho que deveríamos fazer um pacto de sangue, fundar uma fraternidade ou algo assim.

"Tenho vinte e um", continuo falando, irritado. "Posso ficar com quem eu quiser. Aliás, é isso mesmo que eu tenho que fazer, porque estamos na faculdade. A ideia é se divertir, transar e zoar antes de cair no mundo real e a vida virar uma merda."

"Até quando vai continuar fingindo que essas garotas todas são parte da experiência universitária?" Tucker balança a cabeça, em seguida deixa escapar um suspiro e suaviza o tom de voz. "Você não vai esquecer a Hannah assim, cara. Pode dormir com cem mulheres hoje que não vai fazer diferença. Tem que aceitar que não vai rolar nada com ela e seguir em frente."

Ele tem razão. Sei muito bem que estou alimentando minha própria dor e depois fazendo sexo a torto e a direito só para me distrair.

Também sei muito bem que tenho que parar de beber até cair. E preciso abrir mão desse resquício de esperança de que algo aconteça e aceitar a realidade.

Amanhã, quem sabe?

Mas hoje à noite vou seguir com o plano original. Ficar bêbado. Pegar alguém. E que se dane o resto.

GRACE

Entrei na faculdade virgem.

Estou começando a achar que vou me formar virgem também.

Não que isso seja um problema. E daí se logo faço dezenove anos? Estou longe de ser uma solteirona e não vou ser humilhada em praça pública por ainda ter um hímen intacto.

Além do mais, oportunidades não faltaram. Desde que vim para a Briar, minha melhor amiga me arrastou para mais festas do que sou capaz de contar. E os caras dão em cima de mim. Alguns tentaram me levar pra cama. Um deles até me mandou uma foto do pau com a legenda "Todo seu, gata". Isso foi... bem nojento, na verdade, mas se eu gostasse dele poderia ter me sentido, hum, lisonjeada com o gesto. Será?

Mas eu não estava interessada em nenhum deles. E, infelizmente, os que me atraem nem reparam em mim.

Até hoje.

Quando Ramona falou que íamos à festa de uma fraternidade, não tive grandes esperanças de conhecer alguém. Parece que todas as vezes que vamos a uma dessas, os garotos só querem saber de pegação. Mas hoje conheci um cara de quem meio que gostei.

Ele se chama Matt, é bonito e até agora não deu uma de babaca. Está levemente sóbrio, usa frases completas e não disse "caralho" nem uma vez sequer desde que começamos a conversar. Ou melhor, desde que ele começou a falar. Eu não contei muitas coisas, mas estou satisfeita em ficar aqui de pé, ouvindo, porque isso me dá tempo de admirar seu queixo perfeito e o jeito fofo como seu cabelo faz cachos perto das orelhas.

Para ser sincera, talvez seja melhor eu não falar nada. Garotos bonitos me deixam nervosa. Parece que meu cérebro dá um nó. Fico sem filtro e, de repente, estou contando que fiz xixi nas calças durante uma excursão no terceiro ano, que morro de medo de marionetes ou que tenho um transtorno obsessivo-compulsivo leve e começo a arrumar o quarto de outra pessoa no instante em que ela vira as costas.

Então é melhor só sorrir, concordar e, vez ou outra, soltar um "Sério?", para que eles saibam que não sou muda. Só que, às vezes, isso não é possível, especialmente quando o cara bonito em questão pergunta algo que requer uma resposta de verdade.

"Quer ir lá fora fumar isso?" Matt tira um baseado do bolso da camisa e o ergue na frente do meu rosto. "Eu acenderia aqui, mas os caras da fraternidade me expulsariam por isso."

"Ah... não, obrigada", respondo sem jeito.

"Você não fuma?"

"Não. Quer dizer, já fumei, mas não muito. Me deixa meio... aérea."

Ele sorri, e duas covinhas lindas aparecem no seu rosto. "Esse é meio que o objetivo."

"É, acho que sim. Mas fico cansada também. E sempre acabo lembrando de uma apresentação de PowerPoint que meu pai me obrigou a ver quando eu tinha treze anos. Era cheia de estatísticas sobre os efeitos da maconha no cérebro e como ela é altamente viciante. Depois de cada slide, ele me olhava e perguntava: *Você quer perder os neurônios, Grace? Quer?*"

Matt fica me encarando por um tempo. Na minha cabeça, uma voz grita "Para com isso!", mas já é tarde demais. Meu filtro falha de novo, e as palavras continuam jorrando da minha boca.

"Mas acho que não é tão ruim quanto o que minha mãe fez. Ela queria ser descolada. Quando eu tinha quinze anos, me levou para um estacionamento vazio, tirou um baseado do bolso e disse que íamos fumar juntas. Parecia uma cena de The Wire — bom, eu nunca vi The Wire. É sobre drogas, né? Enfim, fiquei sentada lá, em pânico, convencida de que íamos ser presas, enquanto ela ficava me perguntando como me sentia e se estava 'curtindo o bagulho'."

Meus lábios enfim param de se mexer, como que por milagre.

Mas os olhos de Matt já estão vidrados.

"Ah, tá... legal." Ele balança o baseado desajeitadamente no ar. "Vou lá fumar isso então. Vejo você depois."

Consigo conter o suspiro até ele se afastar, e então solto o ar de forma brusca. Droga. Nem sei por que *tento* falar com eles. Começo todas as conversas nervosa com a possibilidade de passar vergonha e acabo de fato passando, porque sempre fico nervosa. Estou fadada ao fracasso.

Com outro suspiro, desço e procuro por Ramona. A cozinha está cheia de bebida e garotos. A sala de jantar também. A sala de estar está lotada de caras bêbados e barulhentos demais e um mar de garotas seminuas. Fico impressionada com a resistência delas, porque lá fora está um gelo, e a porta da frente abre e fecha a todo instante, mantendo o ar frio dentro da casa. Eu estou bem quentinha vestindo calça skinny e blusa de gola alta.

Não encontro Ramona em lugar nenhum. Com um hip-hop ensurdecedor estourando as caixas de som, pego o celular na bolsa para ver a hora e descubro que já é quase meia-noite. Mesmo depois de oito meses na Briar, ainda sinto uma pontinha de alegria toda vez que fico na rua depois das onze, que era a hora que eu tinha que estar em casa quando morava com meu pai. Ele era um defensor fervoroso do toque de recolher. Na verdade, é um defensor fervoroso de tudo. Duvido que já tenha quebrado uma regra na vida, o que me faz pensar em como ele e minha mãe conseguiram ficar tanto tempo casados. Ela é um "espírito livre", o oposto do rigor exagerado dele, mas acho que isso só prova que a teoria de que os opostos se atraem tem algum mérito.

"Gracie!", grita uma voz feminina por cima da música. Ramona aparece e me dá um abraço apertado.

Quando se afasta, basta uma olhada em seus olhos reluzentes e nas bochechas coradas e sei que está bêbada. Está tão agasalhada quanto a maioria das meninas na sala: a saia curta mal cobre as coxas, a frente única vermelha exibe um decote avantajado. Os saltos das botas de couro são tão altos que não entendo como consegue andar. Mas está linda e chama muita atenção quando entrelaça o braço no meu.

Tenho certeza de que, olhando nós duas assim, lado a lado, as pessoas se perguntam como podemos ser amigas. Às vezes, eu me pergunto a mesma coisa.

Na época do colégio, Ramona era do tipo que gostava de se divertir e quebrar as regras fumando escondido, e eu era a menina comportada que editava o jornal estudantil e organizava todos os eventos de caridade. Se não fôssemos vizinhas, provavelmente nem teríamos nos conhecido direito, mas caminhar para a escola juntas todos os dias levou a uma amizade de conveniência, que acabou se transformando num vínculo verdadeiro. Tão verdadeiro que, quando estávamos considerando para qual faculdade iríamos, tomamos o cuidado de nos candidatar para as mesmas e, quando entramos na Briar, pedimos ao meu pai para conversar com o pessoal do alojamento e dar um jeito de sermos colegas de quarto.

Mas, apesar de a nossa amizade ter começado o ano com força, nos afastamos um pouco. Ramona está obcecada pela ideia de ser popular aqui também. Ultimamente, tenho achado a coisa toda meio... irritante.

Droga. Só *pensar* nisso faz eu me sentir uma amiga de merda.

"Vi você indo para o andar de cima com Matt!", ela sussurra em meu ouvido. "Vocês ficaram?"

"Não", respondo, desanimada. "Acho que o assustei."

"Ah, não. Você contou que tem medo de marionetes?", ela pergunta, antes de soltar um suspiro exagerado. "Você tem que parar de mostrar que é louca logo de cara. Sério mesmo. Guarde para depois, quando estiver namorando o cara e for mais difícil ele fugir."

Não consigo segurar o riso. "Obrigada pelo conselho."

"E aí? Quer ir embora ou ficar um pouco mais?"

Olho ao redor mais uma vez. Meu olhar recai num canto, onde duas meninas de jeans e sutiã estão se agarrando, enquanto um dos caras da fraternidade filma com um iPhone.

A visão me faz sufocar um gemido. Aposto dez dólares que o vídeo vai acabar num desses sites pornográficos gratuitos. As meninas não vão saber de nada por anos, até uma delas estar prestes a se casar com um senador e a imprensa desenterrar seu passado "vergonhoso".

"Topo ir agora", admito.

"É, eu também."

Levanto as sobrancelhas. "Desde quando você aceita sair de uma festa antes da meia-noite?"

Ramona franze os lábios. "Não tem muito sentido continuar aqui. Ele já pegou outra."

Nem pergunto de quem está falando — é o mesmo cara de quem fala desde o primeiro dia.

Dean Heyward-Di Laurentis.

Ramona está obcecada pelo cara desde que esbarrou nele num café do campus. Ela tem me arrastado para quase todos os jogos do time, só para vê-lo em ação. Tenho que admitir que ele é maravilhoso. Diz a lenda que pega geral, mas, infelizmente para Ramona, não se envolve com meninas do primeiro ano. Nem dorme com elas, que é o que minha amiga quer, na verdade. Ramona nunca ficou com ninguém por mais de uma semana.

A única razão pela qual ela quis vir à festa era que tinha ouvido que Dean estaria aqui. Só que o cara leva sua própria regra a sério: não importa o quanto Ramona se ofereça, ele sempre sai da festa com outra.

"Posso dar um pulinho no banheiro antes?", pergunto a ela. "Encontro você lá fora."

"Tá, mas não demora. Falei para o Jasper que estamos indo, e ele está esperando no carro."

Ela vai em direção à porta da frente, me deixando com uma pontada de ressentimento. Legal ter me perguntado se eu queria ir embora *depois* de já ter tomado a decisão por nós.

Engulo a irritação, lembrando que Ramona sempre foi assim e que isso nunca me incomodou antes. Se ela não tomasse as decisões e me obrigasse a sair da minha zona de conforto, eu teria passado o ensino médio inteiro na sala do jornal, escrevendo a coluna de aconselhamento sem jamais ter experimentado nada por mim mesma.

Ainda assim... às vezes, queria que Ramona ao menos me perguntasse o que eu achava de alguma coisa antes de decidir por mim.

O banheiro está com uma fila gigante, então navego por entre a multidão e subo até onde Matt e eu estávamos conversando antes. Quando chego ao banheiro, a porta se abre e uma loira maravilhosa sai dele.

Ela leva um susto ao me ver e, em seguida, abre um sorrisinho presunçoso e ajeita a barra de um vestido que só pode ser descrito como indecente. Dá até pra entrever a calcinha cor-de-rosa dela.

Com o rosto ardendo, desvio o olhar, envergonhada, e espero até que tenha chegado à escada antes de pegar a maçaneta da porta. Mal encosto nela e a porta se abre de novo, então outra pessoa sai.

Meu olhar se choca com os olhos azuis mais vivos que já vi. Só preciso de um segundo para reconhecer de quem são. Quando isso acontece, meu rosto fica ainda mais quente.

John Logan.

Isso mesmo, John Logan. A estrela da defesa do time de hóquei. Sei disso não só porque faz meses que Ramona está correndo atrás de um dos melhores amigos do cara, mas também porque seu rosto sexy e perfeito foi capa do jornal da universidade na semana passada. Desde que ganharam o campeonato, o jornal tem entrevistado todos os jogadores, e não vou mentir: a matéria com Logan foi a única em que prestei atenção.

Porque o cara é lindo demais.

Assim como a loira, ele leva um susto ao deparar comigo no corredor, mas, também como ela, recupera-se depressa e abre um sorriso para mim.

Então fecha o zíper da calça.

Ai, meu Deus.

Não acredito que ele acabou de fazer isso. Meu olhar cai involuntariamente sobre sua virilha, mas Logan não parece se importar com isso. Ergue uma sobrancelha, dá de ombros e vai embora.

Nossa. Então tá.

Só isso já deveria bastar para me deixar enojada. Não estou nem falando do sexo no banheiro. A fechada de zíper já o colocaria direto no rol dos babacas.

Mas saber que ele acabou de transar com aquela garota no banheiro dispara uma onda de ciúmes em mim pela qual não esperava.

Não estou dizendo que quero fazer sexo aleatório no banheiro, mas...

Tá, mentira. Eu quero, e *muito*. Com John Logan, pelo menos, quero. Pensar em suas mãos e seus lábios no meu corpo desencadeia uma onda de arrepios quentes pela minha coluna.

Por que não posso me divertir com um cara no banheiro? Estou na faculdade, droga. Deveria estar aproveitando a vida, fazendo besteira, "me encontrando", mas não fiz merda nenhuma o ano todo. Vivo através da Ramona, que se arrisca e tenta coisas novas, enquanto eu, a santinha, fico aqui, me agarrando ao ideal de vida regrada que meu pai me impôs desde quando eu ainda usava fralda.

Estou cansada de ser cautelosa. E boazinha. O semestre está quase no fim. Ainda preciso estudar para duas provas e escrever um trabalho de psicologia, mas quem disse que não posso tirar um tempinho para me divertir também?

Faltam só algumas semanas para o primeiro ano de faculdade acabar. E sabe de uma coisa? Vou fazer bom uso delas.

2

LOGAN

Decidi pegar leve nas festas. Fiquei tão destruído ontem à noite que Tucker teve que me carregar no ombro até meu quarto, de tão tonto que eu estava. Mas esse não é o único motivo, embora tenha sido um fator importante na minha decisão.

É sexta à noite e não apenas recusei um convite para uma festa de um dos caras do time como estou segurando o mesmo copo de uísque há mais de uma hora. Nem toquei no baseado que Dean continua empurrando na minha direção.

Estamos em casa, enfrentando o frio do início da primavera, amontoados no pequeno quintal. Dou uma tragada no cigarro enquanto Dean, Tucker e Mike Hollis, outro cara do time, passam o baseado, e eu meio que ouço Dean recapitular o sexo selvagem da noite passada. Minha mente vai e volta para minha própria aventura — a garota que me levou para um banheiro no andar de cima e fez o que bem entendeu comigo.

O.k., eu estava bêbado e minha memória talvez não seja confiável, mas me lembro de enfiar um dedo até ela gozar na minha mão. E me lembro *muito bem* de uma chupada espetacular. Mas não vou contar isso a Tuck, já que ele resolveu controlar minha vida sexual. Enxerido.

"Espera, volta um pouco. Você fez o quê?"

A pergunta de Hollis me traz de volta ao presente.

"Mandei uma foto do meu pau", responde Dean, como se fosse algo que ele fizesse todos os dias.

Hollis me encara, boquiaberto. "Sério? Você mandou uma foto da sua rola? Como se fosse, sei lá, uma recordação do sexo selvagem?"

"Não. Mais como um convite para repetir", explica Dean, com um sorriso.

"E você acha que ela vai querer dormir com você de novo?" Hollis parece na dúvida agora. "No mínimo, a menina está achando que você é um babaca."

"De jeito nenhum. Elas adoram uma boa foto de pau. Vai por mim."

Hollis pressiona os lábios como se estivesse tentando não rir. "Ah, tá. Claro."

Bato as cinzas do cigarro e dou outra tragada. "Só por curiosidade, o que define uma 'boa foto de pau'? A iluminação? A pose?"

Estou sendo sarcástico, mas Dean responde com uma voz solene. "O truque é manter o saco de fora."

Isso provoca um riso alto de Tucker, que engasga no meio de um gole de cerveja.

"É sério", insiste Dean. "Saco não é fotogênico. As mulheres não querem ver."

Hollis não consegue conter a risada, soltando o ar em baforadas brancas que flutuam no ar frio da noite. "Parece que você pensou muito no assunto, cara. É meio triste."

Rio também. "Espera aí, é isso que você faz quando fica no quarto com a porta trancada? Tira fotos do pau?"

"Ah, fala sério, até parece que sou o único que já tirou uma foto do pau."

"Você *é* o único", Hollis e eu respondemos em uníssono.

"Até parece. Não acredito em vocês." De repente, Dean percebe que Tucker não respondeu, e não perde tempo em denunciar seu silêncio. "Rá. Sabia!"

Arqueio uma sobrancelha e me viro para Tuck, que pode ou não estar corando sob a barba, vai saber. "Sério, cara? Mesmo?"

Ele dá um sorriso encabulado. "Lembra aquela menina que eu namorei ano passado? Sheena? Ela me mandou uma foto dos peitos. E disse que eu tinha que retribuir o favor."

Dean fica boquiaberto. "Pau por peitos? Cara, você foi enrolado. De jeito nenhum as duas coisas estão no mesmo nível."

"O que ele deveria ter mandado então?", pergunta Hollis, curioso.

"O saco", declara Dean, antes de dar uma longa tragada no baseado. Ele sopra um anel de fumaça enquanto todo mundo ri da observação.

"Você acabou de dizer que as mulheres não querem ver isso", ressalta Hollis.

"E não querem mesmo. Mas qualquer idiota sabe que uma foto do pau requer nu frontal completo em troca." Ele revira os olhos. "É uma questão de bom senso."

Alguém pigarreia junto à porta de correr atrás de mim. Alto.

Viro e vejo Hannah de pé. Sinto um aperto tão forte no peito que minhas costelas doem. Ela está de calça legging e com uma das camisas de treino de Garrett. O cabelo escuro está solto, caindo sobre os ombros. Linda.

Como o péssimo amigo que sou, imagino Hannah usando a minha camisa de treino. Com o meu número nas costas.

O que aconteceu com a promessa de aceitar a realidade e seguir em frente?

"Hum... bom", começa ela, devagar. "Só para confirmar que não entendi errado: vocês estão falando de mandar fotos do pênis para as meninas?" Seus olhos brilham, divertidos, enquanto ela analisa cada um de nós.

Dean deixa escapar uma risada. "Isso. E não adianta revirar os olhos, Wellsy. Vai me dizer que o G. nunca mandou uma foto do pau para você?"

"Não vou nem responder isso." Ela suspira e apoia o antebraço na porta. "Garrett e eu vamos pedir pizza. Vocês querem? Ah, e vamos ver um filme. É a vez dele de escolher, então provavelmente vai ser algum péssimo de ação."

Tuck e Dean concordam na mesma hora, mas Hollis balança a cabeça, pesaroso. "Fica pra próxima. Minha última prova é na segunda, então vou passar o fim de semana estudando."

"Ixi. Boa sorte." Ela sorri para ele antes de soltar a porta e dar um passo para trás. "Se quiserem escolher as pizzas é melhor entrar, senão vou encher de legumes. Ah, e que merda é essa, Logan?" Seus olhos verdes se estreitam na minha direção. "Você disse que só fumava em festas. Será que vou ter que bater em você agora?"

"Vai sonhando, Wellsy." Meu tom é bem-humorado, mas, no instante em que Hannah se afasta, o humor desaparece.

Estar perto dela é um soco no estômago. A ideia de ficar na sala com Hannah e Garrett, comendo pizza e assistindo a um filme, os dois abraçadinhos e apaixonados... é cem vezes *pior* do que um soco no estômago. É um time inteiro de hóquei me espremendo contra o vidro do rinque.

"Sabe de uma coisa? Acho que vou à festa do Danny. Posso pegar uma carona com você até o alojamento?", pergunto a Hollis. "Melhor não ir de carro, porque posso acabar bebendo."

Dean esmaga a ponta do baseado no cinzeiro, em cima da churrasqueira fechada. "Você não vai acabar bebendo, cara. O supervisor do alojamento do Danny é um nazista completo. Patrulha os corredores e faz batidas aleatórias nos quartos. Sem brincadeira."

Não ligo. Só sei que não posso ficar aqui, com Hannah e Garrett, até conseguir controlar essa paixonite idiota.

"Então não vou beber. Só preciso sair. Passei o dia todo em casa."

"Sair, é?" Tucker fecha a cara, o que me diz que sabe exatamente o que estou fazendo.

"É", respondo com frieza. "Algum problema?"

Ele não responde.

Rangendo os dentes, eu me despeço e sigo Hollis até o carro.

Quinze minutos depois, estou no corredor do andar de cima da Fairview House, e o lugar está tão quieto que fico ainda mais deprimido. Merda. Acho que o supervisor é mesmo um general. Não ouço um pio em nenhum dos quartos, nem posso ligar para Danny para saber se a festa foi cancelada, porque, na pressa de fugir de casa, esqueci o celular.

Nunca vim ao quarto de Danny antes, então fico no corredor um instante, tentando lembrar o número que ele escreveu na mensagem hoje mais cedo: duzentos e vinte? Ou duzentos e trinta? Passo devagar por cada uma das portas, e meu dilema se resolve quando percebo que nem existe um quarto duzentos e trinta.

Então só pode ser duzentos e vinte.

Bato à porta. Ouço passos quase imediatamente. Pelo menos tem alguém em casa. Bom sinal.

Então a porta se abre e me vejo fitando uma completa estranha. Uma estranha muito bonita, mas, ainda assim, uma estranha.

A menina pisca ao me ver, surpresa. Os olhos castanho-claros são do mesmo tom do cabelo, preso numa trança comprida jogada por cima do ombro. Ela está de calça xadrez de pijama e com um moletom preto com o logotipo da universidade. Pelo silêncio absoluto no cômodo, está na cara que bati à porta errada.

"Oi", digo sem jeito. "Então... é... Acho que este não é o quarto do Danny, né?"

"Hum, não."

"Merda." Aperto os lábios. "Ele falou duzentos e vinte."

"Um de vocês se confundiu." Ela faz uma pausa. "Não tem nenhum Danny neste andar. Ele é do primeiro ano?"

"Terceiro."

"Ah. Então ele não mora neste prédio. Aqui só tem calouros." Ela brinca com a ponta da trança enquanto fala, sem me fitar nos olhos.

"Merda", murmuro de novo.

"Tem certeza de que ele falou que morava na Fairview House?"

Fico na dúvida. Eu *tinha* certeza, mas agora... nem tanto. Danny e eu não saímos muito, pelo menos não sozinhos. Em geral, esbarro com ele nas festas depois dos jogos, ou ele aparece em casa com os caras do time.

"Não tenho a menor ideia", respondo, com um suspiro.

"Por que não liga para ele?" Ela continua evitando meu olhar. Agora está fitando as meias de lã como se fossem a coisa mais fascinante que já viu.

"Esqueci o telefone em casa." Droga. Enquanto avalio minhas opções, corro a mão pelo cabelo. Está crescendo, preciso desesperadamente raspar, mas sempre esqueço. "Posso usar o seu?"

"Hum... pode."

Embora pareça hesitante, ela abre a porta um pouco mais e me convida a entrar. Seu quarto é a típica acomodação dupla, com tudo em dobro, mas, enquanto um lado é todo organizado, o outro é a central da bagunça. Está na cara que essa menina e sua companheira de quarto têm opiniões muito diferentes sobre arrumação.

Por alguma razão, não me surpreendo quando ela caminha na direção do lado arrumado. A garota tem cara de organizada. Ela vai até a mesa, desconecta um celular do carregador e me oferece. "Pode usar."

No instante em que o telefone troca de mãos, a garota se afasta em direção à porta.

"Não precisa ficar assim tão longe", digo, secamente. "A menos que esteja se preparando para fugir."

Suas bochechas ficam cor-de-rosa.

Sorrindo, passo o dedo na tela do telefone. "Não esquenta. Vou só usar o telefone. Não vim matar você."

"Ah, eu sei. Ou pelo menos *acho*", balbucia ela. "Quer dizer, você parece normal, mas, até aí, muitos assassinos em série também parecem. Sabia que Ted Bundy era muito bonito?" Ela arregala os olhos. "Já pensou que maluquice? Você está andando por aí, conhece um cara lindo e fica toda 'Ai, meu Deus, ele é *perfeito*'. Então vai até a casa dele e encontra um altar no porão com roupas feitas de pele humana e bonecas Barbie com os olhos arrancados e..."

"Nossa", interrompo. "Alguém já disse que você fala muito?"

Suas bochechas ficam ainda mais coradas. "Desculpa. Fico meio tagarela quando estou nervosa."

Abro outro sorriso. "Eu deixo você nervosa?"

"Não. Bom, talvez um pouco. Quer dizer, não conheço você e... sabe como é, 'nunca fale com estranhos' e coisa e tal. Mas tenho certeza de que você não é perigoso", ela acrescenta, depressa. "Mas você sabe..."

"Sei. Ted Bundy", resumo, fazendo força para não rir.

Ela volta a brincar com a trança, e o fato de ter desviado o olhar me dá a oportunidade de estudá-la mais atentamente. Cara, ela é muito bonita. Não linda de morrer nem nada assim, mas tem um jeito de menina comum que é bem legal. Sardas no nariz, rosto delicado e uma pele suave que parece saída de um comercial de maquiagem.

"Você vai ligar?"

Pisco, lembrando, de repente, por que entrei aqui. Olho para o telefone na minha mão, examinando o teclado numérico com a mesma atenção de quando a estava estudando momentos antes.

"É só apertar os números com os dedos e depois apertar o botão verde."

Ergo a cabeça. Seu sorriso incontido provoca em mim uma gargalhada. "Obrigado", respondo. "Mas..." Deixo escapar um suspiro melancólico. "Acabei de me dar conta de que não sei o número dele. Está gravado no celular."

Merda. Será que é castigo por cobiçar a namorada de Garrett? Ficar preso numa sexta à noite sem telefone nem carona para casa? Acho que mereço.

"Deixa pra lá. Vou chamar um táxi", decido, por fim. Por sorte, sei o número do serviço do campus, mas sou colocado na espera. Ao ouvir a musiquinha de elevador, reprimo um gemido.

"Colocaram você na espera, né?"

"É." Olho para ela de novo. "Aliás, meu nome é Logan. Obrigado por me deixar usar o telefone."

"Sem problema." Ela faz uma pausa. "Meu nome é Grace."

A música para por um instante, depois de um clique, mas, em vez de ouvir a voz do atendente, há outro clique e mais uma sequência de músicas. O que não me surpreende. É sexta à noite, o horário mais movimentado para os táxis do campus. Quem sabe quanto tempo vou ter que esperar?

Me deixo cair na beirada de uma das camas — a perfeitamente arrumada — e tento lembrar o número do serviço de táxi de Hastings, a cidade onde fica a maioria das repúblicas, inclusive a minha. Mas meu cérebro deu branco, por isso suspiro e aturo mais um pouco de música de elevador. Meu olhar se volta para o laptop aberto do outro lado da cama. Quando percebo o que está na tela, viro para Grace, surpreso.

"Você está vendo *Duro de matar*?"

"*Duro de matar 2*, na verdade." Ela parece envergonhada. "Tô fazendo uma maratona. Acabei de terminar o primeiro."

"Você tem uma queda pelo Bruce Willis ou algo assim?"

O comentário a faz rir. "Não. Só gosto de filmes de ação antigos. No fim de semana passado foi *Máquina mortífera*."

A música em meu ouvido para de novo e recomeça, então xingo em voz baixa. Encerro a ligação e me viro para Grace. "Se importa se eu usar o computador para procurar o telefone do serviço de táxi de Hastings? Talvez tenha mais sorte com eles."

"Sem problema." Depois de um instante de hesitação, ela se senta ao meu lado e pega o laptop. "Vou abrir o navegador para você."

Quando Grace vai minimizar o programa, acaba tirando o filme do pause e o som explode nos alto-falantes. A cena de abertura do aeroporto preenche a tela do computador, e eu me aproximo imediatamente para ver melhor. "Cara, isso é que é sequência de luta."

"Não é?!", exclama Grace. "Amo essa cena. Na verdade, amo esse filme todo. Não estou nem aí pro que dizem... isso é incrível. Não é tão bom quanto o primeiro, mas não é tão ruim quanto as pessoas falam."

Ela vai pausar o filme, mas seguro sua mão. "A gente pode terminar de ver a cena primeiro?"

Sua expressão se enche de surpresa. "Hum... tá, tudo bem." Em seguida, ela engole em seco visivelmente e acrescenta: "Se quiser, pode ficar e assistir ao filme inteiro." Suas bochechas ficam vermelhas no momento em que faz o convite. "A menos que tenha mais o que fazer."

Penso por um segundo antes de balançar a cabeça. "Não, não tenho mais nada para fazer. Posso ficar um tempo."

Qual é a alternativa? Ir para casa e ver Hannah e Garrett darem pizza na boquinha um do outro e se beijarem durante o filme?

"Ah. Tudo bem", diz Grace, cautelosa. "Hum... legal."

Eu rio. "Estava achando que eu ia dizer não?"

"Mais ou menos", ela admite.

"E por que eu faria isso? Sério, que cara recusa *Duro de matar*? O único jeito de melhorar seria você me oferecer uma bebida."

"Não tenho nada." Ela pensa um pouco. "Só um saco de balas de goma escondido na gaveta."

"Casa comigo", digo, na mesma hora.

Rindo, Grace caminha até a mesa e abre a gaveta, de onde tira as balas prometidas. Enquanto me acomodo na cabeceira da cama contra uma pilha de travesseiros, ela se ajoelha diante do frigobar ao lado da mesa e pergunta: "Água ou Pepsi?".

"Pepsi, por favor."

Grace me passa as balas e uma lata de refrigerante, em seguida, se instala na cama ao meu lado e posiciona o laptop no colchão entre nós.

Enfio um ursinho de goma na boca e me concentro no computador. Tudo bem, então. Não era como tinha imaginado que a noite seria, mas posso muito bem me virar com isso.

3

GRACE

John Logan está no meu quarto.

Não, John Logan está na minha *cama*.

Não estou nem um pouco preparada para isso. Na verdade, estou tentada a mandar uma mensagem de socorro para Ramona, porque não tenho ideia do que fazer ou dizer. Pelo lado bom, estamos vendo um filme, o que significa que não tenho que fazer nem dizer nada, exceto olhar para o computador, rir nas falas certas e fingir que o cara mais maravilhoso da Briar não está sentado *na minha cama*.

E ele não é quente só na aparência. Literalmente também. Sério, o fogo que emana dele parece vir de uma fornalha. Eu, que já estava acalorada e formigando só com a presença dele, estou começando a suar.

Tentando ser discreta, tiro o moletom e o dobro ao meu lado, mas o movimento faz com que Logan vire a cabeça. Aqueles olhos azuis profundos se concentram na minha blusinha, demorando-se um pouco nos meus peitos.

Meu Deus. Ele está vendo os meus peitos. E, embora eu seja um mísero P, pela forma como seus olhos se acendem seria de imaginar que sou uma atriz pornô.

Quando percebe que o flagrei olhando, Logan me lança uma piscadinha e volta a atenção para a tela.

É oficial: conheci um cara capaz de mandar bem numa *piscadinha*.

É impossível prestar atenção ao filme. Meus olhos estão na tela, mas minha cabeça está em outro lugar. Concentração total no cara ao meu lado. Ele é muito maior do que eu pensava. Ombros incrivelmente largos, peito musculoso, pernas compridas esticadas diante de si. Já o vi jogar, então sei que é agressivo no gelo. Ter esse corpo poderoso a centímetros do meu dispara algo em minha coluna. Logan parece muito mais velho e mais masculino do que os calouros com quem tenho saído.

Dãã. Ele é do terceiro ano.

Tá. Mas... ele parece mais velho do que isso também. Tem toda uma virilidade que me faz querer rasgar suas roupas e lamber seu corpo feito um sorvete.

Levo mais uma bala à boca, na esperança de que mastigar umedeça minha garganta tão seca. Na tela, a mulher de McClane está no avião, discutindo com o repórter irritante que encheu o saco deles no primeiro filme. De repente, Logan me olha, com uma expressão de curiosidade no rosto.

"Você acha que seria capaz de pousar um avião se não tivesse outra escolha?"

Dou risada. "Achei que já tivesse visto o filme. Você sabe que ela não tem que pousar o avião, né?"

"Não, eu sei. Mas fiquei me perguntando o que faria se estivesse lá e fosse o único que pudesse fazer isso." Ele suspira. "Não acho que seria capaz."

A velocidade com que admite isso me surpreende. Outros caras talvez tentassem dar uma de macho, falando sobre como pousariam aquele brinquedinho com um pé nas costas ou algo assim.

"Nem eu", confesso. "No mínimo, ia piorar as coisas. Tipo apertar o botão errado e despressurizar a cabine sem querer. Na verdade, tenho medo de altura e provavelmente cairia dura no instante em que entrasse na cabine e olhasse pelo para-brisa."

Ele ri, e o som rouco desencadeia uma nova onda de arrepios. "Talvez eu fosse capaz de pilotar um helicóptero", reflete. "Deve ser mais fácil do que um avião, né?"

"Sinceramente, não sei nada de aviação." É minha vez de suspirar. "Não conta pra ninguém, mas às vezes não tenho certeza de que entendo como os aviões voam."

Logan ri de novo, e nós dois voltamos a atenção para o filme, enquanto me parabenizo mentalmente. Acabei de ter uma conversa coerente inteira com um cara bonito. Mereço uma estrela dourada por isso.

Não me entendam mal, ainda estou nervosa. Mas tem alguma coisa em Logan que me deixa à vontade. Ele é tão descontraído. E é difícil se sentir intimidada por um cara que está comendo ursinhos de goma.

Ao longo do filme, meu olhar se volta na direção dele a cada poucos segundos para admirar seu perfil. O nariz é ligeiramente curvado, como se tivesse sido quebrado uma ou duas vezes. E os lábios sensuais são... pura tentação. Quero tanto beijar o cara que nem consigo pensar direito.

Meu Deus, que ridícula. Me beijar é provavelmente a última coisa que passa pela cabeça dele. Logan ficou para assistir a *Duro de matar*, e não para pegar uma aluna do primeiro ano que, há uma hora, o comparou a um psicopata.

Eu me forço a me concentrar no filme, mas já estou temendo o final porque Logan vai ter que ir embora.

Os créditos começam a subir, mas ele não faz menção de se levantar. Em vez disso, olha para mim e pergunta: "Então, qual é a sua?".

Franzo a testa. "Como assim?"

"É sexta à noite... por que está em casa, vendo filmes de ação?"

Fico na defensiva. "Qual é o problema nisso?"

"Nenhum." Ele dá de ombros. "Só estou perguntando por que não está numa festa ou algo assim."

"Fui a uma festa ontem." *Não fale que o viu, não fale que o viu...* "Vi você por lá, aliás."

Ele parece assustado. "Ah, é?"

"É. Numa das fraternidades."

"Hum. Não me lembro de ter visto você." Ele me lança um olhar tímido. "Não me lembro de muita coisa, na verdade. Fiquei bem mal."

Fico ligeiramente sentida que ele não se lembre do nosso encontro na porta do banheiro, mas na mesma hora me condeno por isso. O cara estava bêbado e tinha acabado de transar com uma garota. Claro que não fui muito impactante.

"Gostou da festa?" Pela primeira vez desde que entrou no quarto, seu tom parece estranho, como se estivesse tentando jogar conversa fora e não se sentisse à vontade.

"Acho que sim." Faço uma pausa. "Foi divertido até eu me humilhar totalmente na frente de um cara."

O desconforto some de seu rosto e se transforma em uma risada. "Jura? O que você fez?"

"Tagarelei. Horrores." Dou de ombros. "Tenho o péssimo hábito de fazer isso."

"Você não está tagarelando agora", ele ressalta.

"É, *agora*. Lembra do meu discurso sobre assassinos em série, duas horas atrás?"

"Como esqueceria?" Seu sorriso faz meu coração disparar. Muito sexy! É ligeiramente torto, e toda vez que ele aparece em seu rosto os olhos brilham, divertidos. "Você não está mais nervosa comigo, está?"

"Não." Mentira. Estou muito nervosa. Ele é John Logan, um dos caras mais populares da Briar. Eu sou Grace Ivers, uma das milhares de meninas a fim dele.

Seu olhar passeia por mim de novo, numa avaliação ardente e persistente que faz minha pele se acender como uma corrente elétrica. Dessa vez, não tenho dúvida do interesse em seus olhos.

Devo tomar a iniciativa?

Devo, não devo?

Me aproximar um pouco. Beijá-lo. Ou pedir um beijo? Meu cérebro volta para o tempo de colégio, tentando lembrar como todos *aqueles* beijos aconteceram, se foram os caras que deram o primeiro passo, ou se foi uma coisa mútua, do tipo "É, vamos nos beijar agora". Só que nenhum daqueles beijos foi com um garoto nem metade tão bonito quanto esse.

"Quer que eu vá embora?"

Sua voz rouca me assusta, e percebo que passei quase um minuto inteiro olhando para ele sem dizer uma única palavra.

Minha boca está tão seca que tenho que engolir algumas vezes antes de responder. "Não. Quer dizer, pode ficar se quiser. Podemos ver outra coisa, ou..."

Não chego a terminar a frase, porque ele se aproxima e toca meu rosto. Minhas cordas vocais congelam e minha frequência cardíaca dispara.

John Logan está *tocando meu rosto*.

As pontas dos seus dedos são calejadas, um arranhão áspero contra minha pele, mas ele cheira tão bem que fico meio tonta ao inalar a delicada loção pós-barba.

Logan acaricia de leve minha pele, e tenho que fazer um esforço consciente para não ronronar feito um gato pidão. "O que está fazendo?", sussurro.

"Você estava me olhando como se quisesse um beijo." Seus olhos azuis ficam semicerrados. "Então, estava pensando em fazer isso."

4

GRACE

Meu batimento cardíaco está fora de controle. Um tambor acelerado em meus ouvidos, um martelar frenético contra as costelas.

Meu Deus.

Ele quer me beijar?

"A menos que eu tenha entendido errado", ele diz.

Engulo em seco, tentando desesperadamente controlar a pulsação desgovernada. Falar não é uma opção. Minha garganta está bloqueada. Apesar de minhas habilidades motoras não estarem operando em plena capacidade, consigo negar com a cabeça.

Sua risada aquece o ar entre nós. "Isso quer dizer que *não* entendi errado ou que *não* devo beijar você?"

Por milagre, consigo produzir uma frase completa em resposta. "Quero que você me beije."

Logan ainda está rindo ao se aproximar, virando-se de lado na cama, à minha frente, e me empurrando com delicadeza até me deitar. Ele paira sobre mim, e todos os músculos do meu corpo ficam tensos por causa da expectativa. Quando descansa uma das mãos no meu quadril, tremo o suficiente para ele perceber.

Um sorriso curva seus lábios. Lábios que estão cada vez mais próximos dos meus. A centímetros de distância. Milímetros.

Então sua boca roça a minha, e, caramba, estou beijando John Logan.

Quase na mesma hora, minha mente é inundada por tantos pensamentos que é difícil me concentrar num só. Ouço os sermões intermináveis do meu pai sobre me dar ao respeito, me comportar e não perder a linha na faculdade. Então ouço a voz animada da minha mãe, mandando eu me divertir e viver a vida ao máximo. E, em algum lugar entre os dois, alguém está gritando, com empolgação: *Você está beijando John Logan! Você está beijando John Logan!*

Sua boca é quente; os lábios, firmes. Primeiro, ele me beija com delicadeza. Uma provocação suave e sensual que me faz gemer. Logan lambe meu lábio inferior, então o morde de leve antes de brincar com a ponta da língua ao redor da minha boca. Seu gosto é doce, e, por alguma razão, isso me faz gemer de novo. Quando sua língua por fim desliza para dentro, ele solta um arquejo gutural que vibra pelo meu corpo e se instala dentro de mim.

Beijar Logan é a coisa mais incrível que já experimentei. Esqueça a viagem em família para o Egito quando eu tinha nove anos. A glória das pirâmides, os templos e aquela esfinge idiota não são nada comparados à sensação dos lábios desse cara nos meus.

Nossas línguas se encontram, e ele deixa escapar outro som baixo e rouco enquanto desliza uma das mãos por meu corpo até envolver meu seio esquerdo. Ah, merda. Logan está pegando nos meus peitos. Achei que a gente ia só se beijar, mas agora estamos dando um amasso.

Estou sem sutiã, então, quando o polegar roça o tecido fino e pressiona meu mamilo, um raio de calor vai da pontinha do seio até o clitóris. Meu corpo inteiro fica quente e dolorido, apertado de emoção. A língua de Logan explora minha boca enquanto ele esfrega meu mamilo rígido, seus quadris movendo-se ligeiramente contra os meus. O pau duro parece ferro quente junto à minha coxa, e fico muito excitada ao saber que ele está excitado comigo.

Ofegante, Logan se afasta. "Tenho que me preocupar com a sua colega de quarto entrando a qualquer momento?"

"Não, ela não vai dormir em casa hoje. Foi para algum bar na cidade e depois vai passar a noite na irmandade de uma menina chamada Caitlin. É uma péssima ideia, porque, da última vez que saiu com a Caitlin, Ramona quase foi detida por embriaguez, mas depois ela deu em cima do policial e..."

Logan me cala com outro beijo. "'Não' teria bastado", ele murmura contra meus lábios. Então pega minha mão e a coloca diretamente sobre o volume dentro da sua calça. Um instante depois, pega meu sexo por cima do pijama.

Ai, droga. Está acontecendo.

Não estou preocupada com minha resposta à mão dele — basta um movimento lento para que uma explosão de prazer ocorra dentro de mim. É a *minha* mão que desencadeia a onda de nervosismo. A mão que está acariciando o pau duro sob o zíper.

Já fiz isso antes, e também já fiz boquetes que sei que estavam certos, porque... bom, o cara gozou e tal. Mas não tenho experiência suficiente para me considerar uma especialista neste tipo de carícia. Todos os meus encontros com um pau envolveram o mesmo cara, Brandon, meu namorado da época do colégio, que era tão inexperiente quanto eu.

Se os boatos que ouvi a respeito de Logan forem verdadeiros, o cara já dormiu com metade das meninas da Briar. Isso me parece uma estatística insanamente alta, então tenho certeza de que não é muito precisa, mas com certeza ele já pegou mais gente do que eu.

"Tudo bem se eu fizer isso?", ele pergunta, acariciando entre minhas pernas.

Faço que sim e retribuo a carícia, então um gemido reprimido escapa de sua boca.

"Caralho, espera." Logan se ajeita sobre o colchão, e meu coração para enquanto abre o zíper. Ele abaixa a calça o suficiente para liberar a ereção da cueca e também abaixa o elástico do meu pijama e da calcinha.

Um segundo depois, sua mão roça meu sexo nu, e meus quadris se erguem involuntariamente, buscando um contato mais próximo.

Logan brinca com a ponta do indicador sobre meu clitóris. "Melhor assim?", ele pergunta, a voz grossa e rouca.

Muito melhor. Tão bom que faz minha cabeça girar, limitando a resposta a um murmúrio ofegante e sem sentido.

Sorrindo, ele se inclina e me beija de novo. Com a mão livre, agarra a minha e a leva até a ereção, envolvendo com delicadeza meus dedos trêmulos em torno do seu pau. É longo e duro, e a pele macia e quente desliza facilmente por minha pegada.

Meu corpo está em chamas. As ondas de excitação se intensificam, e, quando ele enfia o dedo médio em mim, meus músculos internos o apertam, a pressão tão intensa que me esqueço de respirar.

Não paramos de nos beijar. Nem mesmo para recuperar o fôlego. Estamos ambos ofegantes, as línguas entrelaçadas e as mãos ocupadas. Seu polegar pressiona meu clitóris enquanto o dedo médio se move dentro de mim, e o prazer tomando meu corpo aumenta, um nó apertado de excitação que faz com que o movimento dos meus quadris se torne ainda mais errático.

Os minutos passam. Talvez horas. Não tenho ideia, porque estou presa a sensações incríveis. Acaricio seu pau, apertando a cabeça grossa a cada movimento, até que seus quadris começam a se mover também, e um comando áspero sai de sua boca.

"Mais rápido."

Acelero o ritmo, e ele se move contra meu punho com um gemido baixo, a respiração fazendo cócegas em meus lábios quando interrompe o beijo. Seus olhos estão fechados, as feições tensas e os dentes cravados no lábio inferior.

"Vou gozar", ele murmura.

A excitação se move em ondas entre minhas pernas, e sei que ele pode sentir como estou molhada, porque geme de novo e seu dedo mergulha mais fundo, mais rápido. Segundos depois, Logan desaba em cima de mim, a testa descansando em meu ombro, enquanto seus quadris investem uma última vez.

À medida que sinto uma umidade jorrar na minha mão, seus olhos se abrem lentamente, e o prazer sonolento que transmitem é de tirar o fôlego. Puta merda. Acho que nunca vi nada tão sensual quanto John Logan logo depois de um orgasmo.

Sua respiração ainda está acelerada quando ele encontra o meu olhar. "Você gozou?"

Droga. O dedo dele ainda está lá dentro. Não está mais se mexendo... É apenas um lembrete do orgasmo que estava prestes a ter antes de me distrair com o clímax dele, o movimento inquieto de seus quadris e os sons sensuais que emitia.

Tenho vergonha demais de admitir que não terminei e, como *ele* já terminou, fico sem jeito de pedir que continue.

Então assinto com a cabeça e digo: "Ah, sim. Claro".

Uma sombra de dúvida cobre seus olhos, mas, antes que eu possa piscar, Logan se senta abruptamente e diz: "Tenho que ir".

Ignoro as doses iguais de decepção e irritação que apertam minha barriga. Sério? Ele não pode ficar nem uns minutos para jogar conversa fora? Que príncipe.

A situação fica ainda mais estranha. Logan pega um lenço de papel da mesa de cabeceira e se limpa. Finjo estar tranquila e composta ao ajeitar meu pijama e o vejo fazer o mesmo. Dou até um sorriso casual enquanto ele usa meu telefone para chamar um táxi. Por sorte, dessa vez, ele é atendido de imediato, o que significa que o constrangimento não dura muito.

Ando até a porta, e vejo que ele hesita por um instante. "Obrigado", diz, meio ríspido. "Foi divertido."

"Aham, claro. Pra mim também."

No segundo seguinte, ele já não está mais ali.

5

LOGAN

Entro no meu quarto depois de uma chuveirada pela manhã e ouço o telefone tocando. Como todo mundo da minha idade só manda mensagem, sei exatamente quem é sem nem conferir a tela.

"Oi, mãe", atendo, segurando a toalha enquanto caminho na direção do armário.

"*Mãe*? Minha nossa! Então é verdade?! Eu *achava* mesmo que tinha dado à luz um bebezinho lindo, vinte e um anos atrás, mas parece só uma memória distante. Se eu tivesse um filho, ele provavelmente me ligaria mais de uma vez por mês, não acha?"

Dou risada, apesar da pontada de culpa no peito. Ela tem razão. Tenho sido um péssimo filho, ocupado demais com a pós-temporada e os trabalhos de fim de semestre para ligar com a frequência com que deveria.

"Desculpa", digo, com remorso genuíno. "A vida fica corrida nessa época."

"Eu sei. Por isso não tenho incomodado você. Estudando muito?"

"Claro." Ah, tá. Não abri um livro ainda.

Ela me saca direitinho. "Não minta para sua mãe, Johnny."

"Tá, ainda não comecei", admito. "Mas você sabe que funciono melhor sob pressão. Pode esperar um segundo?"

"Claro."

Baixo o celular, solto a toalha e visto uma calça de moletom. Meu cabelo ainda está molhado, pingando no meu peito, então esfrego a toalha na cabeça antes de pegar o telefone de novo.

"Voltei", digo. "E aí, como vai o trabalho? E o David?"

"Bom e ótimo."

Ela fala de trabalho pelos próximos dez minutos — minha mãe é gerente de um restaurante em Boston —, depois conta o que meu padrasto tem feito. David é contador, então é tão entediante que às vezes é duro ficar perto dele. Mas ele ama mesmo minha mãe e a trata como a rainha que é, por isso não posso odiar o cara.

Por fim, ela pergunta quais são meus planos para o verão, adotando aquele tom defensivo que sempre usa quando traz à tona meu pai.

"E aí, vai trabalhar com ele de novo?"

"Vou." Faço um esforço para parecer relaxado. Há muito tempo meu irmão e eu concordamos em esconder a verdade dela.

Minha mãe não precisa saber que meu pai está bebendo de novo, e me recuso a desenterrar a merda toda. Ela foi embora e deve continuar *livre* disso. Merece ser feliz agora e, por mais chato que seja, David a faz feliz.

Ward Logan, por outro lado, só a fez infeliz. Não batia nela nem era agressivo, mas minha mãe sempre tinha que resolver as coisas por ele. Era ela quem lidava com os acessos de raiva e as internações constantes. Quem o levantava do chão quando ele chegava em casa chapado e desmaiava na entrada.

Merda, nunca vou esquecer o dia em que meu pai ligou para casa às duas da manhã, quando eu tinha uns oito ou nove anos. Ele enrolava as palavras ao contar que tinha enchido a cara em um bar, entrado no carro e não fazia ideia de onde estava. Era o auge do inverno, e minha mãe não quis deixar a mim e a meu irmão sozinhos em casa, então nos colocou no carro e nós três ficamos horas procurando por meu pai. Tínhamos só um nome de rua pela metade, porque a placa estava coberta de neve e ele estava bêbado demais para ir até ela.

Depois que o encontramos e o colocamos no carro, me lembro de sentir algo que nunca tinha experimentado antes — pena. Tive *pena* dele. Não posso negar que fiquei aliviado quando a minha mãe o mandou para a clínica de reabilitação no dia seguinte.

"Espero que ele esteja pagando direitinho", ela comenta, parecendo chateada. "Vocês dão duro naquela oficina."

"Claro que ele está pagando." Mas direitinho? Longe disso. Recebo o suficiente para pagar meu aluguel e as despesas do ano letivo, mas não é o salário que *deveria* ter por um trabalho em tempo integral.

"Que bom." Ela faz uma pausa. "Você ainda vai conseguir tirar uma semana de folga para vir nos visitar?"

"Está nos planos", asseguro. Jeff e eu já montamos um cronograma para que cada um de nós consiga dar um pulo em Boston e passar algum tempo com ela.

Falamos por mais alguns minutos e desligo, então desço as escadas para comer alguma coisa. Preparo uma tigela de cereal, a gororoba integral que Tuck nos obriga a comer, porque, por algum motivo, ele é contra açúcar. Assim que me acomodo junto à bancada, minha mente volta à noite passada.

Deixar o quarto de Grace cinco segundos depois de ela ter me masturbado foi coisa de babaca. Sei disso. Mas eu tinha que sair de lá. No segundo em que me recuperei do orgasmo, meu primeiro pensamento foi: *O que estou fazendo aqui?* Sério. Tudo bem, Grace era incrível, gostosa e engraçada, mas será que estou tão no fundo do poço que saio enfiando o dedo em meninas que nem conheço? E dessa vez não posso usar o álcool como desculpa, porque estava totalmente sóbrio.

E a pior parte foi que ela nem gozou.

Cerro os dentes com a lembrança. Ouvi um monte de gemidos, isso é verdade, mas tenho noventa e nove por cento de certeza de que ela não gozou, apesar de ter dito que sim. Ou melhor, ter mentido que sim. Quando uma mulher solta um evasivo "Ah, sim" depois que você pergunta se ela teve um orgasmo, isso se chama *mentir*.

E aquele "Aham, claro" meia-boca que ela soltou quando eu disse que tinha sido divertido? Isso acaba com o ego de um cara. Ela não só não gozou, como nem gostou da minha companhia?

Não sei o que pensar. Quer dizer, não sou um idiota. Não vivo em uma bolha mágica em que orgasmos caem do céu na cama de uma mulher toda vez que ela faz sexo. *Sei* que elas às vezes fingem.

Mas estou bastante confiante de que falo pela maioria dos caras quando digo que gosto de pensar que elas não fingem *comigo*.

Droga. Deveria ter anotado o número dela. Por que não fiz isso?

Sei a resposta. No último mês, não tenho me importado o suficiente para trocar telefones depois de ficar com uma menina. Ou melhor, tenho ficado bêbado demais antes, durante e depois para me *lembrar* de pegar o telefone.

O barulho de passos no corredor me desperta dos meus pensamentos e ergo os olhos em tempo de ver Garrett entrando na cozinha.

"Bom dia", diz ele.

"Bom dia." Enfio uma colherada de cereal na boca e faço o melhor para ignorar o desconforto imediato ao mesmo tempo que me detesto por me sentir assim.

Garrett Graham é meu melhor amigo. Eu não deveria me sentir *desconfortável* perto dele.

"E aí? Fez o que na noite passada?" Ele pega uma tigela do armário e uma colher da gaveta e se junta a mim na bancada.

Termino de mastigar antes de responder. "Fiquei com uma menina. A gente viu um filme."

"Legal. Alguém que eu conheço?"

"Não, conheci ontem." *E provavelmente nunca mais vou ver, porque, ao que parece, sou egoísta na cama e uma péssima companhia.*

Garrett serve um pouco de cereal na tigela e estende a mão para o leite que deixei fora da geladeira. "Já ligou para aquele agente?"

"Não, ainda não."

"Por que não?"

Porque não vai adiantar.

"Porque ainda não tive tempo." Meu tom é mais duro do que eu pretendia, e os olhos cinzentos de Garrett piscam, magoados.

"Não precisa falar assim. Foi só uma pergunta."

"Desculpa. Eu... desculpa." Parabéns, muito articulado. Abafando um suspiro, como outra colherada de cereal.

Um breve silêncio se instala entre nós até que Garrett por fim limpa a garganta. "Cara, eu entendo, tá legal? Você não foi convocado, e isso é uma merda. Mas não é o fim do mundo. Você está livre agora, o que significa que pode assinar com qualquer um que quiser você. E sem dúvida vão querer."

Ele tem razão. Sei que tem um monte de times que iam querer que eu jogasse para eles. E sei que teria sido escolhido na seleção para o profissional. Isso se eu tivesse me inscrito no *draft*...

Mas Garrett não sabe disso. Faz dois anos que ele acha que não fui draftado, e — já falei que sou um péssimo amigo? — eu o deixo pensar isso. Porque, por mais idiota que isso pareça, meu melhor amigo achar que não fui selecionado me incomoda muito menos do que admitir que nunca vou me tornar profissional.

Garrett também escolheu não se inscrever no *draft*. Mas a questão é que ele queria garantir o diploma sem se preocupar com a tentação caso fosse convocado por um time antes disso. Um monte de jogadores universitários larga a faculdade no instante em que um time o contrata — é difícil continuar estudando com um time profissional no seu pé, fazendo de tudo para persuadir você do contrário. Mas Garrett é um cara inteligente. Sabe que não pode fazer parte da Associação Atlética se não terminar o curso, e sabe que assinar um contrato com um time não garante sucesso instantâneo ou uma carreira promissora.

Nós vimos o que aconteceu com Chris Little, nosso colega de time no primeiro ano. O cara foi selecionado, virou profissional, jogou meia temporada. E aí? Sofreu uma lesão que acabou com a carreira dele. Little não só nunca mais vai colocar o pé no gelo como gastou cada centavo que ganhou com as despesas médicas. A última notícia que tive foi de que entrou num curso técnico, de soldagem, ou alguma merda assim.

Garrett está sendo inteligente. Já eu? Sabia desde o início que não conseguiria virar profissional.

"Quer dizer, Gretzky não foi draftado, e olha as coisas que ele fez. O cara é uma lenda. É o melhor jogador da história do hóquei."

Garrett continua falando, ainda tentando me "tranquilizar". Estou dividido entre mandar o cara calar a boca e dar um abraço nele por ser um amigo tão incrível.

Não faço nem uma coisa nem outra, optando por jogar panos quentes. "Na segunda eu ligo", minto.

Ele responde com um aceno satisfeito. "Ótimo."

O silêncio recai entre nós. Colocamos as tigelas vazias na lava-louça.

"Ah, esta noite vamos ao Malone's", diz Garrett. "Eu, Wellsy, Tuck e talvez Danny. Tá a fim?"

"Não vai rolar. Tenho que começar a estudar para as provas."

É triste, mas estou começando a perder a conta de quantas mentiras contei ao meu melhor amigo.

GRACE

"Como é que é? Fala de novo." Ramona me olha com descrença absoluta, os olhos completamente arregalados.

Dou de ombros, como se o que acabei de contar não fosse nada demais. "John Logan veio aqui ontem."

"John Logan veio aqui ontem", repete ela.

"É."

"Ele veio ao nosso quarto."

"Veio."

"Você estava aqui, e ele entrou e ficou aqui também. Neste quarto."

"Foi."

"Então John Logan bateu à nossa porta, entrou e ficou. Com você. Aqui."

O riso borbulha dentro de mim. "É, Ramona. Fim de papo. Ele esteve aqui, neste quarto."

Sua boca se abre. Em seguida se fecha. Depois se abre de novo e solta um grito tão ensurdecedor que fico surpresa de a água no meu copo não tremer como em *Jurassic Park*.

"Não acredito!" Ela corre e se joga na minha cama. "Conta tudo!"

Ramona ainda está com as roupas que usou para ir à festa: um vestido curtíssimo que sobe ainda mais quando ela se senta e sapatos prateados de salto, que ela tira e chuta para um canto, com as pernas agitadas.

Quando Ramona entrou no quarto, levei três segundos inteiros para dar a notícia. Agora, no entanto, com ela me olhando empolgada, a relutância se instala em minha garganta. De repente, estou com vergonha demais para contar o que aconteceu ontem à noite, porque... bom... vou dizer de uma vez: foi *decepcionante*.

Foi divertido assistir ao filme com ele. E adorei os beijos e os amassos — pelo menos até os momentos finais —, mas o cara gozou e *foi embora*. Quem faz isso?

Não admira que ele só pegue garotas em festas de fraternidade. Elas provavelmente estão bêbadas demais para perceber se gozaram ou não. Bêbadas demais para se dar conta de que John Logan não passa de uma fraude, uma propaganda enganosa.

Só que agora já abri minha boca grande, então tenho que seguir em frente e contar alguma coisa. Com Ramona boquiaberta na minha frente, explico como Logan bateu à porta errada e acabou ficando para ver um filme.

"Vocês viram um filme? Foi isso?"

Sinto meu rosto se acender. "Então..."

Outro grito dispara de sua boca. "Meu Deus! Você *transou* com ele?"

"Não", respondo depressa. "Claro que não. Nem conheço o cara. Mas... bom, a gente se pegou."

Fico hesitante em dizer mais do que isso, mas a revelação é suficiente para iluminar os olhos de Ramona. Ela parece uma criança que acabou de ganhar uma bicicleta. Ou um pônei.

"Você *ficou* com o John Logan! Ai, que incrível! Ele beija bem? Ele tirou a camisa? Tirou as calças?"

"Não", minto.

Minha melhor amiga não consegue ficar sentada. Ela pula da cama e começa a saltitar pelo quarto. "Não acredito nisso. Não acredito que não estava aqui para testemunhar isso."

"Que tarada", digo, seca.

"Pelo John Logan? Sou mesmo. Veria vocês dois se pegando por horas." Ela suspira. "Ai, meu Deus, manda uma mensagem agora e pede uma foto do pau dele!"

"O quê? Tá maluca!"

"Ah, qual é, no mínimo vai ficar lisonjeado..." Outro suspiro. "Não, manda uma mensagem e convida o cara para vir hoje à noite! E fala para trazer o Dean."

Odeio ter que jogar um balde de água fria em Ramona, mas, considerando a forma como Logan fugiu, não tenho escolha. "Eu não poderia, nem se quisesse", confesso. "Não peguei o número dele."

"O quê?" Ela parece devastada. "Qual é o seu problema? Pelo menos deu o seu?"

Nego com a cabeça. "Ele estava sem o celular, nem pensei nisso."

Ramona fica em silêncio por um instante. Seus olhos castanhos ágeis se concentram em meu rosto, como se estivessem tentando ler meu cérebro telepaticamente.

Eu me remexo, desconfortável. "O que foi?"

"Fala a verdade. Ele esteve mesmo aqui?"

Fico chocada. "Está falando sério?" Diante do pequeno dar de ombros dela, o choque se transforma em horror. "Por que eu inventaria isso?"

"Sei lá..." Ela põe uma mecha do cabelo escuro atrás da orelha, o desconforto evidente no gesto. "É só que... sabe como é, ele é mais velho e é um gato, e vocês não trocaram telefone..."

"Você acha que estou mentindo?" Fico de pé, mais do que insultada.

"Não, claro que não." Ela recua, mas é tarde demais. Já estou chateada e caminhando em direção à porta. "Aonde você vai?", Ramona geme, atrás de mim. "Ah, qual é, Gracie? Eu acredito em você. Não precisa sair correndo."

"Não estou correndo." Lanço um olhar frio para ela por cima do ombro e pego minha bolsa. "Tenho que encontrar meu pai daqui a quinze minutos. Tô atrasada."

"Sério?", pergunta minha amiga, sem acreditar.

"Sério." Preciso me esforçar para não olhar feio para ela. "Mas isso não significa que não esteja brava com você."

Ramona corre na minha direção e joga os braços ao meu redor, antes que eu possa impedi-la, apertando com força o suficiente para interromper o fluxo de ar para meus pulmões. É um dos seus típicos abraços de desculpas. Já perdi a conta de quantas vezes os recebi.

"Por favor, não fica com raiva de mim", ela implora. "Desculpa. Sei que você não faria isso. Quando voltar, quero ouvir *todos* os detalhes, tá legal?"

"Tá... tudo bem", murmuro, não porque esteja mesmo tudo bem, mas porque quero sair antes de bater na cara dela.

Ela me solta, o alívio estampado no rosto. "Legal. Mais tarde a gente se..."

Saio antes que ela termine a frase.

6

GRACE

Entro no café e, como meu pai ainda não chegou, peço um chá verde no balcão e escolho duas poltronas confortáveis no canto do salão. É sábado de manhã, e o lugar está deserto. Imagino que a maioria das pessoas esteja se curando da ressaca.

Assim que me acomodo na poltrona estofada, o sino da porta soa, e meu pai aparece. Está usando o paletó marrom de sempre e a calça cáqui engomada, combinação à qual minha mãe se refere como seu visual de "professor sério".

"Oi, querida", cumprimenta. "Deixa eu pegar um café."

Um minuto depois, ele se junta a mim no canto, parecendo mais agitado que o habitual. "Desculpa o atraso. Passei na minha sala para pegar umas provas e fui encurralado por uma aluna. Ela queria discutir o trabalho final do curso."

"Tudo bem. Acabei de chegar." Tiro a tampa do meu copo e o vapor sobe até meu rosto. Sopro o líquido quente por um momento e dou um gole rápido. "Como foi a semana?"

"Caótica. Estava preocupado com a qualidade dos trabalhos que estavam sendo entregues, então estendi minhas horas na faculdade, para receber os alunos que tivessem dúvidas sobre a prova. Tenho ficado no campus até as dez toda noite."

Franzo a testa. "Você sabe que tem um assistente, não sabe? Ele não pode ajudar?"

"E ajuda, mas você sabe que gosto de atender os alunos."

Sim, eu sei, e tenho certeza de que é por isso que eles o amam tanto. Meu pai dá aula de biologia molecular na pós-graduação da Briar, um curso que ninguém imaginaria ser popular. No entanto, existe uma *fila de espera* para a turma dele. Assisti a algumas de suas aulas ao longo dos anos e tenho que admitir que ele é capaz de fazer um assunto incrivelmente chato parecer interessante.

Meu pai dá um gole no café, olhando para mim por cima do copo. "Fiz uma reserva no Ferro's para sexta-feira, às seis e meia. O que a aniversariante acha?"

Reviro os olhos. Não sou do tipo que gosta de aniversário. Prefiro comemorações pequenas ou — num mundo perfeito — nenhuma comemoração, mas minha mãe é louca por aniversário. Organiza festas surpresa, dá presentes engraçadinhos, obriga garçons a cantar em restaurantes... ela adora infligir a pior tortura possível. Acho que gosta de envergonhar a filha única. Mas, como se mudou para Paris há três anos e não temos passado meus aniversários juntas, ela recrutou meu pai para assumir a função de me humilhar.

"A aniversariante só vai aceitar se você prometer que ninguém vai cantar para ela."

Ele empalidece. "Você acha que *eu* quero passar por isso? De jeito nenhum, querida. Vamos ter um jantar tranquilo e calmo. Quando você falar com sua mãe depois, pode contar como mariachis foram até a mesa cantar para você."

"Combinado."

"Tudo bem mesmo não jantarmos no dia do seu aniversário? Se quiser comemorar na quarta à noite, posso tentar sair mais cedo."

"Sexta-feira está bom", confirmo.

"Certo, então combinado. Ah, falei com sua mãe de novo ontem à noite", acrescenta ele. "Ela perguntou se você pensou sobre antecipar o voo para maio. Disse que queria muito ficar com você por três meses, em vez de dois."

Hesito. Estou animada para visitar minha mãe no verão, mas três meses? Mesmo dois já parece tempo demais, e esse foi o motivo pelo qual insisti em voltar na primeira semana de agosto, embora o semestre só comece no final do mês. Adoro minha mãe. Ela é divertida e espontânea, e tão esfuziante e animadora que é como se você tivesse sua própria líder de torcida, com pompons e tudo. Mas ela também é...

desgastante. É uma criança num corpo de adulto, satisfazendo suas vontades sem pensar nas consequências.

"Vou pensar", respondo. "Não sei se tenho energia para acompanhar o ritmo dela."

Meu pai ri. "Bem, nós dois sabemos que a resposta para isso é 'não'. Ninguém tem energia para acompanhar o ritmo da sua mãe, querida."

Ele sem dúvida não tinha, mas, felizmente, o divórcio dos dois foi cem por cento amigável. Acho que quando ela falou que queria pular fora, meu pai ficou mais aliviado do que chateado. E quando ela decidiu se mudar para Paris para "se encontrar" e "se reconectar com sua arte", ele deu todo o apoio.

"Este fim de semana eu aviso, tudo bem?" Estico a mão para pegar meu chá, mas ela congela no ar quando o sino da porta toca mais uma vez.

Vejo um cara de cabelos escuros usando uma jaqueta de hóquei da Briar entrar e por um momento acho que é Logan.

Mas não é. É outro jogador. Mais baixo, mais corpulento e nem de longe tão bonito.

Uma decepção me invade, mas tento afastá-la. Mesmo que Logan tivesse entrado por aquela porta, o que eu esperava que acontecesse? Que ele se aproximasse e me beijasse? Me convidasse pra sair?

Ceeerto. Fiz o cara gozar ontem à noite e ele nem ficou por tempo suficiente para me dar um beijo de despedida. Tenho que encarar os fatos: sou só mais uma na longa lista de conquistas de John Logan.

E, falando sério, por mim tudo bem. Por mais decepcionante que a experiência tenha se revelado, ser, hum... uma *conquista* de Logan é, de longe, o ponto alto do meu primeiro ano.

LOGAN

"Alguma vez uma menina já fingiu com você?", deixo escapar. São oito da manhã de segunda-feira, e estou tamborilando nervosamente os dedos na bancada da cozinha.

Dean, que estava a caminho da geladeira, para de forma tão abrupta que, se estivesse de patins, eu estaria limpando raspas de gelo da minha cara agora.

"Desculpa, não ouvi direito. O que você perguntou?"

Sua expressão é o cúmulo da inocência, por isso só depois que repito é que percebo que ele está de sacanagem comigo. Dean se dobra ao meio, lágrimas sinceras escorrendo pelo rosto, enquanto treme de tanto rir.

"Entendi muito bem da primeira vez", ele diz. "Só queria ouvir você perguntar de novo... Ah, merda... Acho que mijei na calça..." Outro uivo irrompe de sua garganta. "Você pegou uma menina e ela *fingiu*?"

Cerro os dentes com tanta força que meus molares doem. O que me fez pensar que falar com Dean seria uma boa ideia?

"Não", murmuro.

Ele ainda está rindo feito um louco. "Como você sabe que ela fingiu? A garota contou depois? Por favor, diz que sim!"

Encaro minha xícara de café. "Ela não disse nada. Só fiquei com essa impressão, tá legal?"

Dean abre a geladeira e pega o suco de laranja, ainda rindo consigo mesmo. "Isso é bom demais. O maior garanhão do campus incapaz de fazer uma menina gozar. É munição o bastante para azucrinar você por anos."

É, tenho certeza disso. Não sou dos mais inteligentes.

Mas por que ainda estou obcecado com isso? Passei o fim de semana inteiro lutando contra a tentação de ver Grace. Me obriguei a estudar para as provas. Joguei uma maratona de seis horas de *Ice Pro* com Tuck. Até limpei meu quarto e lavei a roupa.

E, então, acordei hoje de manhã e não aguentava mais.

Eu *sou* bom de cama. As mulheres sabem que, quando ficam com John Logan, vão sair com um sorriso de satisfação no rosto. Pensar que Grace tenha ficado insatisfeita me deixa louco. Isso está me corroendo há dias. *Dias*, merda.

Sabe de uma coisa? Que se dane. Posso não ter o número dela, mas sei onde mora, e não vou conseguir me concentrar em merda nenhuma hoje até que tenha corrigido a situação.

Deixar uma menina na vontade não é só embaraçoso. É inaceitável.

Trinta minutos depois, estou de pé na frente da porta dela.

Aparecer no quarto de uma menina às oito e meia da manhã pode não ser a melhor maneira de impressionar, mas, como meu ego idiota se recusa a me deixar ir embora, inspiro fundo e bato na porta.

Grace abre um segundo depois.

Só de roupão de banho.

Seus olhos se arregalam ao me ver, a voz saindo num guincho. "Oi."

Engolindo em seco, faço meu melhor para não pensar no fato de que provavelmente está nua sob o roupão. O tecido branco atoalhado vai até os joelhos, e o cinto está bem preso ao redor da cintura, mas a parte de cima se abre de leve, como um decote.

"Oi." Minha voz soa rouca, então limpo a garganta. "Posso entrar?"

"Hum. Claro."

Grace fecha a porta atrás de mim então se vira, um sorriso desconfortável nos lábios. "Não tenho muito tempo. Meu último seminário de psicologia começa daqui a uma hora. Ainda tenho que me vestir e andar até o outro lado do campus."

"Também não tenho muito tempo. Grupo de estudos em trinta minutos." Enfio as mãos nos bolsos para me impedir de ficar brincando com meus próprios dedos. Estou nervoso e não tenho ideia do porquê. Nunca tive dificuldade em falar com uma menina antes.

"O que foi?" Grace agarra com indiferença a frente do roupão, como se tivesse percebido que está prestes a se abrir.

"Você não chegou lá, né?" A pergunta sai antes que eu consiga evitar.

"Cheguei aonde?" Ela para, um rubor crescendo em suas bochechas ao entender. "Ah. Você quer dizer...?"

Cerro os dentes e faço que sim.

"Bom... não", ela confessa. "Não cheguei lá."

Eu me esforço para não franzir os lábios. "Então por que me disse que tinha conseguido?"

"Sei lá." Ela suspira. "Você já tinha terminado. Acho que não queria machucar seu ego ou algo assim. Outro dia, estava lendo um artigo que dizia que os homens são sensíveis a esse tipo de coisa. Quando uma mulher não atinge o orgasmo, isso desencadeia sentimentos de incerteza. Você sabia que cerca de dez por cento das mulheres não alcança o orgasmo durante o sexo? Com essa estatística, os homens não deveriam mesmo se sentir..."

"Você está fazendo aquela coisa de tagarelar de novo."

Sua expressão é tímida. "Desculpa."

"Não me importo. Fico feliz que você esteja preocupada com meu ego." Sorrio para ela. "Deveria estar mesmo."

Ela parece assustada. "Por quê?"

"Porque não consigo parar de pensar em como não fiz você gozar da última vez." Dou de ombros. "E quero mudar isso."

7

LOGAN

As bochechas de Grace vão de branco a rosa-claro em uma questão de segundos. Ela tem o rosto mais expressivo que já vi, rápido em exibir tudo o que está sentindo. Fico feliz que seja fácil ler o que está pensando, caso contrário, seu silêncio prolongado ao meu último comentário poderia ter me preocupado. Mas o brilho de curiosidade em seus olhos confirma que não a assustei.

"Sério?" Ela franze a testa.

"É." Meus lábios se curvam num pequeno sorriso à medida que dou um passo na direção dela. "E então, vai me deixar?"

Uma sombra de preocupação invade seu rosto. "Deixar o quê?"

"Fazer você gozar."

Fico feliz em ver o desconforto em sua expressão se transformar em expectativa sedenta. Grace não está com medo de mim. Está excitada.

"Hum..." Ela solta uma risada contida. "É a primeira vez que um cara aparece na minha porta perguntando isso. Sabe que parece meio maluco, né?"

"Maluco? Passei o fim de semana inteirinho fantasiando sobre como fazer isso." A frustração se acumula em meu peito. "Em geral, não sou um babaca, tá legal? Posso ser rodado, mas sempre garanto que a garota também se divirta."

Ela solta um suspiro. "Eu me diverti."

"Você teria se divertido muito mais se eu não tivesse gozado e ido embora."

Grace ri, o que *me* faz soltar um suspiro. "Você está me matando. Disse o quanto quero te fazer gozar loucamente, e você ri de mim?"

Abro um sorriso contorcido. "A gente não acabou de concluir que meu ego é frágil?"

Grace continua a torcer os lábios. "Achei que você estivesse atrasado", ela lembra.

"Daqui, levo dez minutos até a biblioteca. O que significa que tenho vinte minutos." Meu sorriso se torna diabólico. "Se não puder fazer você gozar em vinte minutos, então estou mesmo fazendo algo de errado."

Grace brinca com uma mecha de cabelo escuro molhado, visivelmente nervosa. Meu olhar se volta para seus lábios, que brilham, à medida que a língua os percorre para umedecê-los. O impulso de beijá-la lateja em meu sangue, e a excitação que paira no ar é intensa o suficiente para apertar minha garganta.

Dou outro passo. "E então?"

"Hum..." Sua respiração sai trêmula. "Tá. Se você quiser."

Deixo escapar um riso. "Claro que eu quero. Mas *você* quer?"

"Que... quero." Ela limpa a garganta. "Quero."

Me aproximo, e seus olhos se acendem de novo. Ela me quer. Eu também a quero, mas mando meu pau cada vez mais duro se comportar. *Hoje não é o nosso dia, cara. É o dela.*

Ele contrai em resposta, mas de jeito nenhum vai receber atenção agora. Se fosse qualquer outra garota, eu poderia sugerir uma rapidinha, mas, a menos que o meu radar de virgindade esteja desregulado, Grace nunca transou. E não só não tenho tempo para isso agora, como também não estou ansioso para assumir a responsabilidade de ser o primeiro.

Mas isso... seguro o cinto do roupão e dou um puxão lento... *isso* sou mais do que capaz de fazer.

E, dessa vez, quero fazer direito.

Não abro o roupão por completo. Só deslizo uma das mãos pela abertura e acaricio com delicadeza a pele nua de seu quadril. Ela treme no instante em que a toco. Seus olhos castanho-claros se fixam intensamente em meu rosto. Quando minha mão percorre mais uma vez seu corpo bem de leve, ela geme baixinho e se aproxima.

"Para a cama", ordeno, com a voz áspera, empurrando-a com delicadeza para trás.

Grace senta na borda do colchão, mas não se deita. Seus olhos permanecem grudados em mim, como se estivesse esperando outra ordem.

Exalando um suspiro, ajoelho na frente dela e dou um puxão final no roupão, que desliza por seus ombros. O ar que eu tinha acabado de soltar volta depressa para meus pulmões. Puta merda. A visão dela pelada faz meu pau doer. Grace é magra, com quadris minúsculos, pernas longas e lisas, os peitos pequenos, com mamilos cor-de-rosa lindos. Sinto a saliva inundar minha boca enquanto me inclino para apertar a língua sobre um deles. Não consigo evitar. Tenho que sentir seu gosto.

"Puta merda", murmuro contra o pontinho rígido, antes de chupá-lo.

Grace geme, arqueando as costas e enfiando o peito mais fundo em minha boca. Quero ficar aqui o dia inteiro. Sempre gostei de peitos, e a ideia de me manter nessa posição por toda a eternidade envia uma onda de calor para a ponta do meu pau. Mas o balanço desajeitado dos quadris de Grace me faz lembrar que não tenho tempo. E não saio daqui até fazer essa menina gozar.

Solto o mamilo com um som molhado e pouso as mãos em suas coxas. Elas estão tremendo sob meus dedos, o que me faz rir. "Tudo bem?"

Grace faz que sim com a cabeça, em silêncio.

Seguro de que ela ainda está no clima, abro mais suas pernas, escorrego um pouco e levo a boca até sua boceta.

Ereção instantânea.

Porra, adoro fazer sexo oral numa garota. A primeira vez que fiz, tinha quinze anos e fiquei tão excitado que gozei nas calças. Já não sou mais tão rápido no gatilho, mas não posso negar que a sensação da pele escorregadia de Grace, quente sob minha língua, deixa meu pau mais duro do que qualquer outra coisa.

Lambo o clitóris num movimento lento e provocante que a faz gemer. Grace se recosta nos cotovelos e, com uma olhadela, vejo que fechou os olhos. Seus lábios estão entreabertos, a pulsação visivelmente acelerada numa veia no centro do pescoço. É todo o incentivo de que preciso para continuar.

Minha língua desce até sua abertura. Ela está encharcada. *Nossa*. Talvez eu *devesse* me preocupar em não repetir o antigo fiasco de gozar nas calças, porque meu saco está tão apertado que parece prestes a explodir.

Contraio a bunda para controlar o formigamento e me concentrar em fazê-la se sentir bem. Volto até o pontinho inchado que está implorando por minha atenção, gentilmente batendo a língua nele, beijando, chupando e avaliando todas as suas respostas para descobrir do que gosta. Devagar e com carinho, continuo. Seus gemidos estão mais desesperados, e seus quadris balançam com mais força quando a provoco.

Só que o tiro está saindo pela culatra, porque meu pau está cada vez mais apertado contra o fecho da calça, chegando a doer. No mínimo, vou ficar com uma marca do zíper quando terminarmos.

Deslizo a pontinha do indicador para dentro dela, e sou imediatamente recompensado com um grito gutural.

"Bom?", murmuro, olhando para Grace.

Suas pálpebras estão pesadas. "Ahaaaammm."

A satisfação me invade, me incitando, me deixando ainda mais determinado a fazê-la subir pelas paredes. Retomo minha tarefa. Com lambidas gentis e lânguidas em seu clitóris, enfio o dedo cada vez mais fundo, até estar inteirinho lá dentro. Ela é apertada. *Muito* apertada. E molhada. Nossa. *Muito* molhada.

Se não gozar logo, minhas calças também vão ficar molhadas, porque estou tão perto de explodir que...

"Vou gozar", ela geme.

Ah, se vai. Seu clitóris pulsa contra minha língua, e a boceta aperta forte meu dedo. Grace não é do tipo que grita. Também não é muito de gemer, mas os sussurros que saem da sua boca são mais quentes do que qualquer barulho de estrela pornô que já ouvi.

Acompanho o orgasmo, acariciando dentro dela e chupando seu clitóris, enquanto Grace estremece baixinho na cama. Alguns segundos depois, ela começa a rir, se contorcendo, enquanto tenta se afastar de mim.

"Estou sensível demais", arfa.

Ergo a cabeça, com um sorriso. "Desculpa."

"Você não pode dizer isso agora. Não depois de..." Ela inspira fundo. "Isso foi... incrível." Grace se senta lentamente, os olhos nebulosos de prazer. "Não sei nem o que dizer. Obrigada?"

O riso borbulha em minha garganta. "Não tem de quê?"

Minhas pernas estão surpreendentemente bambas quando fico de pé. Ainda estou duro, mas o relógio na mesa de cabeceira diz que tenho onze minutos para chegar à biblioteca. Em outras circunstâncias, não me importaria em chegar atrasado, mas é o último grupo de estudo antes da prova final de marketing, amanhã, e não posso me dar ao luxo de faltar. Tirei um quatro na matéria, então reprovar é tanto uma possibilidade assustadora quanto algo que me recuso a deixar acontecer. É uma disciplina obrigatória, e não estou com a menor vontade de fazer de novo no ano que vem.

"Tenho que ir, ou vou chegar atrasado." Meus olhos encontram os dela. "Posso pegar seu telefone?"

"Ah. Hum..."

Sua hesitação me desperta uma pontada de ansiedade. Uma das raras vezes em que peço o número de uma menina e ela fica na dúvida? Depois de eu ter virado seu mundo de ponta-cabeça?

Estou perdendo o jeito?

Ergo uma sobrancelha, a voz assumindo um tom de desafio. "A menos que você não queira."

"Não. Quer dizer, quero." Ela morde o lábio inferior. "Agora?"

Forço uma risada que espero ter soado sedutora, e não nervosa. "Agora seria bom." Pego meu telefone do bolso traseiro e abro um novo contato. "Manda ver."

Grace recita uma série de números, tão rápido que tenho que fazer com que pare e repita. Digito seu nome, salvo e, por fim, guardo o celular. "Talvez a gente possa sair um dia. Ver o próximo *Duro de matar*..."

"Aham, claro. Parece ótimo."

Sério? Outro "Aham, claro"?

O que essa garota precisa para soltar um "ADORARIA SAIR COM VOCÊ"?

"Tá. Legal." Engulo em seco. "Acho que te ligo, então."

Grace não responde. No silêncio que se segue, sou tomado por uma onda de desconforto.

Então me abaixo e faço a coisa *mais* idiota da minha vida. Vocês têm noção? Já fiz muita burrada ao longo dos anos, mas essa...

Dou um beijo em sua testa.

Não nos lábios. Não na bochecha. Na merda da *testa*.

Mandou bem, garoto.

Ela me olha com um ar divertido, mas não lhe dou a chance de comentar a atitude idiota.

"Eu te ligo", murmuro.

E, pela segunda vez em três dias, deixo o quarto de Grace me sentindo um imbecil.

GRACE

Depois de uma aula de psicologia de três horas, posso dizer com toda a sinceridade que não ouvi uma palavra do que o professor disse. Nem uma única palavra.

Por cento e oitenta minutos, tudo o que fiz foi repassar cada segundo maravilhoso de cada coisa maravilhosa que Logan fez comigo pela manhã.

Qualquer um pode ser considerado divino ou é preciso preencher alguns pré-requisitos?

A *língua* de alguém pode ser divina? Ou existe algum prêmio para orgasmos dado pelo Departamento de Sexualidade?

Se for o caso, Logan o merece.

Ainda estou atordoada depois de ele ter aparecido à minha porta e praticamente *exigido* me dar um orgasmo. Seu ego deve ser tão sensível quanto o artigo da *Cosmopolitan* indicava, mas sabe de uma coisa? Achei fofo. É gratificante que alguém tão seguro quanto John Logan tivesse mesmo dúvidas a respeito de sua capacidade sexual.

Engraçado. Menos de uma semana atrás, eu estava lamentando a falta de emoção na minha vida. Agora, olhe só para mim — um jogador maravilhoso do time de hóquei bate à minha porta pedindo para me matar de prazer.

Acho que quem merece o prêmio sou eu.

Encontro Ramona e as meninas para almoçar na mesa de sempre, no fundo do refeitório claustrofóbico, com Logan ainda dominando meus pensamentos.

O Carver Hall é meu lugar preferido no campus. Mas quem o construiu deve ter ignorado os demais edifícios da universidade, porque ele tem um jeito rústico de chalé. O teto alto, as paredes cobertas com painéis de madeira e as luminárias ornamentais lançam um brilho amarelo suave sobre o salão, em vez da iluminação fluorescente dos outros refeitórios. E fica a apenas dois minutos do meu alojamento, o que significa que posso aproveitar seu esplendor diariamente.

Coloco a bandeja na mesa e abro o refrigerante, sentando numa cadeira vazia. "Oi", cumprimento. "Do que estamos falando?"

Ramona, Jess e Maya se calam na mesma hora, o rosto brilhando com um ar de segredo que me diz exatamente o que discutiam.

A minha vida.

Estreito os olhos. "O que foi?"

Ramona desvia o olhar, tímida. "Tá legal, não fica brava... mas eu contei do Logan."

Sinto uma onda de aborrecimento, mas a sensação é principalmente dirigida a mim. Não sei por que me dou ao trabalho de pedir a Ramona que não conte algo para ninguém. É o mesmo que jogar uma bola e mandar um cachorro não correr atrás dela. Pois bem, eu joguei a droga da bola, e agora Ramona está voltando com ela. Este ano, Ramona ficou amiga de duas meninas que fofocam ainda mais do que ela. Jess e Maya passam tanto tempo dissecando a vida dos outros que deveriam montar um site e desbancar o Perez Hilton.

"Então é verdade?", Jess pergunta. "Você ficou mesmo com ele?"

Falar de Logan com elas me deixa desconfortável, mas eu as conheço, e não vão parar de me encher o saco até eu dizer alguma coisa. Tentando parecer casual, enrolo o macarrão no garfo e o levo à boca. Então olho para Jess e digo: "Fiquei".

"Só isso? *Fiquei*?" Ela parece horrorizada. "Não vai dizer mais nada?"

"Já falei, ela está sendo super, ultra, megarreservada sobre isso." Ramona sorri. "Está esquecendo a regra número um da amizade: não poupar detalhes quando fica com o cara mais gostoso do campus."

Mastigo o macarrão. "Não sou de contar vantagem."

Maya se intromete, com uma pitada de zombaria na voz: "Sabe, considerando a completa falta de detalhes, alguém poderia pensar que nunca aconteceu".

Alguém poderia pensar?

Volto a cabeça na direção de Ramona. Inacreditável. Ela está espalhando isso agora? Faz as pessoas pensarem que sou uma louca, uma mentirosa patológica?

Ramona é rápida em se defender da acusação não feita. "Ei, já esclarecemos isso, lembra? Acredito totalmente que vocês ficaram."

"Duas vezes." A confissão me escapa antes que eu consiga evitar. Droga.

Ramona fica boquiaberta. "Como assim duas vezes?"

Dou de ombros. "Ele apareceu de novo hoje de manhã."

Isso me proporciona dois arquejos, seguidos por dois gritos agudos — de Jess e de Maya. Ramona permanece estranhamente quieta, mas, quando estudo sua expressão, não consigo decifrá-la.

"Meu Deus. Não brinca!", exclama Jess.

"Quando foi isso?", pergunta Ramona.

Seu tom é educado demais para não me causar arrepios. "Logo depois que você saiu para a aula. Mas ele não ficou muito tempo."

Seus olhos escuros permanecem entrecerrados. "Você pelo menos pegou o telefone dele dessa vez?"

"Não", admito. "Mas agora Logan tem o meu."

"Então você ainda não tem como falar com ele." Não é uma pergunta. Não é nem uma observação simpática. Sua voz soa ríspida e, quando olho ao redor da mesa, não posso deixar de notar o sorrisinho no rosto de Maya.

Elas não acreditam em mim.

Ramona pode negar até cansar e voltar atrás o quanto quiser, mas ainda acha que estou inventando. E agora está fazendo nossas amigas duvidarem de mim também.

Nossas amigas?

A vozinha de desprezo em minha mente está certa. Pensando melhor, de repente, não consigo lembrar uma única pessoa com quem saí este ano que não tenha conhecido por meio de Ramona. A única vez que convidei algumas meninas da minha turma de literatura para ir ao nosso quarto, Ramona riu e conversou com elas a noite toda, disse que tinha se divertido muito e, depois que elas foram embora, comentou que eram chatas e que eu não tinha permissão para aparecer com elas quando estivesse no quarto.

Por que deixo Ramona mandar na minha vida desse jeito? Eu tolerava isso na escola porque... droga, nem sei por quê. Mas não estamos mais na escola. Estamos na faculdade, e eu deveria poder passar meu tempo com quem bem entendesse, sem me preocupar com o que Ramona vai achar.

"Não", respondo entre os dentes. "Não tenho como falar com ele. Mas não se preocupe, tenho certeza de que meu namorado imaginário vai aparecer, mais cedo ou mais tarde."

Ela franze a testa. "Grace..."

"Vou voltar para o quarto para terminar meu trabalho." Perdi a fome. Pego minha bandeja com o jantar ainda pela metade e me levanto. "Vejo você mais tarde."

Talvez eu seja ingênua, mas pensei que a faculdade ia ser diferente. Imaginei que as fofoquinhas, as rasteiras e todas essas palhaçadas iam acabar depois que saísse do colégio, mas parece que meninas malvadas existem em todos os níveis do sistema educacional. É igual ir a uma fazenda — se você não estava esperando ver pilhas e mais pilhas de cocô de vaca para todo o lado, então vai ter uma enorme decepção. Aqui vai uma boa pergunta de vestibular para você: "Escola" está para "meninas malvadas" como "fazendas" estão para _____.

Merda. A resposta é "merda".

No momento em que saio do refeitório, Ramona me alcança, seus saltos batendo na calçada enquanto se apressa na minha direção.

"Grace, espera."

Eu me viro, com a mandíbula tensa. "O que foi?"

Seus olhos estão tomados pelo pânico. "Por favor, não fica brava comigo. *Odeio* quando fica assim."

"Nossa, Ramona, desculpa. O que posso fazer para você se sentir melhor?"

Seu lábio inferior treme. "Não precisa ser sarcástica. Vim pedir desculpas."

Se ela vier com mais um showzinho de lágrimas de crocodilo, vou perder a cabeça.

"Não quero mais falar disso", digo, com uma voz fria. "Não ligo se você acha que estou mentindo. *Sei* que não estou, e isso basta, tá legal?

Só fique sabendo que acho um absurdo minha melhor amiga desde os seis anos de idade pensar que eu..."

"Fiquei com inveja", ela deixa escapar.

Paro de falar. "O quê?"

Nossos olhares se encontram, e ela contorce o rosto. Em seguida, baixa a voz e repete. "Fiquei com inveja, tá legal?"

Não consigo acreditar no que estou ouvindo. Em treze anos de amizade, Ramona nunca admitiu ter *inveja* de mim.

"Passei o ano todo atrás de Dean", lamenta ela. "A merda do ano inteirinho, e ele nem sabe que existo. Agora você fica com o melhor amigo dele sem nem *tentar*." Uma expressão vulnerável suaviza suas feições. "Fui uma completa idiota e quero pedir desculpas. Estava me sentindo insegura e descontei em você. Não foi justo, mas, por favor, não fica zangada comigo. Quarta é seu aniversário. Quero comemorar com você, quero que fique tudo bem entre a gente de novo, e..."

Interrompo-a com um suspiro. "Tá tudo bem, Ramona."

"Jura?"

A raiva que corria tão livremente em minhas veias se dissipa assim que noto a esperança em sua expressão. *Esta* é a Ramona em quem investi treze anos da minha vida. A garota que me ouviu tagarelar por horas seguidas sobre minhas paixonites do ensino médio, que me trazia meu dever de casa sempre que eu ficava doente, que me ensinou a usar maquiagem e ameaçou botar pra correr qualquer um que me olhasse de um jeito *minimamente* errado. Ela pode ser egocêntrica e superficial às vezes, mas também é leal e muito gentil quando deixa de lado a pose de menina má.

Toda aquela palhaçada com Jess e Maya ainda dói, mas não posso abandonar anos de amizade por algo tão trivial.

"Tá tudo bem", confirmo. "Tô falando sério."

Um sorriso invade seu rosto. "Ótimo." Ela passa os braços em volta da minha cintura e me aperta com força. "Agora vamos pra casa, porque você precisa me contar todas as coisas sórdidas que John Logan fez com você hoje de manhã. Nos *mínimos* detalhes."

8

LOGAN

Na quarta-feira de manhã, dirijo até Munsen, com meu nível de entusiasmo firme no lugar de sempre: o zero.

Quase nunca preciso passar em casa durante o ano letivo, mas às vezes não tenho escolha. Em geral, isso acontece se o mecânico que trabalha meio período na oficina não consegue cobrir Jeff quando ele tem que levar meu pai ao médico. Fico repetindo para mim mesmo que sou capaz de lidar com algumas horas de troca de óleo e revisão geral sem ficar maluco.

Além do mais, vai ser um bom aquecimento para o verão. Costumo esquecer como odeio trabalhar na oficina, então todo primeiro dia das férias me sinto na linha de frente de uma zona de guerra. Meu estômago se revira e o medo me invade quando percebo que *aquela* vai ser minha vida pelos três meses seguintes. Pelo menos, se eu encarar isso agora, posso diminuir um pouco o choque depois.

A van de Jeff não está mais ali quando estaciono minha caminhonete na frente da Logan & Sons. O nome é meio irônico, considerando que a oficina já se chamava assim muito antes de meus pais terem filhos. Meu avô tocava o lugar antes de meu pai assumir, e acho que ele imaginava que teria mais filhos homens. Só teve um, no entanto, por isso, tecnicamente, a oficina deveria se chamar Logan & *Son*.

O lugar não passa de uma pequena construção de tijolo, dentro da qual só cabem dois elevadores. A área apertada não chega a atrapalhar o negócio, já que meu pai não está exatamente prosperando. A L&S paga as despesas, as contas do meu pai e o financiamento da casa, que fica nos fundos. Quando criança, eu odiava morar tão perto da oficina. Costumávamos acordar no meio da noite com clientes batendo à porta porque o carro tinha enguiçado perto dali, ou com telefonemas de empresas de reboque dizendo que estavam levando mais um veículo.

Desde o acidente do meu pai, no entanto, a proximidade se tornou conveniente, porque significa que ele pode chegar em casa do trabalho em menos de um minuto.

Não que ele passe muito tempo na oficina. Jeff é quem faz todo o trabalho, enquanto meu pai bebe até desmaiar na poltrona da sala.

Caminho até a porta amassada de metal, que está trancada. Um pedaço de papel preso com fita adesiva me diz, numa caligrafia que imediatamente reconheço como a do meu irmão:

VOCÊ ESTÁ ATRASADO.

Três palavras, todas em maiúsculas. Merda, Jeff está bravo.

Uso minha chave para abrir a porta lateral, entro e aperto o botão que ergue a enorme porta mecânica. Ainda está frio lá fora, mas sempre deixo a porta escancarada, não importa o clima. É minha única exigência para trabalhar aqui. Depois de um tempo, o cheiro insuportável de combustível e escapamento faz com que eu queira me matar.

Jeff deixou uma lista de tarefas, mas, por sorte, não é muito comprida. O Buick velho precisa de uma troca de óleo e de um farol novo. Moleza. Visto um macacão azul com o logotipo da L&S nas costas, sintonizo o rádio na primeira estação de metal que encontro e começo a trabalhar.

Uma hora depois, faço minha primeira pausa. Bebo água da pia do escritório e dou um pulinho lá fora para um cigarro rápido.

Mal termino de esmagar a bituca com a bota e ouço o som de um motor à distância. Sinto o peito apertar ao ver o para-choque branco dianteiro da van de Jeff por entre as árvores que ladeiam a rua comprida.

Como um covarde, entro depressa e corro para o capô levantado do Buick. Curvo-me sobre o motor e finjo que estou fazendo uma inspeção, concentrado demais no trabalho para notar as portas do carro batendo e a voz áspera do meu pai resmungando algo para meu irmão. Ouço os passos de duas pessoas, uma caminhando mais lentamente e com dificuldade, afastando-se do piso de terra da entrada, a outra pisando duro e com raiva. Logo em seguida, Jeff irrompe na oficina.

"Você não é capaz nem de falar oi para ele?", pergunta, irritado.

Ergo o corpo e fecho o capô. "Desculpa, estava terminando aqui. Vou passar em casa antes de sair."

"Acho bom, porque ele acabou de me dar um sermão, como se a culpa fosse minha!" As sobrancelhas escuras de Jeff se unem numa careta de reprovação. Parece que quer continuar com a bronca, então mudo de assunto depressa.

"E aí, o que o médico disse?"

Jeff responde com uma voz indiferente. "Que ele precisa parar de beber ou vai morrer."

Não consigo conter o riso de escárnio. "Até parece que ele vai conseguir."

"Claro que não. Está bebendo *para* morrer." Jeff balança a cabeça com raiva. "Antes do acidente, era um vício. Agora acho que é o único propósito dele."

Nossa. Nunca ouvi uma avaliação mais deprimente na vida.

Mas não tenho como discordar. O acidente de fato foi um divisor de águas — daí para a frente foi só ladeira abaixo, todos os anos de sobriedade praticamente apagados. Foram bons anos, cacete. Três anos inteiros em que tive um pai de novo.

Quando eu tinha catorze anos, a última passagem do meu pai por uma clínica de reabilitação milagrosamente funcionou. Antes de a minha mãe ir embora, ele passou um ano inteiro sóbrio — o único motivo pelo qual ela concordou em nos deixar ficar com ele. No divórcio, pudemos escolher com quem íamos morar, e como Jeff não queria mudar de escola e se recusava a terminar com a namorada, decidiu ficar com meu pai. E eu decidi ficar com meu irmão. Não só porque o idolatrava, mas porque, quando éramos pequenos, tínhamos prometido sempre ajudar um ao outro.

Meu pai ficou sóbrio por mais dois anos depois disso, mas acho que o universo decidiu que a família Logan não podia ser feliz, porque, depois que completei dezesseis anos, meu pai se envolveu num acidente de carro horrível quando voltava de Boston, depois de nos levar para ver minha mãe.

Suas pernas foram esmagadas. *Esmagadas* mesmo — ele teve sorte de não ficar paralítico. Sentia muita dor, mas os médicos ficaram com medo de prescrever analgésicos para um homem com um histórico de vício.

Disseram que ele precisava ser monitorado vinte e quatro horas por dia, então Jeff largou a faculdade para voltar para casa e me ajudar a cuidar dele. O marido novo da minha mãe ofereceu um empréstimo para contratar alguém para cuidar do meu pai, mas nós garantimos que dávamos conta. Na época, acreditávamos de verdade que seríamos capazes. As pernas dele iriam melhorar, e, se fizesse fisioterapia, como os médicos haviam recomendado, talvez conseguisse voltar a andar normalmente.

Porém, mais uma vez, o universo resolveu dar uma rasteira nos Logan. Ele estava sofrendo tanto que voltou a beber para esquecer a dor. E não terminou a fisioterapia, o que significa que suas pernas não sararam como previsto.

Agora ele manca, vive com dor e tem dois filhos que aceitaram o fato de que vão cuidar dele até sua morte.

"O que vamos fazer?", pergunto, deprimido.

"O mesmo de sempre. Segurar as pontas."

A frustração faz meu intestino se revirar, apertando o bolo de culpa já alojado ali dentro. Por que temos que sacrificar tudo por ele?

Porque ele é seu pai e está doente.

Porque sua mãe fez isso por catorze anos e agora é a sua vez.

Outro pensamento invade minha cabeça, um que já tive antes e que me faz querer vomitar toda vez que ressurge.

As coisas seriam muito mais fáceis se ele morresse.

Com a bile queimando a garganta, afasto a ideia egoísta e repulsiva. Não quero que morra. Ele pode ser um bêbado babaca e complicado às vezes, mas ainda é meu pai, porra. É o homem que me levava para o treino de hóquei, fizesse chuva ou sol. Que me ajudou a decorar a tabuada e me ensinou a amarrar o cadarço.

Quando estava sóbrio, era um pai muito bom, o que piora a situação toda. Não consigo odiar meu pai. E *não* odeio.

"Escuta, andei pensando…" Paro, com medo demais da reação de Jeff. Tusso, pego outro cigarro e sigo em direção à porta. "Vamos conversar lá fora um segundo."

Em seguida, dou uma tragada profunda, torcendo para que a nicotina me dê a dose necessária de confiança. Jeff me fita em reprovação, antes de soltar um suspiro derrotado.

"Me passa um negócio desses."

Enquanto ele acende o cigarro, exalo uma nuvem de fumaça e me forço a continuar. "Um agente de Nova York se interessou por mim. Um dos grandes." Hesito. "Ele acha que não vou ter dificuldade em assinar com um time se me mantiver livre."

Jeff fecha a cara na mesma hora.

"Isso pode significar um contrato e um belo bônus na assinatura. *Dinheiro*, Jeff." O desespero aperta minha garganta. "A gente ia poder pagar alguém para tocar a oficina e uma enfermeira em tempo integral para o papai. Talvez até quitar a casa, se o contrato for bom."

Meu irmão solta uma risada irônica. "Que tipo de contrato você acha que vai descolar, John? Fala sério." Ele balança a cabeça. "Olha, já falamos disso. Se você queria virar profissional, tinha que continuar na liga júnior. Mas você quis fazer faculdade. Não dá para ter as duas coisas."

É, escolhi a faculdade. Porque sabia muito bem que, se continuasse na liga, nunca sairia, e seria uma sacanagem com meu irmão. Só conseguiriam arrancar aquele bastão de hóquei das minhas mãos mortas.

Mas agora que está chegando a hora de trocar de lugar com Jeff, estou apavorado.

"Pode ser bastante dinheiro", murmuro, mas minha fraca tentativa de convencer meu irmão não dá certo. Jeff já está balançando a cabeça.

"De jeito nenhum, Johnny. Temos um trato. Mesmo que você assine com um time, não vai ganhar esse dinheiro todo de cara, e vai demorar para colocar tudo em ordem aqui. Não tenho esse tempo, tá legal? No instante em que você pegar o diploma, caio fora daqui."

"Ah, qual é? Duvido que você desapareça da cidade assim de uma hora para outra."

"Kylie e eu vamos para a Europa em maio do ano que vem", Jeff anuncia, calmamente. "Vamos viajar no dia seguinte à sua formatura."

A surpresa me invade. "Desde quando?"

"Faz muito tempo que estamos planejando isso. Já te falei: queremos viajar uns dois anos antes de nos casar. E depois vamos passar um tempo em Boston, antes de procurar um lugar para morar em Hastings."

Meu pânico se intensifica. "Mas esse ainda é o plano, né? Morar em Hastings e trabalhar aqui?"

Esse foi nosso acordo depois que terminei o ensino médio. Jeff segura as pontas enquanto faço a faculdade, depois eu assumo por alguns anos até ele voltar com a noiva e se estabelecer na região. Então ele vai tomar conta da oficina, e eu vou estar livre.

Tudo bem que, a essa altura, já vou estar com vinte e cinco anos, e as chances de jogar hóquei profissional serão muito pequenas. Pois é, talvez conseguisse entrar para algum time da liga menor, mas não sei quantos clubes da NHL estariam interessados em me contratar.

"Esse ainda é o plano", ele me assegura. "Kylie quer morar numa cidade pequena e criar nossos filhos aqui. E gosto de ser mecânico."

Bom, pelo menos um de nós gosta.

"Também não me importo em cuidar do papai. Eu..." Ele respira profundamente. "Só preciso de um tempo, entende?"

Minha garganta se fecha, então me limito a acenar com a cabeça. Em seguida, apago o cigarro e forço um sorriso. "Ainda tenho que trocar o farol. Melhor voltar para a oficina."

Entramos, e Jeff vai para o escritório, enquanto caminho até o Buick.

Quinze minutos depois, penduro o macacão num gancho na parede, dou um tchau apressado e praticamente corro para a caminhonete.

Torço para que meu irmão não perceba que não falei com papai.

9

LOGAN

Tudo o que quero hoje à noite é me esparramar no sofá e assistir ao primeiro jogo dos *playoffs*. Nem ligo se Boston não está no rinque — assisto a todas as partidas que posso na pós-temporada. Nada faz meu sangue correr e meu coração bater mais forte quanto os *playoffs* do hóquei.

Dean, no entanto, tem outros planos. Está esperando por mim no corredor quando saio do banheiro após a chuveirada, os olhos verdes semicerrados pela impaciência. "Cara, o que você tava fazendo lá dentro? Depilando a perna? Meninas de treze anos tomam banhos mais rápido que esse!"

"Demorei *literalmente* cinco minutos."

Passo por Dean e entro no meu quarto, mas ele me segue. Não tem senso de limite.

"Anda, se veste logo. Vamos ver um filme e não quero perder os trailers."

Fico olhando para ele. "Tá me convidando para um encontro?"

Dean me mostra o dedo do meio. "Vai sonhando."

"Quem parece estar sonhando é *você*." Pego uma cueca na gaveta de cima e lanço um olhar de reprovação na direção dele. "Dá licença?"

"Sério? Já vi seu pau centenas de vezes no vestiário. Se veste logo." Ele cruza os braços e bate o pé.

"Vai embora. Vou assistir ao jogo do Red Wings hoje."

"Ah, qual é, você nem *gosta* do Detroit. É meia entrada pra todo mundo hoje... faz uma semana que tô esperando pra ver esse filme do Statham, só por isso."

Olho boquiaberto para Dean, porque não acredito que esteja falando sério. "Você é podre de rico. Se alguém deveria pagar inteira no cinema é *você*."

"Eu tava sendo educado, seu imbecil. Esperei o dia mais barato pra *você* poder pagar pelo seu ingresso." Então ele abre seu sorriso marca registrada, que faz as meninas tirarem a calcinha e se jogarem em cima dele.

"Não me venha com esse sorriso tarado. Tá me assustando, cara."

Sua boca fica congelada naquela expressão sensual. "Vou parar de sorrir assim se você concordar em sair comigo hoje à noite."

"Você é a pessoa mais irritan..."

O sorriso se alarga, e ele pisca para mim.

Dez minutos depois, estamos saindo de casa.

O cinema de Hastings só tem três salas e uma estreia de filme novo por semana, o que limita bastante a seleção. Para a sorte de Dean, está passando o filme do Jason Statham que ele está doido para ver. Dean é *louco* por esse cara. Se alguém me dissesse que ele fica treinando o sotaque britânico na frente do espelho, eu acreditaria.

Ainda não estou no clima de cinema, mas depois que Dean torceu meu braço percebi que sair até era uma boa ideia. Nas quartas-feiras, Hannah em geral aparece lá em casa depois do trabalho. Com sorte, ela e Garrett já vão estar dormindo quando Dean e eu voltarmos. E, sim, eu sei os horários dela, sou trouxa mesmo.

Pelo lado bom, não estou tão obcecado por ela quanto de costume. A pessoa que monopolizou meus pensamentos o fim de semana inteiro não foi Hannah, mas Grace. É melhor nem ficar pensando muito na chupada de segunda-feira. Quando bati uma ontem, foi lembrando das coxas firmes e claras de Grace e da sua...

"Logan. Oi."

Pisco, confuso, ao ver Grace entrando no meu campo de visão. Por um segundo, me pergunto se minha mente suja de alguma forma personificou a imagem dela, mas não. A garota está mesmo aqui, a um metro e meio da bilheteria.

"Oi", digo.

Ela sorri, pondo uma mecha de cabelo atrás da orelha. Está vestindo uma malha, legging preta e uma parca azul aberta, parecendo saída das páginas de um catálogo da Abercrombie & Fitch. Curto esse visual confortável mas sensual.

Ouço um pigarro baixinho e percebo que tem alguém de pé ao lado dela. Uma menina curvilínea de cabelos pretos, saia marrom de couro e uma blusa vermelha de veludo. Está me encarando boquiaberta. Tipo, o queixo batendo no chão.

Alguém me cutuca por trás. "Cara", reclama Dean. "O que a gente tinha combinado? Você compra os ingressos; eu, a pipoca."

Ergo a nota de vinte dólares na mão. "Mudança de planos. Eu compro a comida."

Ele revira os olhos e lança um olhar de admiração para os peitos da amiga de Grace antes de se arrastar na direção da bilheteria.

"O que vocês vão ver?", pergunto.

Ela sorri. "O que você acha?" Ergue dois ingressos, e rio ao ver o nome do filme de Statham.

Claro. Tinha esquecido que ela é louca por filmes de ação.

"Nós também. Podemos sentar todos juntos."

A amiga faz outro barulhinho estridente. Na verdade, é mais um suspiro meio chiado. Apesar de baixo, significa muita coisa.

Grace aponta para ela. "Esta é Ramona. Ramona, Logan."

Ela me olha de cima a baixo. "Eu sei quem ele é."

Ah, merda. Já vi esse olhar antes. Muitas, muitas vezes, no rosto de muitas, muitas mulheres. Como se estivesse me imaginando pelado.

Pena que não estou interessado em realizar essa fantasia. Estou concentrado em Grace e no desfile de imagens loucas na minha mente. Como seus olhos ficaram vidrados quando minha língua tocou seu clitóris. Os barulhos ofegantes que fez quando gozou. E...

"É aniversário da Grace", anuncia a amiga.

Ela contorce o rosto, desconfortável. "Ramona!"

"Sério?" Sorrio para ela. "Parabéns, linda."

Não deixo de notar a forma como a mandíbula da amiga se abre de novo, ou como Grace se ajeita, visivelmente constrangida.

"Obrigada." Ela projeta o lábio inferior num sorriso melancólico. "Faço dezenove hoje. Êêê."

Deixo escapar uma risada ao ver que está sendo irônica. "Então você não gosta de aniversários?"

"Não. Minha mãe me traumatizou pelo resto da vida."

A amiga solta uma gargalhada repentina. "Ei, lembra da feira de primavera? Quando sua mãe subiu no palco no meio do show de folk e fez um rap de aniversário para você?"

"O dia em que pesquisei como me emancipar?", responde Grace, com a voz seca. "Lembro como se fosse ontem."

A outra me lança um olhar conspiratório. "Eu queria convidar algumas pessoas para uma festinha no alojamento, mas ela ameaçou cortar meus dois braços e enfiar goela abaixo. Então concordamos em vir ao cinema."

Somos interrompidos por Dean, que franze a testa ao me ver com as mãos vazias. "Eu tenho que fazer tudo?" Então, como se acabasse de lembrar que está na presença de duas meninas muito bonitas, abre um sorriso. "E aí, não vai me apresentar?"

"Esta é Grace e..." Merda, já esqueci o nome da amiga.

"Ramona", ela me interrompe, transferindo o olhar faminto para Dean.

Ela pode cobiçar o cara o quanto quiser, mas posso garantir que, no momento em que descobrir que ela é do primeiro ano, Dean não vai corresponder ao seu entusiasmo.

Apesar de toda a pegação, o cara tem uma regra rígida sobre não sair com calouras. Até concordo com isso, considerando o pequeno incidente que ele teve com uma psicopata no início do ano. Dean pegou uma aluna do primeiro ano que, depois de uma noite tórrida, decidiu que eles estavam loucamente apaixonados. Então começou a aparecer lá em casa o tempo todo, às vezes de roupa, outras *sem*, em geral armada com flores, cartas de amor e — meu preferido — uma foto sua emoldurada, vestindo a camisa de hóquei de Dean.

Às vezes, quando estou tentando dormir, ouço a voz da garota gritando *Deeeeeeeean* diante da janela.

Não preciso nem dizer que, desde então, ele tem evitado sair com as mais jovens, que chama de "chiclete".

Seguimos para a lanchonete, onde ele compra uma pipoca. Alguns minutos depois, entramos na sala escura, logo depois do início dos trailers. A sala está *lotada*. É mais fácil o próprio Jason Statham aparecer para comentar o filme do que encontrarmos quatro lugares juntos. Mas vejo várias opções de dois lugares disponíveis.

As meninas estão andando à nossa frente, então me aproximo de Dean e sussurro: "Tudo bem se a gente se separar? Quero sentar com Grace. É aniversário dela".

Seu olhar repousa na inegavelmente grande bunda de Ramona. "Por mim, beleza."

Tanto Grace quanto Ramona concordam quando sugiro sentarmos separados. Na mesma hora, Ramona agarra o braço de Dean e sussurra algo em seu ouvido que o faz rir, e os dois se afastam no escuro, à procura de lugares livres.

Grace e eu fazemos o mesmo. Encontramos dois assentos vazios no meio da sala, bem no corredor, e, logo que nos acomodamos, ela se aproxima para sussurrar: "Tem certeza de que seu amigo vai ficar bem com Ramona? Ela vai dar em cima dele o tempo todo".

Seus lábios estão praticamente no meu ouvido, e seu cheiro é incrível. Não seria capaz de nomear aromas de flores nem que minha vida dependesse disso, mas, quando passa a mão pelo cabelo, um sopro doce e feminino flutua até minhas narinas.

"Não esquenta. Dean sabe se cuidar", sussurro de volta, com um sorriso.

Voltamos a atenção para a tela e vemos um trailer que chama a atenção de Grace de cara. É de um filme cheio de explosões, tiros, grandes estrelas e armas ainda maiores. Sua expressão me faz querer dar um beijo intenso nela. É um tesão como ela curte filmes de ação.

Antes que eu possa evitar, pego sua mão.

Grace tem um leve sobressalto, então relaxa e me olha com um sorriso, antes de voltar a prestar atenção na tela.

Ainda não consegui decifrar essa garota. É doce, mas não parece ingênua. Transmite inocência, mas também é supersegura de si. Não me enche de perguntas nem dá em cima de mim. Que merda, nem sequer levantou o assunto do hóquei, o que, em geral, é a primeira coisa que as meninas fazem comigo.

É estranho como não sei quase nada sobre ela, embora há dois dias tenha enfiado a cara entre suas pernas e... Ah, merda, agora estou pensando na boceta dela.

Delícia. Então sinto uma ereção de proporções monstruosas.

Me ajeito no assento, desconfortável, resistindo à vontade de enfiar a mão nas calças e reorganizar as coisas discretamente. Ou talvez enfiar a mão nas calças *dela* e lhe dar um presente de aniversário inesquecível.

Não faço uma coisa nem outra. Os sons de gente comendo pipoca e amassando embalagens de bala ecoam à nossa volta, um lembrete evidente de que temos companhia. Tento me concentrar nos créditos de abertura que aparecem na tela, mas, com dez minutos de filme, minha ereção continua firme e forte.

Quanto tempo pode durar uma ereção? Três horas? Quatro? Esse filme não pode ser tão longo, né?

Puta merda, espero que não.

10

GRACE

Pela primeira vez na vida, não estou com raiva de Ramona por me fazer sair de casa no meu aniversário. Queria evitar festa e ficar em casa, mas ela me tentou com o filme do Jason Statham. Somos amigas a tempo o bastante para Ramona conhecer todos os meus pontos fracos — e explorá-los a todo custo.

Mas devo a ela um favor e tanto por usar Statham como isca esta noite, do contrário, não estaria sentada com Logan.

Em todo caso, ainda não sei o que acho dele. Logan não deixou a melhor primeira impressão quando fugiu do meu alojamento, mas não posso negar que a segunda aparição foi um sucesso, em termos de orgasmo. Então acho que tenho um pró e um contra, por enquanto.

Ou melhor, *dois* prós — porque, no meio do filme, ele me beijou.

E não é um beijinho. Nem uma carícia prolongada. É um beijaço quente e de língua que faz meu coração bater acelerado e tão alto que encobre o som das explosões na tela. Eu me perco naqueles lábios, *nele*, no carinho habilidoso da sua língua e no calor da mão que envolve meu pescoço.

É só quando ouço as risadas dos caras do meu lado que me lembro de onde estamos. Me afasto, sem jeito, e o olhar de pálpebras pesadas de Logan repousa em minha boca, que está molhada e inchada.

Ele se aproxima. "Em uma escala de um a dez, quanto você se importa de perder alguns minutos do filme?"

Penso por um instante. "Dois?"

"Que bom."

Ele me coloca de pé. Como estamos bem no corredor, não temos que passar na frente de ninguém, poupando todo mundo daquele terrível "Desculpa, com licença" horroroso. De mãos dadas, descemos os degraus na ponta dos pés. Vejo Dean e Ramona nas fileiras da frente, mas nenhum dos dois percebe nossa fuga.

"Aonde a gente está indo?", sussurro.

Sua resposta se resume a um sorriso malicioso. Ele me leva para o corredor escuro em direção às portas da sala, mas, em vez de sair, vira à esquerda e gira a maçaneta de uma porta que eu nem tinha percebido que existia.

Estamos num depósito. É escuro como breu e cheira a material de limpeza, mas, de repente, o corpo de Logan pressiona o meu, e tudo o que consigo sentir é o seu cheiro. Suspiro quando sua boca cobre a minha, porque não vi o beijo chegando. Na verdade, não consigo ver nada. Mas pode ter certeza de que *sinto*. Os músculos rígidos do peito de Logan, tensos sob a camisa de manga comprida. A insistência sedutora de sua língua, deslizando por meus lábios entreabertos e enchendo minha boca.

Passo os braços por seu pescoço e correspondo ao beijo ansiosamente. Num piscar de olhos, ele me recosta contra a parede e enfia a coxa musculosa entre minhas pernas. O contato inesperado desencadeia uma onda instantânea de excitação que me domina por completo.

Logan me beija com uma vontade insaciável, chupando minha língua como se fosse bala. Então segura minha bunda e me puxa mais para perto, esfregando nossos corpos um no outro.

"Queria poder comer você aqui." Ele rosna as palavras contra meu pescoço antes de afundar os dentes nele, causando uma pontada de dor que imediatamente suaviza com a língua.

Não tinha percebido que meu pescoço tinha tantas terminações nervosas. Estou pegando fogo, cada centímetro de pele formigando com o toque dele, se arrepiando cada vez que seus lábios viajam por minha carne febril.

Meu clitóris incha, *dói*, e a tensão entre minhas pernas cresce cada vez mais, até que estou desavergonhadamente me esfregando em sua coxa, numa tentativa desesperada de me aliviar. Nunca fiz isso antes, e a noção de que qualquer um poderia entrar e nos pegar aqui é tão emocionante que meus quadris se movem mais depressa, desejando o atrito.

"Ah, linda, faz mais, vai?", murmura ele. "Fica se esfregando em mim."

Minha. Nossa.

Esse tipo de papo para mim é... novidade. E excitante. Estou com tanto tesão que nem consigo formular pensamentos coerentes.

Ele faz um caminho de beijos por minha pele até chegar à minha boca, enfiando então a língua bem fundo, imitando os movimentos dos quadris. Se, há uma semana, alguém tivesse dito que John Logan estaria me agarrando num depósito de cinema, eu teria morrido de tanto rir.

Mas aqui estamos, e é bom demais. Meu clitóris pulsa cada vez que o fecho da calça dele o pressiona. Ou estou interpretando completamente errado o formigamento louco dentro de mim, ou... acho até que posso gozar assim. De roupa, apenas pelo contato de sua coxa... É, estou quase lá.

Um ruído desesperado escapa da minha boca, mas é imediatamente engolido por outro beijo faminto de Logan, que balança os quadris com mais força, mais rápido, até o prazer contido em mim explodir numa onda de pura felicidade que me atravessa, comprimindo meus dedos e me fazendo contorcer os pés.

Logan deixa a cabeça cair na curva do meu pescoço e solta um grunhido baixo. Ele respira com dificuldade contra a minha pele, enquanto todo o seu corpo treme.

"*Porra*. Isso foi demais", ele murmura, alguns segundos mais tarde.

Seus braços me envolvem, me apertando com força contra o peito forte, à medida que nós dois nos recuperamos, ambos com a respiração ofegante e o coração batendo em uníssono. Um minuto inteiro se passa, até que ele me solta e se afasta.

Meus olhos se ajustaram à escuridão, e o vejo pegar uns guardanapos de uma pilha, numa das prateleiras mais próximas. Ele enfia a mão nas calças, depois tira o guardanapo amassado e joga na lata de lixo perto da porta.

Em seguida, está de volta e, com a boca junto ao meu ouvido, diz, com a voz rouca: "Feliz aniversário".

Começo a rir. Não tenho ideia do motivo, mas é tudo tão surreal que me pego tremendo, o que provoca uma gargalhada profunda dele.

"Obrigada", respondo, entre risos.

Seus lábios roçam os meus por um breve momento, e então ele pega minha mão e me leva até a porta. Logan faz uma pausa diante dela, curvando-se galantemente antes de abrir para mim. "Depois de você, linda."

Ah, merda. Essas quatro palavrinhas derretem meu coração, transformando tudo numa maçaroca quente e grudenta dentro do meu peito.

Pelo menos agora sei como me sinto a respeito disso tudo.

Acho que posso estar gostando dele. *Bastante.*

LOGAN

Na noite seguinte, no meio de uma disputa acirrada contra Tucker, numa intensa partida de *Ice Pro*, Dean aparece na sala de estar, descalço e sem camisa. Ele corre a mão pelo cabelo louro espetado antes de sentar na poltrona ao lado do sofá.

"Escuta, preciso falar com você sobre a caloura."

"Que caloura?", diz Tucker, sem tirar os olhos da tela.

Também não desvio o rosto. "Grace?", pergunto, distraído.

Meu time está detonando o de Tuck, provavelmente porque o idiota se recusa a jogar com qualquer outra equipe que não o Dallas, que foi eliminado dos *playoffs*, tipo, um milhão de vezes seguidas. Eu, claro, só jogo com o Boston, porque cresci torcendo para esse time e é onde sonhei jogar um dia.

"É, Grace. A menos que você tenha levado outra caloura ao cinema e se esfregado com ela." O comentário exala sarcasmo.

Pauso o jogo para dar um gole na minha Coca-Cola. Isso mesmo, Coca-Cola. Ainda estou pegando leve com a bebida. Amanhã é minha primeira prova, e não quero aparecer de ressaca.

"Não levei ela ao cinema", respondo. "Encontramos as duas lá, lembra?"

"Ah, lembro. E me lembro também da pegação. Sério, cara, toda vez que eu olhava para trás, vocês pareciam atores de filme pornô."

Ainda bem que não contei o que fizemos no depósito. Dean jamais me deixaria em paz se soubesse daquilo.

"Espera... você tá saindo com uma caloura?" A expressão de Tuck é indecifrável, mas tenho certeza de que posso ouvir um tom de alívio em sua voz.

"Nada a ver. Não estamos saindo."

"Ótimo", comenta Dean, balançando a cabeça energicamente. "Meninas mais novas são muito dramáticas."

Tucker solta um riso de desdém. "Dramáticas? Agora é assim que você se refere a Bethany? Porque aquilo não tinha nada de dramático, cara. Era *psicose*."

"Era um pé no saco, isso sim", murmura Dean. "E muito obrigado por me lembrar do episódio. Agora vou ter pesadelos esta noite. Babaca."

Reviro os olhos. "Não esquenta, Grace não é assim. Nem um pouco dramática."

E essa é uma das razões pelas quais estou tão atraído por ela. É a garota mais simples que já conheci. Além do mais, quando estamos juntos, não penso em Hannah, e isso é...

Então você está usando Grace para esquecer Hannah?

A acusação dispara em minha cabeça como um time de hóquei na ofensiva.

Não. Claro que não.

Ou estou?

Não. Isso é loucura. Gosto de Grace de verdade e *curto muito* ficar com ela.

Mas... ela parece mesmo ser uma distração de toda a história com a Hannah.

E que distração, hein?

Droga. Sou um filho da puta completo.

À medida que a culpa inunda meu estômago, compreendo subitamente o tamanho da merda que fiz. Nesse momento, percebo que não posso ver Grace de novo. Como, se uma parte de mim a enxerga como uma *distração*? Se ainda sinto aquele aperto terrível na barriga toda vez que vejo Garrett e Wellsy juntos? Se ainda estou consumido pela inveja, pela ansiedade e por um ódio imenso de mim mesmo?

Mandei uma mensagem para Grace mais cedo e estava pensando em perguntar se ela queria sair amanhã à noite, mas agora não posso mais fazer isso. Seria idiota da minha parte usar a garota como distração sem perceber, mas agora que me dei conta disso me recuso a continuar. Não seria justo com ela.

"Nem um pouco dramática?", repete Dean, afastando meus pensamentos conturbados. "Certo, sinto muito informar, mas o trem do drama já deixou a estação. Foi isso que vim contar."

Franzo a testa. "Do que você está falando?"

"Conhece a Piper?"

Tucker deixa escapar uma risada. "Precisa perguntar? Todo mundo *conhece* a Piper."

Minha careta se aprofunda, porque, se Piper Stevens está envolvida no que Dean está prestes a me dizer, então não vai ser bom. Piper é a maria-patins das marias-patins. Também é gostosa pra caralho, razão pela qual metade dos caras do time já transou com ela. O que, por sinal, é um feito do qual ela se orgulha muito.

Não tenho nenhum problema com isso. Toda vez que ouço alguém se referir à menina como vagabunda, fico puto, porque qual é o problema? A maioria dos caras que conheço pegam geral na faculdade, e ninguém liga pra isso. Então não julgo Piper pela vida sexual que leva.

O problema é que ela é uma pessoa má, que espalha mais boatos e fofocas desagradáveis do que um tabloide de Hollywood.

"Passei a tarde com Niko, e ele me disse que Piper andou falando um monte de merda sobre a sua caloura", explica Dean, indiferente.

Minha coluna enrijece. "O quê?"

"Pois é, parece que a irmã da Piper é amiga da Grace, e sua caloura contou sobre vocês dois? Só que, por alguma razão, a menina acha que ela está inventando?"

"Você tá me perguntando isso ou contando?", resmungo.

"As duas coisas? Não sei. Já desisti de tentar entender as mulheres."

"Somos dois", comenta Tuck, solenemente.

Dean emite um barulho exasperado no fundo da garganta. "Tudo o que sei é que a Piper tá falando que uma caloura patética tá mentindo sobre ter ficado com você, mas isso é obviamente mentira, porque eu assisti à pegação da primeira fila ontem à noite... Lembra quando sua língua tava vasculhando o fundo da garganta dela?"

"O cinema tava lotado de alunos da Briar. Se *você* viu a gente, então tenho certeza de que um monte de gente também viu."

"Ah, eles viram, cara."

"Então por que é que alguém ainda acredita na mentira da Piper? Eu não preciso esconder nada de ninguém."

"Bom, se você conta uma mentira com confiança, as pessoas acreditam." Ele dá de ombros. "De qualquer forma, achei que você deveria saber que a Piper tá dando uma de Piper de novo. Ah, e Niko contou que ela tá *tuitando* sobre isso. Inventou alguma hashtag maldosa sobre a menina."

O quê? Pego o celular na mesa de centro e abro o Twitter. "Qual é a hashtag?"

"Não tenho a menor ideia. Deve dar para encontrar pela conta da Piper."

Digito depressa o nome dela na caixa de busca, clico no perfil e repasso a primeira dúzia ou mais de tuítes na página. Cada um deles faz a raiva queimar, borbulhar e ferver dentro de mim, até que finalmente explode e me faz levantar do sofá de pura indignação.

Ah, *merda*, não.

11

GRACE

Sabe aqueles sonhos horrorosos em que você está andando pelo corredor da escola ou subindo no palco de um auditório para fazer um grande discurso... e, de repente, percebe que está completamente pelado, com todo mundo olhando para você? E então aqueles pares de olhos vão ficando maiores e maiores, e parecem laser queimando sua pele?

É o que estou vivendo neste momento. Estou vestida, claro, mas, apesar das inúmeras garantias de Ramona de que não tem ninguém olhando para mim, *sei* que os olhares curiosos e risinhos de superioridade dos outros alunos não são coisa da minha imaginação.

Maldita Maya Stevens. A filha da mãe conseguiu o impossível: me fez ter medo de andar no Carver Hall, meu lugar preferido no campus.

Na verdade, é bem impressionante que, mesmo com apenas cento e quarenta caracteres, a irmã dela tenha conseguido produzir um belo conto de uma heroína lamentável cujo desejo feroz por determinado jogador de hóquei a leva a fabricar um grandioso caso de amor cheio de sensualidade e paixão.

Em outras palavras, Piper está me chamando de mentirosa.

"Isto é tão humilhante", murmuro, espetando o frango no meu prato. "A gente pode ir embora?"

Ramona ergue o queixo numa pose obstinada. "Não. Você precisa mostrar às pessoas que não dá a mínima para o que a Piper está dizendo."

Falar é fácil. Meu cérebro sabe que eu não deveria me preocupar com as imbecilidades do Twitter, mas meu estômago não recebeu o recado. Toda vez que as palavras #GraceMentirosa voltam à minha cabeça, minhas entranhas se contorcem, mortificadas.

Que merda está acontecendo com as pessoas? É muito irritante que se achem no direito de destilar o veneno mais doloroso como bem entendem, sem dar a mínima para quem está sofrendo. Na verdade, sabe de uma coisa? Não estou nem chateada com os boatos. Estou chateada com quem inventou a internet e entregou aos idiotas do mundo uma plataforma na qual despejar toda a sua maldade.

Merda de internet.

Ramona trata meu silêncio como um convite para continuar tagarelando. "Piper é uma imbecil, tá legal? Você sabe como ela é possessiva com os jogadores de hóquei. Age como se todos eles pertencessem a ela. Ridícula. Provavelmente está morrendo de ciúme por você ter saído com uma das principais estrelas do time, porque ela, aliás...", Ramona baixa a voz para um tom conspiratório, "... tá correndo atrás dele desde o primeiro ano, mas continua levando fora."

Minha nossa. Agora *nós* estamos fofocando? Tem algum adulto maduro nesta porcaria de universidade?

"Será que a gente pode parar de falar nela?" Cerro os dentes, e fica quase impossível abocanhar a garfada de macarrão que acabei de levar à boca.

"Tudo bem", ela cede. "Mas tô contigo e não abro. Só vão falar mal da minha melhor amiga por cima do meu cadáver."

Prefiro não lembrar que Piper não estaria falando mal de mim se *alguém* não tivesse deixado subentendido que eu estava mentindo quando contou a história toda a Maya.

"Se você preferir, podemos falar do *meu* problema", continua ela, tristonha. "Por exemplo, o fato de que Dean não pegou meu telefone depois do filme de ontem..."

Ouvimos passos atrás de nós, e Ramona para de falar. Meus ombros ficam tensos, mas logo relaxam quando percebo que se trata de Jess. E então ficam tensos de novo, porque se trata de *Jess*. Que beleza. Mais uma rodada de tortura.

"Oi", ela me cumprimenta, os olhos cheios de simpatia. "Que merda essa palhaçada toda no Twitter, né? Maya não devia ter contado para a irmã. Ela é *tão* fofoqueira."

Se eu tivesse um dicionário comigo, abriria na letra H, passaria para Jess e a forçaria a ler a definição de "hipócrita".

Por sorte, meu telefone vibra antes que eu possa pensar numa réplica malcriada.

Quando vejo o nome de Logan na tela, meu coração dá um pulinho involuntário. Fico tentada a subir na mesa, exibir o celular e provar para todo mundo no Carver Hall que, ao contrário do que a Piper Stevens anda postando, John Logan *sabe* da minha existência. Mas resisto à vontade, porque, diferente de algumas pessoas, *eu* não preciso de dicionário... já conheço o significado de "fútil".

A mensagem de Logan é curta.

Ele: *Onde vc tá?*

Digito de volta depressa: *Refeitório.*

Ele: *Qual?*

Eu: *Carver.*

Nenhuma resposta. Ótimo. Não sei bem qual foi o motivo da conversa, mas o silêncio subsequente tem um efeito devastador sobre minha autoconfiança já abatida. Estava doida para falar com Logan desde a noite passada, mas ele não ligou, não mandou mensagem nem tentou marcar nada. E, finalmente, quando entra em contato, é isso? Duas perguntas e mais nada?

Fico horrorizada ao perceber que estou à beira das lágrimas. Não sei mais com quem estou chateada. Logan? Piper? Ramona? Comigo mesma? Mas não importa. Me recuso a chorar no meio do refeitório ou dar às pessoas a satisfação de me ver sair correndo daqui cinco minutos depois de entrar. As meninas da mesa ao lado não param de sorrir desde que sentei, e ainda posso sentir seus olhos em mim. Não consigo ouvir o que estão sussurrando, mas, quando olho na direção delas, as cinco desviam o rosto depressa.

Ignore.

Por mais que meu apetite esteja tão nulo quanto a minha autoestima, me forço a comer. Até a última garfada, engolindo enquanto finjo interesse pela conversa de Ramona e Jess, que felizmente mudaram para um tema que não me envolve.

Quinze minutos. É o tempo que passa até eu não aguentar mais. Meus olhos estão cansados do piscar incessante necessário para estancar as lágrimas iminentes.

Estou prestes a arrastar minha cadeira para trás e dar alguma desculpa sobre precisar estudar quando as duas se calam. Jess para no meio da frase. A mesa ao lado também ficou suspeitosamente quieta.

Ramona parece estar lutando contra um sorriso enquanto espia por cima dos meus ombros, na direção da porta.

Franzindo a testa, viro o rosto — e vejo Logan atrás de mim.

"Oi", ele diz, tranquilo.

Fico tão surpresa ao ver Logan que tudo o que consigo fazer é olhar para ele, pasma. Pairando sobre mim, sentada, ele parece ainda maior do que o normal. Está com uma camiseta do time de hóquei, que se estica sobre seus ombros imensos, o cabelo escuro despenteado e o rosto corado pelo esforço, como se tivesse vindo correndo.

Nossos olhares se encontram por um instante de parar o coração, e então ele faz a última coisa que eu poderia imaginar.

Ele se abaixa e me beija.

Na boca. De língua.

Bem ali, no refeitório.

Quando Logan se levanta de novo, fico feliz em ver que Ramona e Jess estão de queixo caído — e as meninas da mesa ao lado também.

O gato comeu a língua de vocês, foi?

Ainda estou escutando a musiquinha da vitória quando Logan abre aquele sorriso torto que amo tanto. "Está pronta, linda?"

Não combinamos nada. Ele sabe disso, *eu* sei disso, mas não vou deixar ninguém perceber.

Embarco na jogada e respondo: "Estou". Então começo a me levantar. "Vou só levar a bandeja."

"Deixa comigo." Ele a tira das minhas mãos e acrescenta: "É bom ver você de novo, Ramona". Em seguida, me dá outro beijo, antes de caminhar até a bancada.

Todas as mulheres do lugar admiram a forma como as calças pretas envolvem sua bunda maravilhosa. Inclusive eu.

Saindo do meu transe momentâneo, volto a atenção para minhas amigas, que ainda parecem atordoadas. "Desculpa ter que sair assim, mas temos planos."

Logan volta num instante, e abro o sorriso mais brilhante de que sou capaz, enquanto ele pega minha mão e me conduz para fora do refeitório.

No segundo em que me acomodo no banco do passageiro da caminhonete, a represa que estava lutando para manter intacta a noite inteira se rompe. Faço uma tentativa frenética de enxugar as lágrimas transbordando dos olhos com as mangas antes que ele perceba.

Mas é tarde demais.

"Ei, não chora." Ele estica o braço para o porta-luvas e pega uma caixa de lenços.

Droga, não acredito que estou me acabando na frente dele. Dou uma fungada, e Logan me passa a caixa. "Obrigada."

"Sem problemas."

"Não, não só pelos lenços. Obrigada por aparecer e me resgatar. O dia todo foi humilhante", murmuro.

Ele suspira. "Acho que você viu os posts no Twitter, né?"

Meu constrangimento triplica. "Olha, só pra você saber, não saí por aí contando da gente, tá? A única pessoa que sabia era Ramona."

"Claro. Ela tava no cinema." Seu sorriso é reconfortante. "Não esquenta, você não parece o tipo cv."

Eu o encaro, confusa. "Curriculum vitae?"

Logan ri. "Não. Do tipo que conta vantagem."

"Conta vantagem?" Rio por entre as lágrimas, porque é a coisa mais absurda que já ouvi. "Vocês criaram uma sigla para isso?"

"Vai por mim, nós fomos obrigados a isso. As marias-patins são especialistas no assunto." Sua voz se suaviza. "E, só pra *você* saber, a menina que começou esse papo-furado no Twitter é a *rainha* das marias-patins. E ainda tá chateada comigo porque não quis nada com ela no ano passado."

"Por quê?" Conheci a irmã de Maya, e ela é linda.

"Porque ela é insistente. E meio irritante, pra ser sincero." Ele gira a chave na ignição e me lança um olhar de esguelha. "Tava pensando em passar em outro lugar primeiro, se topar. Ou quer que deixe você em casa?"

Minha curiosidade se aguça. "Onde?"

Seus olhos azuis brilham, maliciosos. "Surpresa."

"Surpresa boa?"

"Tem algum outro tipo?"

"Hum, *tem*. De cara, posso pensar numa centena de surpresas ruins."

"Fala uma", desafia ele.

"Tá... você marca um encontro às cegas e, quando chega no restaurante, Ted Bundy está sentado à mesa."

Logan sorri para mim. "Bundy é sua resposta para tudo?"

"Parece que sim."

"Certo. Entendi. Prometo que é uma surpresa boa. Ou, no mínimo, neutra."

"Tá. Vamos lá, então."

Ele sai do estacionamento e pega a estrada. Olhando pela janela, observo as árvores passarem num borrão, e um suspiro pesado escapa. "Por que as pessoas são tão idiotas?"

"Porque são", responde, simplesmente. "Mas, sério, nem vale a pena ficar com raiva. Quer um conselho? Não desperdice seu tempo pensando nas coisas idiotas que gente idiota faz."

"É meio difícil quando as coisas idiotas são sobre você." Mas sei que ele tem razão. Por que gastar minha energia mental com gente como Piper Stevens? Daqui a três anos, nem vou lembrar o nome dela.

"Sério, Grace, não se estressa. As pessoas falam porque têm boca."

"Esse vai ser meu novo lema."

"Boa. Deveria mesmo."

Passamos pelo sinal azul-claro com as palavras "Bem-vindo a Hastings!", e olho pela janela de novo. "Cresci perto daqui", digo.

Ele parece surpreso. "Você é de Hastings?"

"Sou. Meu pai é professor na Briar há vinte anos. Passei a vida toda aqui."

Em vez de seguir para o centro da cidade, Logan pega a rodovia, mas não ficamos muito tempo nela. Algumas saídas mais tarde, ele pega a alça para Munsen, a cidade mais próxima.

Sou tomada por uma inquietação. É tão estranho como uma cidade pitoresca e de classe média como Hastings possa estar à mesma distância tanto do campus de uma universidade renomada quanto de um lugar que meu pai, um homem que não fala palavrão se puder evitar, chama de "monte de merda".

Munsen não passa de alguns edifícios velhos precisando desesperadamente de uma reforma, um punhado de pequenos shoppings e casas degradadas com o gramado descuidado. A loja de departamento pela qual passamos tem um letreiro de néon com metade das letras queimadas, e o único prédio que não está em ruínas é uma pequena igreja de tijolos que ostenta um cartaz com letras garrafais que diz: DEUS CASTIGA OS PECADORES.

O povo de Munsen sabe mesmo como dar as boas-vindas.

"Já *eu* cresci aqui", diz Logan.

Giro a cabeça na direção dele. "Sério? Não sabia que você também era da região."

"Sou." Ele me lança um olhar autodepreciativo antes de se concentrar na estrada cheia de buracos à nossa frente. "Não tem muito pra ver, né? Vai por mim, é ainda mais feio de dia."

A caminhonete balança quando entramos num buraco particularmente profundo. Logan diminui a velocidade e estica a mão para o meu lado do para-brisa. "A oficina do meu pai fica a um quarteirão dali. Ele é mecânico."

"Que legal. Seu pai te ensinou sobre carros?"

"Ensinou." Ele bate no painel da caminhonete com orgulho. "Tá ouvindo o ronco sensual desta máquina? Reconstruí o motor sozinho no verão passado."

Fico impressionada. E meio que excitada, porque gosto de homens que trabalham com as mãos. Ou melhor, que sabem *usar* as mãos. Na semana passada, o cara que mora no final do meu corredor bateu à minha porta e me pediu ajuda para trocar uma lâmpada. Não estou dizendo que sou a pessoa mais habilidosa do mundo, mas sei fazer pelo menos isso.

À medida que atravessamos uma área residencial, uma onda de apreensão toma conta de mim. Será que ele está me levando para a casa onde cresceu? Não tenho certeza se estou pronta para...

Não, pegamos outra estrada de terra agora e nos afastamos da cidade. Mais cinco minutos e chegamos a uma grande clareira. Posso ver um reservatório de água ao longe, com o nome da cidade pintado na lateral, e ele parece brilhar sob o luar, um farol branco diminuto se destacando no meio da paisagem escura.

Logan estaciona perto do reservatório, e meu coração dispara quando percebo que chegamos. Minhas mãos tremem quando o sigo até uma escada de aço que começa na base da torre e vai tão alto que nem consigo ver onde termina.

"A gente vai subir?", deixo escapar. "Se for isso... então não, obrigada. Tenho pavor de altura."

"Ah, merda. Esqueci." Ele morde o lábio por um segundo antes de me lançar um olhar sério. "Enfrenta seu medo por mim, vai. Prometo que vai valer a pena."

Fico olhando para a escada, e posso sentir toda a cor deixando meu rosto. "Hum..."

"Vamos lá", insiste ele. "Você pode subir primeiro. Vou ficar aqui em baixo o tempo todo e pegar você, se cair. Palavra de escoteiro."

"Cair?", exclamo. "Não tinha nem pensado nisso. E se eu cair?"

Ele ri baixinho. "Você não vai cair. Mas, como eu disse, vou estar aqui para pegar você na *remota* possibilidade de isso acontecer." Ele flexiona ambos os braços como se fosse um fisiculturista que acabou de ganhar um prêmio. "Olha pra essas belezuras. Acha mesmo que não aguento quarenta quilos, linda?"

"Cinquenta e cinco, mas muito obrigada."

"Rá. Levanto isso dormindo."

Volto o olhar para a escada. Alguns dos degraus estão cobertos de ferrugem, mas, quando me aproximo e envolvo os dedos num deles, parece firme o suficiente. Respiro, tentando me acalmar. Certo. É só um reservatório de água, e não o Empire State. E eu prometi a mim mesma que ia tentar coisas diferentes antes do final do meu primeiro ano.

"Tudo bem", murmuro. "Mas, se eu cair, você não me pegar e, por algum milagre, eu sobreviver e ainda tiver controle sobre meus braços, vou socar você até a morte."

Seus lábios se contorcem. "Combinado."

Inspiro, meio trêmula, e começo a subir. Um pé depois do outro. Um pé depois do outro. Eu consigo. É só uma torrezinha de nada. É só... Cometo o erro de olhar lá para baixo no meio do caminho e meu estômago vai parar no pé. Logan espera pacientemente no chão. Um raio de luar realça o incentivo brilhando em seus olhos azuis.

"Você consegue, Grace. Tá indo bem."

Continuo. Um pé depois do outro, um pé depois do outro. Quando chego à plataforma, o alívio me invade. Puta merda. Ainda estou viva.

"Tudo bem?", ele grita lá de baixo.

"Tudo", grito de volta.

Logan escala a torre em questão de segundos. Ele se junta a mim na plataforma, pega minha mão e me leva mais para o fundo, onde a passarela de metal se alarga. É um lugar agradável e aparentemente seguro. Logan senta e balança as pernas no ar, sorrindo diante da minha relutância em fazer o mesmo.

"Ah, não vai ficar com medo agora. Você chegou até aqui..."

Ignorando o enjoo, sento ao seu lado e com cuidado posiciono as pernas como as dele. Logan me envolve com um dos braços e me aninho desesperadamente junto ao seu corpo, tentando não olhar para baixo. Ou para cima. Ou para qualquer lugar.

"Você está bem?"

"Aham. Se eu continuar olhando para minhas mãos, não preciso pensar na queda de sessenta metros que vai me matar."

"Não estamos a sessenta metros do chão."

"Bom, estamos alto o suficiente pra minha cabeça se espatifar feito uma melancia quando bater no chão."

"Nossa. Você não é muito boa de romance."

Eu o fito, embasbacada. "Você tá tentando ser *romântico*? Tem algum fetiche por meninas vomitando em cima de você?"

Logan começa a rir. "Você não vai vomitar." Para meu alívio, ele me abraça mais apertado.

O calor de seu corpo é uma boa distração na minha atual situação. Assim como sua loção pós-barba. Ou será que é um perfume? Seu cheiro natural? Se for, ele precisa engarrafar essa fragrância inebriante, chamar de "Orgasmo" e vender para o mundo.

"Tá vendo a lagoa ali?", Logan pergunta.

"Não." Meus olhos estão fechados com tanta força que tudo o que posso ver é o interior das minhas pálpebras.

Ele me cutuca nas costelas. "Abrir os olhos ajuda. Anda, dá uma olhada."

Abro os olhos devagar e acompanho o dedo dele. "Aquilo é uma *lagoa*? Parece um pântano."

"É, fica barrenta na primavera. Mas, no verão, tem água ali. No inverno, congela, e todo mundo vem patinar." Ele faz uma pausa. "A gente jogava hóquei ali quando era criança."

"E dá pra patinar? É seguro?"

"É, o gelo é grosso. Que eu saiba, ninguém nunca caiu." Ele faz outra pausa, dessa vez, por um longo e tenso instante. "Eu adorava vir aqui. Mas é estranho. Parecia muito maior quando eu era criança. Era tipo um oceano. Conforme fiquei mais velho, percebi que é minúsculo. Dá pra patinar de um lado ao outro em cinco segundos. Eu cronometrei."

"As coisas sempre parecem maiores quando a gente é criança."

"Acho que sim." Ele se ajeita para ver meu rosto. "Você tem um lugar assim em Hastings? Para onde escapava quando era mais nova?"

"Claro. Sabe o parque atrás da feira de produtores locais? Aquele com um coreto bonito?"

Ele assente com a cabeça.

"Eu costumava ir lá para ler. Ou para conversar, se encontrasse alguém."

"As únicas pessoas que já vi nesse parque são os velhos do asilo da esquina."

Eu rio. "É, a maioria das pessoas que conheci ali tinha mais de sessenta anos. Eles contavam altas histórias sobre os 'velhos tempos'." Mordo o interior da bochecha quando algumas histórias não tão divertidas me vêm à mente. "Às vezes eram coisas incrivelmente tristes. Eles falavam muito das famílias que nunca visitavam."

"Que pesado."

"Pois é", murmuro.

Logan deixa escapar uma respiração irregular. "Eu ia ser uma dessas pessoas."

"Alguém que não recebe visita da família? Ah, não acredito nisso."

"Não, alguém que não visita a família", responde, com a voz tensa. "Quer dizer, isso não é bem verdade. Eu visitaria minha mãe. Mas se meu pai estivesse num asilo provavelmente não colocaria o pé lá dentro."

Uma onda de tristeza me inunda. "Vocês não se dão bem?"

"Na verdade, não. Ele se dá melhor com uma caixa de cerveja ou uma garrafa de conhaque."

Isso só me deixa mais triste. Nem passa pela minha cabeça não ser próxima dos meus pais. Mesmo tendo personalidades tão diferentes, sinto uma ligação forte com os dois.

Logan fica em silêncio de novo, e não me sinto à vontade para fazer mais perguntas. Se ele quiser contar mais, vai continuar.

Em vez disso, preencho o vazio embaraçoso voltando o assunto para mim. "Acho que conversar com os velhinhos podia ser deprimente às vezes, mas eu não me importava de ouvir. Era só o que eles queriam mesmo. Alguém que os ouvisse." Contraio os lábios. "Foi nessa época que decidi que queria ser psicóloga. Percebi que tinha talento para ler as pessoas. E para ouvir sem julgar."

"Você tá cursando psicologia?"

"Vou cursar. Ainda não escolhi a especialização porque tava na dúvida entre psicologia e psiquiatria. Mas decidi que não quero fazer medicina. Além do mais, a psicologia abre muitas portas que a psiquiatria não abre. Eu posso ser terapeuta, assistente social, conselheira vocacional. Tudo isso me parece muito mais gratificante do que receitar remédios."

Recosto a cabeça em seu ombro, enquanto fitamos a pequena cidade que se estende diante do reservatório. Ele tem razão — não há muito o que ver em Munsen. Então me concentro na lagoa, imaginando Logan quando era criança. Os patins voando no gelo, os olhos azuis iluminados de admiração, com toda a certeza de que está sobre o mar. De que o mundo é grande, maravilhoso e repleto de possibilidades.

Seu tom assume um ar reflexivo. "Então quer dizer que você tem um talento para ler as pessoas. Você consegue me ler?"

Sorrio. "Ainda não consegui decifrar você."

Sua risada rouca aquece meu rosto. "Nem eu."

12

GRACE

"Confiança", declara Ramona.

Eu a fito, na dúvida, enquanto a observo deslizar uma meia-calça preta até a coxa. Tinha acabado de perguntar o que ela acha que mais excita os caras quando o assunto é sexo, e, em vez da resposta obscena que eu estava esperando, ela me pegou de surpresa com sua sinceridade.

"Sério?"

"Com certeza." Ramona assente depressa com a cabeça. "Homens gostam de mulheres seguras com sua sexualidade. Assertividade também não faz mal. Eles gostam quando você dá o primeiro passo."

"Sou péssima em dar o primeiro passo", resmungo.

Ramona vai até o armário e procura alguma coisa no fundo dele. Em seguida, aparece com um par de saltos pretos. "Olha, você gosta do cara, não gosta?"

"Claro."

"E quer transar com ele?"

Dessa vez, demoro mais para responder. Quero transar com ele? Quero mesmo? Não sou contra a ideia, e não sou virgem só porque estou me guardando para o homem com que vou me casar ou para o amor da minha vida. Sei que sexo é um marco monumental para algumas meninas, mas, pessoalmente, não acho que perder a virgindade seja a coisa mais importante da minha vida.

Sinto atração por Logan, sim, é verdade, e se a gente acabar transando hoje, ótimo. Se não, tudo bem também. Depois da maneira como nos aproximamos no reservatório de água, na outra noite, estou mais interessada em sair com ele do que na pegação.

Mas pegação definitivamente está nos planos para hoje.

Faz uma hora que mandei uma mensagem para ele, pedindo para vir ao alojamento, e Ramona já concordou em deixar o quarto livre esta noite. Ela ainda está de ressaca de ontem, mas prometeu ficar fora até meia-noite. Ainda são sete horas, o que dá muito tempo para Logan e eu nos divertirmos. E talvez para transar. Ou *não* transar. Vou descobrir na hora.

"Grace?"

Acordo do meu devaneio. "É, acho que quero transar com ele. Se sentir que é o momento certo."

"Então você tem que sobressair na multidão."

Franzo a testa. "Como assim?"

"Você tem noção de quantas mulheres já transaram com ele? Um harém. É o John Logan... Aposto que faz altas loucuras na cama. Você não quer ser só mais uma garota para quem ele pisca aqueles olhos azuis e leva para a cama. Precisa ser confiante, sexy e assumir o controle. Mostre que encontrou alguém à altura."

Mordo o lábio. Confiante e sexy não é meu estilo. Assumir o controle? Sempre fiquei mais à vontade no banco do carona, enquanto alguém pega a direção.

"Ah, e você precisa mostrar que pode ser safada. Que tá pronta pra qualquer coisa."

Um riso nervoso brinca em minha garganta. "Tá. E como vou fazer isso?"

"Não sei. Enfia o dedo na bunda do cara quando estiver chupando o pau dele."

Quase engasgo com minha própria língua. "Quê?"

Ramona abre um sorriso insolente. "Você é *mesmo* uma virgem, né? Esse tipo de brincadeira pode ser muito divertido."

"Não quero ninguém brincando com minha bunda, obrigada. E tenho certeza de que Logan não quer ninguém perto da dele."

"Rá. Você não tem ideia do orgasmo que o cara tem com uma boa massagem de próstata. Sério, ele vai gozar como nunca."

"Não vou fazer uma massagem de próstata nele", digo, envergonhada.

Olhamos uma para a outra por um momento, então começamos a gargalhar. É bom rir com Ramona de novo. Nem me importo mais que tenha plantado a semente que Maya e Piper usaram para cultivar uma árvore de cretinices. Ela é minha melhor amiga, e a conheço desde que tinha seis anos. Às vezes é egoísta? É. Fofoqueira? Sem dúvida. Mas também é fofa e leal, e está sempre do meu lado quando preciso.

"Tudo bem, então não enfia o dedo na bunda dele", Ramona cede. "Mas estou falando sério sobre a coisa da autoconfiança. Ele vai ficar louco."

"Vou fazer o meu melhor."

Ela estreita os olhos, avaliando meu visual com muito cuidado. "Você vai trocar de roupa antes de Logan chegar, né?"

Olho para minha calça jeans e minha regata branca. "Qual é o problema dessa? Pensando bem, não precisa nem responder. Estou confortável e não vou mudar a maneira como me visto por causa de um cara."

"Tudo bem, mas tira o sutiã." Ela arqueia as sobrancelhas. "Aí ele vai poder ver os bicos dos seus peitos através da camiseta e vai ficar louco de tesão logo de cara."

"Tá, vou pensar."

Ramona dá um beijo na minha bochecha e então solta um gritinho. "Não acredito que vai ser sua primeira vez hoje!"

"*Se* for o momento certo", ressalto.

"É o John Logan", devolve ela, com um sorriso. "Não tem nada de *errado* nisso."

LOGAN

Passa aqui hoje à noite?

Desde que saí do banho, estou olhando para a mensagem de Grace. Faz... hum... trinta e oito minutos. Olho para o despertador. Trinta e *nove* minutos.

Tenho que responder. Desde quinta não falo com ela. Não é muita coisa, considerando que hoje é sábado e ela ia jantar com o pai ontem. Tecnicamente, só a evitei por um dia e meio.

Mas Grace ainda não sabe disso. Se soubesse, não teria me convidado para passar lá.

Na minha cabeça, tenho três opções.

Opção 1: ignorar o convite.

Se ela escrever de novo, ignoro de novo. E continuo ignorando até Grace entender que não estou interessado — e isso é uma mentira gigantesca, porque estou bem interessado. Eu me divirto com ela, e se não estivesse tão confuso com essa história com a Hannah sem dúvida continuaria saindo com Grace.

Droga, não deveria ter deixado aquele encontro improvisado de quinta-feira acontecer. Não é justo enganar a garota desse jeito.

O que me leva à opção 2: escrever de volta, recusar o convite e dizer que não podemos mais nos ver por causa de (inserir desculpa esfarrapada aqui).

Só que... bem, já levei fora por mensagem antes, e é uma merda.

Então só me resta a opção 3: ir até lá e falar com ela. É o plano mais maduro e definitivamente o que eu deveria seguir. Mas a ideia de vislumbrar um pingo de mágoa ou decepção que seja em seus olhos embrulha meu estômago.

Cria coragem, cara.

Merda. Acho que está na hora de virar homem. Encarar de frente, essa baboseira toda. Depois da noite no reservatório, Grace merece muito mais que um fora por mensagem.

Abafando um suspiro, deixo cair a toalha em que fiquei enrolado pelos últimos... quarenta e dois minutos agora. Visto uma cueca e uma calça jeans limpas e uma malha preta que minha mãe me deu no Natal. É meio apertada, mas é a primeira coisa que encontro no armário e estou com pressa demais para escolher.

Pego meu telefone na cama e escrevo para Grace.

Eu: *Qdo?*

Ela: *Agora, se vc quiser.*

Ela completa com uma carinha feliz. Merda.

Eu: *Tô indo.*

Dez minutos depois, paro o carro no estacionamento atrás dos alojamentos e sigo para a Fairview House. Quando chego à porta, sou tomado pela hesitação. E por uma grave crise de nervos. Respiro fundo.

Merda, não estamos terminando nem nada. Não estamos nem sequer namorando. Só vou dizer que não estou num bom momento para ir adiante. O que não significa que esteja tudo acabado para sempre. Está só... acabado *por agora*.

Acabado por agora?

Legal. Ela vai ficar impressionada com a sua articulação.

Bato à porta, armado com meu discurso de despedida não muito admirável. Quando a porta se abre, não tenho a chance de abrir a boca. Ou melhor — não tenho a chance de falar. Minha boca *está* aberta, porque Grace me puxa para dentro do quarto escuro e me beija. Se minha boca estivesse fechada, como sua língua estaria dentro dela?

O beijo é completamente inesperado e mais sensual do que qualquer coisa que já experimentei na vida. Grace envolve meu pescoço com os braços e me empurra contra a porta ainda aberta, que se fecha quando meus ombros batem contra ela. De repente, estou preso entre a porta e o corpo macio e quente de Grace.

Seus lábios provocam os meus até eu não conseguir mais enxergar direito, e então ela se afasta, ofegante. "Passei o dia querendo fazer isso."

Então ela se aproxima de novo.

Ah, merda. Não deixa a garota beijar você de novo. Não...

Minha língua se enrosca na sua em outro embate quente. Droga. Apoio as mãos nos seus quadris, com a intenção de empurrar Grace suavemente, mas não tenho mais controle sobre meus dedos. Eles deslizam e agarram sua bunda firme, puxando-a mais para perto, em vez de *afastá-la*.

Com a boca ainda presa à minha, ela segura a barra da minha malha e puxa. De alguma forma, encontro a força de vontade para interromper o beijo.

"O que você está fazendo?", pergunto, ofegante.

"Tirando sua roupa."

Ah, merda. Merda, merda, merda.

Só deixo que ela continue com aquilo porque a malha está presa entre meu queixo e o pescoço e preciso da boca para falar com ela. Para *parar* com isso. Grace joga a blusa num canto e toca meu peito nu, então meu cérebro entra em curto. Ela traça delicadamente com os dedos os contornos do meu abdome e solta um som ofegante, algo entre um gemido e um murmúrio, e é tão sensual que envia uma onda de prazer direto para o meu pau. Sinto meu saco apertar, se contraindo dolorosamente quando seus dedos encontram meu cinto.

"Grace, eu..." Em vez de terminar a frase, solto um gemido, porque, puta merda, ela não só abaixa minhas calças como se ajoelha ao fazer isso.

Tenho certeza de que garanti meu lugar no inferno agora. Vim aqui esta noite para acabar com essa história, mas estou enfiando o pau na boca quente e úmida dela.

Maldito seja quem inventou o boquete. É bom demais e faz coisas terríveis com a cabeça — como desordenar todo e qualquer pensamento lúcido. Não consigo me concentrar em mais nada além daquela sucção apertada em torno do meu pau, o movimento exploratório da língua de Grace enquanto ela me lambe de cima a baixo antes de chupar a pontinha de novo.

Uma de minhas mãos se emaranha instintivamente no cabelo dela, trêmula, trazendo sua cabeça mais para perto. Grace geme, e o som vibra por mim, uma promessa sedutora que me empurra até o limite.

Minha nossa. Não tenho ideia de há quanto tempo está ajoelhada, me provocando, mas, de repente, sou consumido pela necessidade de tocá-la. De correr as mãos por todo o seu corpo e deixá-la tão louca quanto está me deixando.

Com um ruído estrangulado, coloco Grace de pé. Então beijo sua boca de novo, tirando sua roupa freneticamente até que esteja nua. Ah, meu Deus, ela está nua. Como pude perder o controle em apenas *cinco minutos*?

Mas não consigo parar. Não consigo evitar beijá-la. Não consigo tirar a mão dos seus peitos. Não consigo não a levar para a cama e deitar sobre ela. Meu pau está preso entre nossos corpos, um peso em sua barriga lisa, e a base dele roça seu clitóris enquanto nos beijamos tão profundamente que parece que vamos engolir um ao outro.

Pare com isso, uma voz áspera me repreende.

Merda, não consigo. Quero essa menina demais.

Pare. Agora.

A voz é da minha consciência, tentando me impedir de cometer um grave erro. Então, por que não a ouço? Por que não consigo...?

Grace interrompe o beijo e me fita com olhos castanhos nebulosos. De repente, toda a ousadia sumiu. A mulher confiante e sensual que me espremeu contra a porta se transformou numa menina tímida que, corando, me diz: "Hum, então... escuta... Nunca fiz isso antes".

Ah, *merda*.

Aquelas quatro palavras partem meu coração.

Puta que o pariu. De jeito nenhum. De jeito nenhum vou fazer isso com ela.

Comer a garota sabendo que vou terminar tudo? Repreensível. Mas tirar sua virgindade? Imperdoável.

E o meu lugar no inferno continua garantido.

O silêncio se estende entre nós, enquanto me esforço para encontrar as palavras certas. O que é quase impossível, já que estamos os dois nus. E meu pau está tão duro que poderia cortar um diamante ao meio.

Ela solta um suspiro. "É um problema para você?"

Abro a boca.

Digo: "É".

Grace parece assustada. "O quê?"

"Quer dizer, não. Não tem problema nenhum em ser virgem. Mas... a gente não pode fazer isso." Saio da cama com a coordenação de um potro recém-nascido. Sério, minhas pernas estão tremendo enquanto vasculho o quarto apressado em busca das minhas calças.

Posso sentir Grace me observando. Seus olhos me perfurando. Não quero virar, porque sei que ainda está nua, mas não consigo conter uma espiada, e sua expressão de dor rasga meu peito ao meio.

"Desculpa", digo, bruscamente. "Não posso fazer isso. É sua primeira vez, e você merece algo — *alguém* — muito melhor do que eu."

Grace não responde, mas, mesmo na escuridão, posso ver o rubor em suas bochechas. Está mordendo o lábio inferior como quem tenta conter o choro.

Seu silêncio intensifica a culpa correndo em minhas veias. "Tô tão perdido agora. Me divirto muito com você, mas..." Engulo em seco. "Não quero nada sério."

Ela enfim fala, a voz contida e envolta em desconforto. "Não tô pedindo pra você casar comigo, Logan."

"Eu sei. Mas sexo... sexo é sério, tá legal? Especialmente para alguém que nunca fez." Eu me enrolo com as palavras, me sentindo um completo idiota. "Você não vai querer fazer isso comigo, Grace. Sou cheio de problemas, e acho que tô tentando me distrair de todas as besteiras na minha vida, tentando esquecer outra pessoa e..."

"Outra pessoa?", ela me interrompe, e agora há um quê de raiva em sua voz. "Você tá a fim de outra?"

"Estou. Não", corrijo depressa. Então solto um gemido. "Achei que estivesse, talvez ainda esteja. Eu não sei, tá legal? Tudo o que sei é que essa menina me enlouqueceu durante meses, e não é justo com você a gente... fazer isso... quando eu..." Paro, muito confuso e desconfortável para continuar.

Evitando meus olhos, Grace pula para fora da cama e pega uma camiseta no encosto da cadeira. "Você tava me usando para esquecer essa pessoa?" Ela veste a camiseta. "Eu era uma distração?"

"Não. Juro que gosto muito de você." O tom de súplica em minha voz me assusta. "Não usei você intencionalmente. Você é tão incrível, mas eu..."

"Ah, não", ela me interrompe. "Por favor... cala a boca, Logan. Não quero nem saber desse papinho de 'Não é você, sou eu' agora." Grace corre as mãos pelos cabelos, a respiração ofegante. "Isso foi um erro."

"Grace..."

Ela me interrompe de novo. "Pode me fazer um favor?"

É difícil falar por cima do caroço imenso alojado na minha garganta. "Qualquer coisa."

"Vai embora."

Aquilo quase me sufoca. Inspiro fundo, ignorando o ardor na garganta, a dor no peito.

"Tô falando sério. Só vai embora, o.k.?" Ela me encara. "Quero de verdade que vá embora agora."

Eu deveria dizer alguma coisa. Pedir desculpas de novo. Tranquilizá-la. Consolá-la. Mas tenho medo de que me bata — ou pior, desate a chorar — se eu me aproximar dela.

Além do mais, Grace já caminhou até a porta e a abriu. Ela não olha para mim enquanto espera.

Enquanto espera *que eu saia*.

Porra. Fiz tudo errado. Meu coração dói enquanto tropeço na direção da porta. Faço uma pausa junto à soleira e reúno coragem para encontrar seus olhos de novo. "Sinto muito."

"Acho bom."

A última coisa que ouço ao pisar no corredor é o som da porta batendo atrás de mim.

13

LOGAN

Sempre me recusei a usar álcool como muleta. Se estou triste, chateado ou magoado, evito a todo custo, porque tenho pavor de precisar demais disso um dia. De ficar viciado.

Mas, cacete, preciso muito de uma bebida agora.

Lutando contra a vontade, ignoro o armário de bebidas na sala de estar e me apresso na direção da porta de correr da cozinha. Cigarro. Um hábito igualmente destrutivo, mas é o menor dos males, no momento. Vou só inundar minhas veias com nicotina — talvez alivie a enorme bola de culpa que se instalou na boca do meu estômago.

"Tá tudo bem?"

Jogador de hóquei gigante que sou, dou um pulo de um metro no ar ao som da voz de Hannah.

Viro e vejo que está de pé diante da pia, com um copo vazio na mão. Estava tão atordoado que devo ter passado direto por ela em minha corrida até ali.

Hannah é a *última* pessoa que quero ver agora.

E está vestindo a camisa do Garrett de novo. Agora está só esfregando isso na minha cara.

"Aham, tudo ótimo", murmuro, me afastando da porta. Mudança de planos. Overdose de nicotina — não mais necessária. Me esconder no quarto — prioridade.

"Logan." Ela se aproxima com passos cautelosos. "O que tá acontecendo?"

"Nada."

"Mentira. Você parece chateado. Tá tudo bem?"

Ela toca meu braço, e sinto um arrepio. "Não quero falar disso, Wellsy. Não mesmo."

Seus olhos verdes vasculham meu rosto. Por tanto tempo que me ajeito, desconfortável, e rompo o contato visual. Tento dar um passo, mas Hannah me impede de novo, bloqueando meu caminho e soltando um gemido de frustração.

"Sabe de uma coisa?", começa ela. "Não aguento mais."

Pisco, surpreso. "Do que você está falando?"

Em vez de responder, ela agarra meu braço com tanta força que é um milagre que não se desloque. Então me arrasta para a mesa da cozinha e me empurra com força na direção de uma cadeira. Nossa. É assustadoramente forte para alguém tão pequena.

"Hannah...", começo, inquieto.

"Não. Cansei de ficar pisando em ovos." Ela puxa uma cadeira e senta ao meu lado. "Garrett fica me dizendo que você vai superar, mas só está piorando, e odeio esse constrangimento. Você costumava sair com a gente, ir ao Malone's, assistir a filmes, mas agora *sumiu*, e sinto sua falta, tá legal?" Ela está tão chateada que seus ombros tremem visivelmente. "Então, vamos resolver tudo, certo? Vamos lidar com isso como dois adultos." Ela respira fundo, depois me olha nos olhos e pergunta: "Você sente alguma coisa por mim?".

Ah, merda.

Por que, *por que* não fui direto para o quarto?

Cerrando os dentes, passo as mãos pela cabeça. "Bom, isso foi divertido, mas acho que vou lá em cima me matar agora."

"Senta aí", ela ordena, com firmeza.

Minha bunda paira sobre a cadeira, mas a aspereza do seu tom lembra muito a voz do treinador Jensen quando está encerrando o treino, e meu medo da autoridade vence. Afundo de novo na cadeira e exalo uma expiração cansada.

"Pra que falar disso, Wellsy? Nós dois sabemos a resposta."

"Talvez, mas quero ouvir de você."

A irritação comprime minha garganta. "Tá legal, você quer ouvir? Se eu sinto alguma coisa por você? É, acho que sim."

Sua expressão é tomada pelo espanto, como se ela realmente não esperasse que eu fosse responder.

O que se segue? O silêncio mais longo do mundo. Do tipo "arrume uma corda, amarre em volta do pescoço e se mate". Quanto mais quieta ela permanece, mais patético me sinto.

Quando enfim diz alguma coisa, Hannah me tira dos eixos: "Por quê?". Franzo a testa. "Por que o quê?"

"Por que você gosta de mim?"

Se ela pensou que estava se explicando, está absolutamente enganada. Continuo perplexo. Que tipo de pergunta é essa?

Hannah balança a cabeça como se também estivesse tentando entender. "Eu vejo as meninas que você traz para casa ou com quem fala no bar. Você tem um tipo. Alta, magra, em geral loira. E elas tão sempre correndo atrás de você e te enchendo de elogios." Ela ri, com desdém. "Tudo o que eu faço é insultar você."

Não posso deixar de sorrir. Seu sarcasmo beira o abuso a maior parte do tempo.

"E você tende a ficar em volta das mulheres que não querem nada sério. Você sabe, que só querem se divertir. Não sou esse tipo de garota. *Gosto* de namorar." Ela franze os lábios, pensativa. "Nunca tive a sensação de que você estivesse interessado nisso."

A acusação me deixa na defensiva. "Por quê? Porque sou mulherengo?" Indignado, soo mais ríspido do que pretendia. "Já pensou que talvez seja porque ainda não encontrei a garota certa? Não, eu *realmente* não poderia querer alguém com quem ver um filme abraçadinho, alguém que usasse minha camisa do time, que torcesse por mim nos jogos, que fizesse o jantar comigo do jeito que você e Garrett..."

Sua gargalhada me faz parar no meio da frase.

Estreito os olhos para ela. "Do que você está rindo?"

O riso dela morre e seu tom fica sério. "Logan... durante todo esse discurso, em nenhum momento você disse que queria fazer essas coisas comigo. Você disse *alguém*." Ela sorri. "Acabei de entender."

Ótimo, bom para ela, porque não tenho a menor ideia do que está falando.

"Passei esse tempo todo achando que você estava *me* olhando todo apaixonado. Mas na verdade você estava olhando para *a gente*." Hannah ri de novo. "Todas essas coisas que você acabou de listar são coisas que

Garrett e eu fazemos juntos. Você não está a fim de mim. Está a fim de mim e do Garrett."

Levo um susto. "Se você está insinuando que quero sacanagem com você e meu melhor amigo, posso garantir que não."

"Não, você só quer o que a gente tem. Quer a conexão, a proximidade e toda a coisa melosa que vem com um relacionamento."

Minha boca se fecha.

Será que ela tem razão?

À medida que absorvo suas palavras, meu cérebro confuso repassa depressa todas as fantasias que tive com Hannah nos últimos meses... Bem, para ser sincero, a maioria delas não foi sexual. Quer dizer, algumas foram, porque ela é gostosa. E passa muito tempo aqui, o que me dá bastante material para punheta. Mas, tirando algumas fantasias sem roupa, costumo imaginar cenários bem família. Como quando a vejo aconchegada com Garrett no sofá e desejo estar no lugar dele.

Mas... será que estou desejando estar no lugar dele com *ela* ou simplesmente no lugar dele em geral?

"Olha, gosto de você, Logan. De verdade. Você é engraçado e gentil, e muito sarcástico, que é algo que me atrai num homem. Mas você...", ela parece desconfortável, "... não faz meu coração palpitar. Acho que é a melhor maneira de dizer. Não, não é isso." Sua voz fica meio distante. "Quando estou com Garrett, meu mundo inteiro se ilumina. Me sinto tão viva que parece que meu coração vai transbordar, e sei que isso vai soar como exagero ou algum tipo de obsessão, mas às vezes acho que preciso dele mais do que de comida ou oxigênio." Hannah fita meus olhos. "Você precisa de mim mais do que oxigênio, Logan?"

Engulo em seco.

"Sou a última pessoa em quem você pensa quando vai para a cama e a primeira em quem pensa quando acorda?"

Não respondo.

"Sou?", ela insiste.

"Não." Minha voz sai rouca. "Não é."

Puta merda.

Acho que ela tem razão. Todo esse tempo fiquei me sentindo culpado por desejar a namorada do meu melhor amigo, mas acho que o que eu queria mesmo era o relacionamento do meu melhor amigo. Alguém com quem passar o tempo. Alguém que me desafie e me faça rir. Alguém que me faça... feliz.

Tipo a Grace?

O pensamento zombeteiro corta minha mente feito um sabre de luz. Droga.

Pois é, alguém como Grace. Alguém *exatamente* como Grace, com suas histórias sobre Ted Bundy, sua presença tranquilizante e sua ironia.

Terminei com Grace porque a coisa não podia ficar séria, mas agora concluo que era exatamente isso que eu queria.

"Merda... Estraguei tudo." Esfrego os olhos, gemendo baixinho.

"Claro que não, Logan. Tá tudo bem. Juro."

"Não, não entre a gente. Terminei com uma menina muito legal hoje porque tava me sentindo confuso."

"Ah, merda." Hannah me olha com simpatia. "Por que não liga para ela e diz que mudou de ideia?"

"Ela me colocou pra correr." Gemo de novo. "De jeito nenhum vai atender se eu ligar."

Somos interrompidos pela voz de Garrett vinda da sala. "Fala sério, Wellsy, quanto tempo demora para pegar um copo de água? Preciso ensinar como funciona a torneira? Isso seria muito triste..." Ele para de falar no instante em que me vê. "Ah, oi, cara. Não sabia que tava em casa."

Levanto depressa da cadeira, mas o gesto não ajuda em nada a aliviar o ar de suspeita nos olhos de Garrett. O que desencadeia uma nova onda de culpa em mim. Ele acha que aconteceu alguma coisa entre a gente? Será que acredita que eu seria capaz de dar em cima da namorada dele?

Só o fato de eu estar pensando nisso me diz que nossa amizade está num estado ainda mais precário do que eu imaginava.

Engolindo em seco, me arrasto até ele. "Escuta... Desculpa, tenho sido um babaca ultimamente. Tava distraído."

"Distraído", ele repete, cético.

Faço que sim com a cabeça.

Garrett continua me olhando.

"Já coloquei a cabeça de volta no lugar. Juro."

Garrett olha por cima do meu ombro e, embora eu não possa ver o rosto de Hannah, o que quer que se passa entre os dois faz com que seus ombros largos relaxem. Em seguida, ele sorri e me dá um tapa no braço. "Ainda bem. Tava pensando seriamente em promover Tuck a meu melhor amigo."

"Tá brincando? Que cilada, G. O cara é um péssimo parceiro. Com aquela barba?"

"Isso é verdade."

E, simples assim, estamos bem de novo. Sério, as mulheres têm muito o que aprender com os homens quando se trata de fazer as pazes. A gente sabe o que faz.

"Preciso fazer uma ligação", digo a ele. "Boa noite, gente."

Corro para fora da cozinha em direção à escada, já pegando o telefone. Mensagem não é uma opção. Quero que ela ouça minha voz. Quero que ouça minha agonia com tudo o que aconteceu hoje.

Para minha frustração, o telefone toca e toca e toca até cair na caixa postal.

Na segunda vez que ligo, ouço direto a mensagem eletrônica, o que me diz que ela rejeitou a ligação.

Merda.

Com uma sensação esmagadora de derrota, escrevo uma mensagem perguntando se podemos conversar.

Então subo e fico esperando.

14

LOGAN

É mais de meia-noite e, até agora, nenhuma resposta de Grace. Já mandei três mensagens. Agora, estou deitado na cama por cima do cobertor, olhando para o teto e lutando bravamente contra a vontade de mandar uma quarta.

Três mensagens beira o desespero.

Quatro seria simplesmente patético.

Droga, queria que ela respondesse. Ou ligasse. Ou fizesse *alguma coisa*. A essa altura, ficaria radiante se um pombo-correio batesse com o bico na minha janela e me entregasse uma carta escrita à mão em caligrafia impecável.

Ela não vai ligar, cara. Aceita isso.

É, acho que não. Estraguei tudo mesmo. E acho que mereço.

Não só a enganei como fiz com que quisesse perder a *virgindade* comigo, então joguei a oferta de volta na cara dela, dizendo que estava interessado em outra pessoa. Merda, não sei como não estou sentindo dores aleatórias e pontadas pelo corpo. Sabe como é, das agulhas que Grace está enfiando num boneco de vodu com a minha cara.

Meu telefone vibra, e eu me jogo na direção da mesinha de cabeceira feito um atleta olímpico. Ela respondeu! Ainda bem. Então ela não me vê como o anticristo...

A mensagem não é de Grace.

É de um número desconhecido, e levo uns dez segundos para ser capaz de registrar o que estou lendo. Algo que está fazendo meu ódio fervilhar.

Oi, é a Ramona. Acabei de saber o q aconteceu com Grace. Quer q eu vá até aí consolar vc? ;)

Piscadinha. Ela teve a coragem de me mandar uma *piscadinha*.

Deixo cair o telefone como se fosse carvão em brasa. Como se a mensagem fosse contagiosa e o simples fato de tocar o aparelho me transformasse numa pessoa tão desprezível quanto a que me escreveu aquelas palavras.

Por que a melhor amiga de Grace está dando em cima mim? Que tipo de pessoa *faz* uma coisa dessas?

Estou tão puto que pego o telefone e encaminho a mensagem para Grace, sem parar para questionar minhas ações. Acrescento uma legenda: *Achei q vc deveria ver isso.*

E então, como já estou na merda mesmo, mando outra: *A gente pode conversar?*

Ela não responde. Nem na hora nem até as três da manhã, quando finalmente arrasto minha bunda patética para debaixo das cobertas e caio num sono agitado.

GRACE

Acordo às cinco e meia. Não por escolha, mas porque minha mente traidora decide que é hora de sofrer um pouco mais e me obriga a recobrar a consciência.

Sinto a humilhação da noite de ontem como um tapa na cara no momento em que abro os olhos. As roupas que estava usando ainda estão espalhadas pelo chão. Não me incomodei em recolher nada, nem Ramona, que chegou em casa à meia-noite.

"Não aconteceu. Ele está a fim de outra pessoa."

Foi tudo o que eu disse na noite passada, e ela deve ter visto a devastação no meu rosto, porque, pela primeira vez na vida, não me importunou para ouvir detalhes. Simplesmente me deu um abraço, apertou meu braço com simpatia e foi deitar.

Agora está dormindo, o rosto enfiado no travesseiro, um braço pendurado para fora do colchão. Bem, pelo menos uma de nós vai acordar descansada.

Contra meu bom senso, dou uma olhada no telefone. Há duas mensagens não lidas piscando na tela. O que eleva o total para cinco.

Logan deve estar *mesmo* querendo falar comigo.

Acho que a culpa transforma alguns caras em verdadeiros tagarelas.

Uma pessoa inteligente apagaria as mensagens sem ler. Não, apagaria o telefone dele da agenda. Mas não estou me sentindo muito inteligente agora. Estou me sentindo uma idiota. Uma idiota completa. Por ter chamado Logan na noite passada. Por gostar dele.

Por ler as mensagens que não para de... *hein?*

Pisco. Uma vez. Duas vezes. Três e quatro e cinco vezes, mas isso não ajuda a esclarecer o que estou vendo.

Oi, é a Ramona. Acabei de saber o que aconteceu com Grace. Quer q eu vá até aí consolar vc? ;)

Minha cabeça se volta na direção da cama dela. Ainda está no sétimo sono. Mas o número que aparece na mensagem sem dúvida nenhuma é de Ramona. Meia-noite e dezesseis. Mais ou menos vinte minutos depois de ter chegado em casa.

Encaro seu vulto adormecido, esperando a fúria me dominar, meus músculos se contraírem e meu sangue ferver diante da traição.

Mas nada acontece. Estou... fria. Apática. E tão exausta que parece que caiu areia nos meus olhos.

Meus dedos tremem ao abrir a mensagem seguinte: *A gente pode conversar?*

Não, não pode. Na verdade, não quero falar com ninguém agora. Nem Logan nem Ramona.

Encho os pulmões numa inspiração entrecortada. Então me levanto e rastejo em direção à porta. Ao chegar ao corredor, deslizo contra a parede até sentar no chão. Meu telefone repousa sobre o joelho, e olho para ele por alguns segundos antes de abrir meus contatos.

Pode ser muito cedo para ligar para meu pai, mas, em Paris, minha mãe já está acordada há muito tempo e, agora, provavelmente prepara o almoço.

Ligo para ela, mas a apatia não vai embora. Na verdade, só piora. Não consigo nem sentir meu coração batendo. Talvez não esteja mesmo. Talvez meu corpo inteirinho tenha se desligado.

"Querida!" A voz exageradamente feliz da minha mãe enche meu ouvido. "O que está fazendo de pé tão cedo?"

Engulo em seco. "Oi, mãe. Eu... hum... tenho aula cedo."

"Você tem aula aos domingos?" Ela parece confusa.

"Ah. Não, não. É um grupo de estudo."

Merda, meus olhos estão começando a arder, e não porque estou cansada. Droga. Apatia coisa nenhuma — estou a segundos de desatar a chorar.

"Escuta, queria falar com você da minha viagem." Minha garganta se fecha, e preciso inspirar de novo para conseguir continuar. "Mudei de ideia quanto às datas. Quero ir mais cedo."

"Sério?", pergunta ela, animada. "Eba! Estou tão feliz! Mas tem certeza? Você disse que talvez fosse fazer alguma coisa com os amigos. Não quero que mude seus planos por minha causa."

"Não deu certo. E quero ir mais cedo, de verdade." Pisco depressa, tentando deter as lágrimas. "Quanto antes melhor."

15

GRACE

Maio

Dizem que a primavera em Paris é mágica.
E é verdade.

A cidade tem sido a minha casa pelas últimas duas semanas, e uma parte de mim gostaria que eu pudesse ficar aqui para sempre. O apartamento da minha mãe fica numa área conhecida como Antiga Paris. O bairro é lindo — ruas estreitas e sinuosas, edifícios antigos, lojinhas fofas e padarias a cada esquina. Também é a área gay da cidade, e tanto os vizinhos de cima quanto os de baixo são casais gays, que já nos levaram para jantar duas vezes desde que cheguei.

O apartamento só tem um quarto, mas o sofá-cama da sala de estar é bem confortável. Adoro acordar com a luz do sol entrando pelas portas da varandinha com vista para o pátio interno do prédio. O cheiro leve de tinta a óleo na sala lembra a infância, quando minha mãe passava horas trabalhando no ateliê dela. Com o passar dos anos, minha mãe começou a pintar cada vez menos, e essa foi uma das razões pelas quais ela se divorciou do meu pai.

Minha mãe se sentia como se tivesse se desconectado de quem era. Ser dona de casa numa cidade pequena em Massachusetts não era seu destino. Poucos meses depois que completei dezesseis anos, ela sentou comigo e me fez uma pergunta importante: eu preferiria ter uma mãe triste, mas por perto, ou uma mãe feliz e distante?

Respondi que queria que ela fosse feliz.

E minha mãe está feliz em Paris, não há como negar. Ri o tempo todo, e as dezenas de telas coloridas lotando o cantinho que ela usa como ateliê são prova de que está fazendo o que ama.

"Bom dia!" Minha mãe sai animada do quarto e me cumprimenta com um cantarolar alegre de uma princesa da Disney.

"Bom dia", respondo, meio grogue.

Não há divisão entre a cozinha e a sala, de modo que posso ver todos os seus movimentos enquanto se dirige à bancada. "Café?", ela pergunta.

"Por favor."

Sento e me espreguiço, bocejando ao pegar o telefone na mesa de centro para ver que horas são. Minha mãe não tem relógio em casa, porque diz que o tempo aprisiona a mente, mas meu TOC não me permite relaxar sem saber as horas.

Nove e meia. Não tenho a menor ideia do que ela planejou para nós hoje, mas espero que não envolva muita caminhada, porque meus pés ainda estão doloridos das cinco horas no Louvre ontem.

Estou prestes a devolver o telefone à mesa quando ele toca na minha mão. Fico irritada ao ver o nome de Ramona na tela. São duas e meia da manhã em Massachusetts — ela não tem nada melhor para fazer além de ficar me enchendo? Tipo *dormir*?

Rangendo os dentes, deixo o celular cair no sofá-cama, ainda tocando.

Minha mãe me fita da bancada. "Quem é? Namorado ou amiga?"

"Ramona", murmuro. "E não quero falar sobre ela. Não somos mais amigas. E Logan não é meu namorado."

"Mas, ainda assim, eles continuam ligando e mandando mensagens, o que significa que se preocupam com você."

Não estou nem aí se eles se preocupam. Mas ignorar Logan é muito mais fácil do que ignorar Ramona. Falamos pela primeira vez há oito dias. Conheço Ramona há treze anos.

Foi quase patético o jeito como tudo aconteceu. Seria de imaginar que uma amizade de mais de uma década fosse acabar com uma explosão estrondosa, mas meu confronto com Ramona não passou de um estalinho. Ela acordou, viu meu rosto e percebeu que Logan tinha me encaminhado a mensagem. Então começou a tentar minimizar os danos, mas nenhum de seus truques habituais funcionou.

O abraço de desculpas? As lágrimas de crocodilo? Seria o mesmo que tentar tocar o coração de um robô. Eu era só uma estátua, até ela enfim se dar conta de que não ia mais cair naquela ladainha. No dia seguinte, eu me mudei de volta para casa, dizendo para meu pai que o alojamento era barulhento demais e que eu precisava de um lugar calmo para estudar para as provas.

Não a vejo desde então.

"Por que você não escuta o que Ramona tem a dizer?" O tom da minha mãe é cauteloso. "Sei que você disse que ela não tinha uma boa explicação, mas talvez isso tenha mudado."

Uma explicação? *Como* se explica a traição da melhor amiga?

Curiosamente, ela nem inventou uma desculpa. Não teve nenhum "Eu tava com inveja" ou "Tava bêbada e não pensei direito". Tudo o que ela fez foi sentar na beira da cama e sussurrar: "Não sei por que fiz isso, Gracie".

Bem, isso não foi o suficiente para mim no dia, e com certeza não é o suficiente agora.

"Já falei que não tô interessada em ouvir nada dela. Pelo menos não por enquanto." Saio da cama e caminho até a bancada, estendendo a mão para a caneca que ela me entrega. "Não sei se um dia vou querer falar com ela de novo."

"Ah, querida. Você vai mesmo jogar fora tantos anos de amizade por causa de um menino?"

"Não é por causa do Logan. Ramona sabia que eu tava sofrendo. Sabia que tava me sentindo humilhada pelo que tinha acontecido e, em vez de me apoiar, esperou eu dormir para dar em cima dele. Ficou bem claro que ela não dá a mínima para mim ou para meus sentimentos."

Minha mãe suspira. "Não posso negar que Ramona sempre foi um pouco... egocêntrica."

Eu bufo. "Um pouco?"

"Mas ela também é sua maior defensora", minha mãe lembra. "Sempre apoiou você quando precisou. Lembra aquela menina péssima que pegava no seu pé no quinto ano? Como era o nome mesmo...? Brenda? Brynn?"

"Bryndan."

"*Bryndan*? Qual é o problema dos pais de hoje, hein?" Mamãe balança a cabeça, espantada. "Bom, lembra como a Bryn... não consigo nem falar esse nome idiota... Como aquela menina era horrível com você? Ramona parecia um cão de guarda, rosnando e cuspindo, pronta para proteger você até o último suspiro."

É minha vez de suspirar. "Sei que você tá tentando ajudar, mas será que a gente pode parar de falar nela?"

"Tá, então vamos falar do menino. Também acho que você deveria ligar para ele."

"Mas eu não acho."

"Querida, é óbvio que ele se sente mal pelo que aconteceu, ou não estaria tentando falar com você. E... bem, você estava pronta para, hum... entregar sua flor..."

Eu literalmente cuspo o café que acabei de levar à boca. Ele pinga pelo meu queixo até o pescoço, e eu me limpo depressa com um guardanapo, antes que suje o pijama. "Pelo amor de Deus, mãe! Nunca mais fale assim de novo. Eu imploro."

"Estava tentando ser delicada", ela se justifica.

"Uma coisa é ser delicada, outra é voltar à Inglaterra vitoriana."

"Tá. Você ia dar..."

"Mãe!" Sou tomada por um acesso de riso e preciso de um segundo para poder falar sem gargalhar. "Mais uma vez, sei que você tá tentando ajudar, mas não quero falar de Logan. É verdade, eu tava prestes a transar com ele. Mas isso não aconteceu. E chega desse assunto."

Ela adota uma expressão aflita. "Tá, não vou mais incomodar com esse assunto. Mas me recuso a deixar você passar o resto do verão de mau humor."

"Não estou de mau humor", protesto.

"Por fora, não. Mas conheço você, Grace Elizabeth Ivers. Sei quando está sorrindo de verdade e quando está sorrindo para o público. Até agora, foram duas semanas de sorrisos fingidos." Ela se endireita, erguendo os ombros numa pose determinada. "Acho que está na hora de fazer você sorrir de verdade. Tinha pensado em caminhar pelo rio hoje, mas sabe de uma coisa? Mudança de planos." Ela bate palmas. "Precisamos de algo drástico."

Droga. A última vez que minha mãe usou a palavra "drástico" acabamos num salão de beleza em Boston, onde ela tingiu o cabelo de rosa.

"Como o quê?", pergunto, cautelosa.

"Vamos ver a Claudette."

"Quem é Claudette?"

"Minha cabeleireira."

Ah, não. Agora é o *meu* cabelo que vai ser tingido de rosa. Tenho certeza.

Minha mãe sorri. "Confia em mim, não há nada melhor que uma boa mudança no visual para animar uma menina." Ela tira a caneca da minha mão e a pousa na bancada. "Vá trocar de roupa enquanto eu ligo para o salão. Vai ser *tão* divertido!"

16

LOGAN

Junho

No trigésimo terceiro dia do meu martírio na Logan & Sons, tenho o primeiro embate com meu pai. Estava esperando por esse momento, e, de uma forma meio doentia, até torcia para que acontecesse logo, mas, em geral, ele estava me deixando em paz.

Não me perguntou sobre a faculdade nem sobre o hóquei. Não me deu um sermão por não visitá-lo. Tudo o que fez foi reclamar da dor na perna e empurrar uma cerveja na minha direção, implorando: "Venha tomar uma comigo, Johnny".

Claro. Qual a chance de eu fazer isso?

Mas pelo menos ele não ficou pegando no meu pé. Me sinto cansado demais para brigar com meu pai. Estou seguindo o rígido programa de férias que o treinador montou para a gente, o que significa acordar ao raiar do dia para malhar, trabalhar na oficina até as oito da noite, malhar de novo antes de dormir e cair na cama para depois repetir tudo no dia seguinte.

Uma vez por semana, vou até a péssima arena de Munsen para treinar umas tacadas e patinar com Vic, um dos nossos treinadores assistentes, que vem da Briar para se certificar de que não estou fora de forma. Adoro o cara por isso, e estou ansioso por mais tempo no gelo, mas, infelizmente, hoje não é dia de rinque.

O cliente com quem estou lidando neste instante é o mestre de obras da única construtora da cidade. Ele se chama Bernie e é um cara legal — bom, se você ignorar sua insistência em me convencer a entrar para a liga de verão de Munsen, coisa que não tenho a menor vontade de fazer.

Faz cinco minutos que Bernie apareceu com um prego de cinco centímetros cravado no pneu da frente da picape, então fez o discurso de sempre, dizendo que preciso entrar no campeonato, e agora estamos discutindo o que fazer com o carro.

"Olha, posso remendar sem problemas", explico a ele. "Tiro o prego, tapo o buraco e encho o pneu. É a opção mais rápida e barata. Mas os pneus não estão na melhor forma, Bernie. Quando foi a última vez que você trocou?"

Ele esfrega a barba grisalha e espessa. "Há uns cinco anos? Seis talvez?"

Ajoelho-me junto do pneu dianteiro esquerdo e faço outro exame rápido. "A banda de rodagem dos quatro está começando a se desgastar. Ainda não chegou a um milímetro e meio, mas está bem perto disso. Mais alguns meses e não vai ser seguro dirigir."

"Ah, filho, não tenho dinheiro para trocar os pneus agora. Além do mais, a empresa está fazendo um trabalho grande em Brockton." Ele bate no capô com bastante vigor. "Preciso desta belezinha comigo todos os dias esta semana. Pode fazer só o remendo por enquanto."

"Tem certeza? Você vai ter que voltar de novo quando eles estiverem lisos. Recomendo trocar tudo agora."

Ele rejeita a sugestão com um aceno da mão gorda. "Deixa para a próxima."

Faço que sim, sem mais argumentos. A primeira regra do comércio? O cliente tem sempre razão. Além do mais, os pneus não iriam explodir nas próximas horas nem nada. Ainda vai demorar até estarem completamente gastos.

"Certo. Faço agora mesmo. Deve levar uns dez minutos, mas tenho que terminar o alinhamento do Jetta primeiro. Então, acho que está pronto em meia hora. Quer esperar no escritório?"

"Não, vou dar uma volta e fumar um cigarro. Também tenho umas ligações para fazer." Ele me fita. "E, pelo amor de Deus, precisamos de você no gelo nas noites de quinta, filho. Pensa nisso, hein?"

Concordo com a cabeça de novo, mas nós dois sabemos qual vai ser minha resposta. Todos os anos, o Munsen Miners me convida para jogar, e todos os anos eu recuso. Sério, é deprimente demais para sequer considerar. Não preciso ser lembrado de que, no ano que vem, vou passar de um time universitário da primeira divisão para o *Munsen Miners*. Isso aí, vou ser a estrela de uma liga amadora, num time que leva o nome de uma atividade pela qual a cidade nem ao menos é conhecida. Não existem minas em Munsen, e nunca existiram.

Menos de um minuto depois de Bernie sair, meu pai aparece, vindo do escritório na minha direção, mancando. Por sorte, suas mãos não estão segurando nenhum copo. Pelo menos ele tem o bom senso de não beber na frente dos clientes.

"Que merda foi essa?", ele quer saber.

De que adianta não beber na frente dos clientes se mal se equilibra com a bengala? De repente, fico feliz que passe o dia escondido no escritório, fora da vista das pessoas.

Abafo um suspiro. "Do que você tá falando?"

"Como assim você ofereceu a opção mais barata?" Está com a cara rubra pela afronta, e, mesmo eu estando há mais de um mês lá, ainda me espanta quão esquálido está. É como se toda a pele do rosto, dos braços e do torso tivesse decidido se mudar para o estômago, produzindo uma barriga de cerveja que não o favorece nem um pouco, projetando-se sob a camiseta esfarrapada. Tirando isso, está magro feito um palito, e vê-lo assim me deixa triste.

Já vi fotos dele quando jovem e não posso negar que era bonito. E me lembro de quando estava sóbrio. Ele sorria sem dificuldade, sempre armado com uma piada ou uma risada. Sinto falta daquele homem. Às vezes, muita falta.

"Um remendo de trinta dólares em vez de quatro pneus novos?", esbraveja. "Qual é o seu problema?"

Me esforço para controlar a raiva. "Eu recomendei pneus novos. Ele não quis."

"Não é pra *recomendar*. É pra *empurrar*. Enfiar goela abaixo desses idiotas."

Preocupado, dou uma espiada na direção de Bernie, mas, por sorte, ele já está longe, fumando e falando no celular. Merda. E se conseguisse ouvir meu pai? Será que ele tem falado coisas desse tipo na frente dos clientes? Honestamente, não sei.

É uma e meia da tarde, e meu pai está cambaleando como se tivesse consumido todo o estoque de uma loja de bebidas. "Por que não volta para casa?", sugiro, tranquilo. "Você está tropeçando. Suas pernas estão doendo?"

"Não estou com dor! Estou com raiva!"

O que sai é algo como "raifa". Ótimo. Está enrolando a língua agora.

"Você veio até aqui pra ficar jogando dinheiro fora como se desse em árvore? Devia ter dito que os pneus não são seguros. Não ficar falando da porra do seu time de hóquei!"

"Não estávamos falando de hóquei, pai."

"Mentira. Eu ouvi." O homem que costumava ir a todos os meus jogos no nono ano e ficar sentado atrás do banco de reservas, gritando como um louco... agora me despreza. "Você se acha uma estrela, não é, Johnny? Mas você não é nada. Nem foi draftado."

Sinto um aperto no peito.

"Pai..." O aviso tranquilo vem de Jeff, que limpa a graxa das mãos com um pano e caminha na nossa direção.

"Fique de fora, Jeffy! Estou falando com seu irmão mais velho." Ele pisca. "Quer dizer, mais novo... Ele é o mais novo, né?"

Jeff e eu trocamos um olhar. Merda. Ele está *completamente* fora de si.

Em geral, um de nós fica de olho nele durante o dia, mas estamos os dois atolados desde o instante em que abrimos a oficina esta manhã. Eu não me preocupei muito, porque ele estava no escritório, mas agora me odeio por ter esquecido uma regra importante do manual do alcoólatra: sempre ter bebida à mão.

Meu pai devia ter um estoque escondido no escritório. Quando ainda estava com minha mãe, ele escondia álcool em todo lugar. Uma vez, quando tinha doze anos, a descarga de uma das privadas disparou e fui consertar; quando tirei a tampa da caixa, encontrei uma garrafinha de vodca flutuando ali.

Era só mais um dia na casa dos Logan.

"Você parece cansado", diz Jeff, segurando o braço dele, com firmeza. "Por que não volta para casa e tira uma soneca?"

Meu pai pisca de novo, a confusão ofuscando a raiva. Por um momento, parece um garotinho perdido. De repente, tenho uma vontade imensa de gritar. É em horas assim que quero agarrar seus ombros e sacudi-lo, implorar para que explique por que bebe. Minha mãe diz que é genético, e sei que a família tem um histórico de depressão e de alcoolismo. E, porra, talvez seja isso mesmo. Vai ver que é por isso que meu pai não consegue parar de beber. Mas uma parte de mim ainda não consegue aceitar isso. Ele teve uma infância boa. Teve uma esposa que o amava, dois filhos que faziam de tudo para agradá-lo. Por que nada disso bastou?

Sei que é um vício. *Sei* que está doente. Mas é tão difícil raciocinar quando uma garrafa de bebida é a coisa mais importante da vida do seu pai, quando ele se dispõe a jogar tudo fora por ela.

"É, acho que estou mesmo um pouco cansado", murmura meu pai, os olhos azuis ainda nublados pela confusão. "Eu, hã... vou dormir agora."

Meu irmão e eu o vemos se arrastar para fora da oficina. Jeff se volta para mim, com um olhar triste. "Não escuta o que ele diz. Você *é* bom."

"Claro." Aperto a mandíbula e volto para o elevador do Jetta em que estava trabalhando. "Tenho que terminar isso."

"John, ele não sabe do que está falando..."

"Deixa pra lá", murmuro. "Eu já deixei."

Fecho a oficina mais tarde do que o normal. *Muito* mais tarde do que o normal, porque não podia tolerar a ideia de jantar em casa. Jeff apareceu lá pelas nove para me trazer uma sobra de bolo de carne, e me informou baixinho que papai estava "um pouco mais sóbrio". O que é risível, porque, mesmo que parasse de beber por completo, tem tanto álcool naquelas veias que levaria dias para eliminar tudo do corpo.

São dez e quinze, e espero que meu pai esteja dormindo quando eu entrar por aquela porta. Não, estou *pedindo a Deus* que esteja dormindo. Não tenho energia para lidar com ele agora.

Saio da oficina pela porta lateral, parando para deixar as chaves do Jetta na caixinha de correio pregada na parede. A dona, uma morena bonita que dá aula na escola primária de Munsen, vem buscar o carro esta noite, e já o deixei estacionado do lado de fora.

Confiro o cadeado da entrada da oficina e começo a caminhar até a casa quando vejo faróis por entre as árvores, e um táxi acelera até a entrada. Atrás do volante, um homem mais velho me encara com cautela, enquanto a porta de trás se abre e Tori Howard salta, as botas de salto levantando uma nuvem de poeira quando tocam a terra.

Ela acena ao me ver, então gesticula para o motorista indicando que está tudo bem. Um segundo depois, balança os quadris curvilíneos na minha direção.

Tori tem vinte e tantos anos e é absolutamente linda. Mudou para Munsen há uns dois anos e traz o carro para a revisão algumas vezes por ano, e, juro: o carro não é a única coisa em que ela quer que eu mexa. Tori dá em cima de mim toda vez que me vê, mas nunca fiz nada a respeito, porque Jeff está sempre por perto e não quero que ele pense que estou pegando as clientes.

Mas esta noite estamos sozinhos.

Ela se aproxima com um sorriso no canto dos lábios. "Oi."

"Oi." Aponto para as lanternas traseiras do táxi em retirada. "Devia ter avisado que não tinha carona. Jeff ou eu podíamos ter buscado você."

"Sério? Não tinha ideia de que vocês ofereciam serviço completo", ela provoca.

Dou de ombros. "Fazemos de tudo para agradar o cliente."

Seu sorriso se alarga, e percebo como o comentário descontraído soou baixo. Não era uma tentativa de cantada, mas seus olhos assumiram um brilho sedutor.

De repente, me dou conta de que são quase do mesmo tom de castanho que os de Grace. Só que Grace nunca me olhou como se quisesse me devorar. Havia algo de sincero em seus olhos. Havia fogo também, sem dúvida, mas não era calculado nem ostensivo, como o de Tori.

Merda, preciso parar de pensar em Grace. Perdi a conta de quantas vezes liguei para ela neste verão, mas seu silêncio me diz tudo o que eu preciso saber. Ela não quer minhas desculpas. Não quer me ver nunca mais.

Ainda assim, não consigo afastar a esperança de que talvez mude de ideia.

"Sabe, você está mais bonito a cada vez que eu te vejo", comenta Tori, com a voz arrastada.

Duvido. No mínimo, estou mais cansado. E tenho certeza de que minha bochecha está suja de óleo, mas Tori não parece se importar.

Ela faz beicinho. "Não vai retribuir o elogio?"

Não posso deixar de sorrir. "Tori, você é linda e sabe disso. Não precisa que eu diga."

"Às vezes é bom ouvir."

Não sei se estou à vontade com o rumo da conversa, então mudo de assunto. "Você recebeu minha mensagem, né? Expliquei tudo o que fizemos no carro, mas posso repassar com você, se quiser."

"Não precisa. Você foi bem minucioso." Ela inclina a cabeça de leve. "Quais são os planos para hoje?"

"Nada. Vou tomar uma chuveirada e dormir. Foi um dia cheio, e amanhã vai ser pior ainda."

"Uma chuveirada, é? Sabe", ela diz, casualmente, "acabei de instalar um chuveiro duplo no banheiro." Não há nada de casual *nisso*. "Sempre vi nos filmes aqueles chuveiros incríveis com várias saídas de água, e pensei: por que não posso ter isso? Aí percebi que posso, claro." Ela sorri. "Então chamei um encanador, e ele instalou na semana passada. Não dá nem para descrever como é incrível. A água batendo em você pela frente e por trás? É o máximo."

E... meu pau está quase duro.

Mas não vou me julgar por isso: faz quase três meses que não transo com ninguém e, quando uma mulher bonita fala de chuveiro, é preciso estar com algum problema para *não* pensar nela tomando banho. Pelada. Com a água batendo em seu corpo — *pela frente e por trás*.

"Você deveria experimentar um dia", ela acrescenta, e sua piscadela é tão sutil quanto um tapa na bunda.

A hesitação se acumula em meu peito. Em qualquer outro momento, eu aceitaria o convite dela num piscar de olhos. Mas ainda acho que Grace pode... pode o quê? Me mandar uma mensagem? Aceitar minhas desculpas? Mesmo que faça isso, não significa que vai voltar a sair comigo. Merda, por que sairia? Ela se ofereceu para mim, e eu a rejeitei.

À medida que meu silêncio se arrasta, Tori suspira e continua: "Ouvi boatos sobre você, Logan, e tenho que dizer: estou decepcionada que não sejam verdadeiros".

Estreito os olhos. "Que boatos?"

"Sabe como é, que você é um deus do sexo. Topa qualquer coisa. É bom de cama." Ela me lança um sorriso audacioso. "Ou talvez seja tudo verdade, mas você não curta mulheres mais velhas. Fique sabendo que fiz uma enquete com umas amigas e todas concordaram que seis anos de diferença não fazem de mim uma papa-anjo."

Um riso me escapa. "Você está longe disso, Tori."

"Então acho que não sou seu tipo."

Meu olhar percorre seu corpo, dos seios empinados sob a camisa justa até as pernas bem torneadas que parecem não terminar nunca. Não é meu tipo? Ah, tá. Ela é exatamente o tipo por quem em geral me sinto atraído.

Então, o que está me segurando? Grace? Depois de meses de silêncio, talvez esteja na hora de eu finalmente entender o recado.

"Imagina", digo, indiferente. "É só que ando meio distraído."

"Hum. Bom, você está distraído agora?"

"Não. Na verdade..." Meu olhar se demora em seus seios de novo, antes de voltar para seus olhos. "Acho que uma chuveirada cairia bem."

17

LOGAN

Julho

Numa noite de quinta, Garrett me surpreende, aparecendo na oficina com pizza e cerveja. Comigo morando aqui e ele trabalhando sessenta horas por semana numa empresa de construção em Boston, não nos vemos muito durante o verão. Trocamos uma ou outra mensagem, em geral sobre os *playoffs* da NHL. Todo ano assistimos juntos à Copa Stanley, mas isso foi no mês passado. Na maior parte do tempo, nossa amizade fica congelada até eu voltar para Hastings, em setembro.

Fico feliz em ver meu amigo. Provavelmente ficaria mais feliz se ele *não* tivesse trazido a cerveja, mas como o cara ia saber que meu pai jogou uma lata na minha cabeça pela manhã?

Pois é, a coisa ficou séria hoje. Ele teve um acesso de raiva, e quase saímos no braço. Jeff, claro, apartou a briga e acalmou os ânimos, antes de arrastar o velho bêbado para dentro de casa. Quando fui almoçar, ele estava tomando uma Bud Light na sala de estar e assistindo ao canal de televendas. Me cumprimentou com um sorriso que deixou claro que já tinha esquecido o que acontecera.

"Oi." Garrett caminha até o Hyundai cujas pastilhas de freio acabei de trocar e me dá um abraço de macho, que consiste em muitos tapas nas costas. Em seguida, olha para o outro lado da oficina, na direção do meu irmão. "Jeff, cara. Quanto tempo."

"G.!" Jeff larga a chave de soquete e se aproxima para apertar a mão de Garrett. "Onde você se escondeu neste verão?"

"Boston. Passei as duas últimas semanas trabalhando num telhado feito um condenado, com um sol de rachar na cabeça."

Sorrio ao notar que seu nariz, seu pescoço e seus ombros estavam queimados. E, porque sou um idiota, dou um peteleco em seu ombro esquerdo.

Ele estremece. "Vai se foder. Isso dói."

"Coitadinho. Pede para a Wellsy passar pomada nos seus dodóis."

Garrett me lança um sorriso malicioso. "Ah, vai por mim, ela está passando. E isso faz dela uma colega de quarto muito melhor do que você."

Colega de quarto? Ah, é. Tinha esquecido completamente que Hannah ia passar o verão na nossa casa. O que me lembra que os caras e eu deveríamos conversar sobre o que vai acontecer no outono. Caso ela esteja planejando se mudar oficialmente. Já superei a história com ela e adoro sua companhia, mas também curto nossa dinâmica, só os rapazes. Acrescentar uma dose de estrogênio no sistema pode dar problema.

"Pode fazer uma pausa?", pergunta Garrett. "Você também, Jeff. Tem pizza para três."

Hesito, imaginando a reação do meu pai se vir a gente de bobeira lá fora, em vez de trabalhando. Droga. Não quero brigar com ele de novo.

Jeff, no entanto, responde por mim. "Não esquenta. John já terminou por hoje."

Olho para ele, surpreso.

"Sério, deixa comigo", confirma meu irmão. "Vou terminar aqui. Leva o G. para os fundos e relaxa."

"Tem certeza?"

Jeff repete, com a voz firme: "Deixa comigo".

Agradeço com um aceno de cabeça; em seguida, tiro o macacão e saio da oficina com Garrett atrás de mim. Caminhamos na direção da casa, mas antes de chegar a ela desvio para o gramado. Anos atrás, Jeff e eu construímos aqui um buraco para acender fogueiras e cercamos com cadeiras de jardim. No bosque mais adiante, está uma casa na árvore que fizemos quando éramos crianças e que qualquer inspetor de seguradora que se preze mandaria pôr abaixo, por conta do trabalho de má qualidade e da fachada instável.

Garrett coloca a caixa de pizza na velha mesa de madeira entre duas cadeiras, então pega uma lata de cerveja e arremessa para mim.

Pego, mas não abro.

"Ah, esqueci", comenta Garrett, seco. "Cerveja é coisa de pobre." Ele revira os olhos. "Não tem mulher aqui, cara. Não precisa pagar de playboy."

Playboy? Rá. Meus amigos sabem que não bebo cerveja a menos que seja a única opção disponível, mas sempre justifiquei minha antipatia dizendo que é uma bebida fraca com gosto de mijo.

A verdade é que o cheiro é uma lembrança deprimente demais da minha infância. É a mesma coisa com conhaque, a primeira opção do meu pai quando a cerveja acabava.

"Só não tô com vontade de beber agora." Coloco a lata no chão e pego a fatia de pizza cheia de bacon que ele passa na minha direção. "Valeu."

Garrett senta na cadeira e pega uma fatia. "E esse lance do Connor, que loucura, né? Escolhido na primeira rodada. Deve estar com o ego do tamanho do mundo."

Sou tomado por uma sensação conflitante. O *draft* da liga nacional aconteceu há duas semanas, e fiquei feliz de saber que dois jogadores da Briar passaram. O Kings pegou Connor Trayner na primeira rodada e o Blackhawks levou um dos nossos jogadores de defesa, Joe Rogers, na quarta. Estou orgulhoso dos rapazes. Os dois estão no segundo ano, são talentosos e merecem estar na liga.

Só que é mais um lembrete de que não vou entrar na liga.

"Connor mereceu. O cara é mais rápido que um relâmpago."

Garrett mastiga devagar, um ar pensativo nos olhos. "E Rogers? Acha que vai ser titular do Hawks? Ou vão mandar para a equipe de base?"

Penso no assunto. "Equipe de base", respondo, embora com relutância. "Acho que vão querer desenvolver o cara um pouco mais antes de soltar no mundo."

"É, eu também. Não é o melhor no taco. E tem muitos passes incompletos."

Continuamos falando de hóquei enquanto devoramos a pizza. Por fim, abro a latinha, embora só dê um gole ou dois. Não estou a fim de beber hoje. Na verdade, não ando em clima de festa. Meu humor está um lixo desde a noite com Tori, no mês passado.

"E aí, quais são os planos da Wellsy para o outono?", pergunto. "Ela vai se mudar de vez lá pra casa ou o quê?"

Garrett é rápido em negar com a cabeça. "Não. Eu teria pedido a opinião de vocês antes de fazer uma coisa dessas. E ela não quer. Faz sentido durante o verão, porque o trabalho dela é pertinho de casa, mas ela e Allie querem continuar morando juntas."

"Ela já sabe o que vai fazer depois da formatura?"

"Não tem a menor ideia. Mas tem um ano inteiro para descobrir isso ainda." Garrett fica em silêncio por um instante. "Ei, sabe a Meg, amiga dela?"

Faço que sim, relembrando a aluna de teatro bonita que sai com um cara meio babaca. "Sei. A que fica com aquele Jimmy, né?"

"Jeremy. E eles terminaram." Garrett hesita de novo. "Hannah perguntou se você não quer marcar alguma coisa com ela. Meg é divertida. Talvez você goste dela."

Me ajeito na cadeira, desconfortável. "Obrigado, mas não gosto de encontros forçados."

Ele abre um sorriso. "Então a caloura que te deixou obcecado finalmente decidiu te perdoar?"

Depois do jogo da Copa Stanley, o uísque acabou soltando minha língua, e contei para Garrett a situação toda com Grace, dando detalhes sórdidos da noite fatídica, que é como tenho chamado nosso último encontro. Agora me arrependo de ter aberto a boca, porque falar nela faz meu peito doer.

"Ela não tá falando comigo", admito. "Acabou, cara."

"Que merda. Então você voltou a pegar qualquer coisa que use saia?"

"Não." É minha vez de fazer uma pausa. "Quase transei com uma mulher mais velha há algumas semanas."

Ele sorri. "Mais velha? Quanto?"

"Ela deve ter... uns vinte e sete, acho. É professora aqui na cidade. Gostosa pra cacete."

"Legal. E você... espera aí, como assim *quase*?"

Dou um gole na cerveja, meio sem graça. "Não consegui ir até o fim."

Ele parece assustado. "Por que não?"

"Porque... foi..." Me esforço para encontrar o adjetivo certo para descrever a noite desastrosa com Tori. "Sei lá. Fui até a casa dela, certo de que ia levar a mulher pra cama, mas quando ela tentou me beijar, arreguei. Foi meio... vazio, acho."

"Vazio", repete, parecendo confuso. "Como assim?"

Não sabia como explicar. Desde que entrei na faculdade, não recusei muitas oportunidades de sexo. Na minha cabeça, eu tinha mais era que aproveitar o presente, porque, no futuro, ia ser uma merda de um mecânico, vivendo uma existência vazia no buraco que é a cidade de Munsen. Mas a noite em que fui até a casa de Tori foi... igualmente vazia.

Levo a cerveja aos lábios de novo, mas desta vez bebo metade da lata. Merda, tudo na minha vida me deprime.

Garrett me observa, a preocupação estampada no rosto. "O que tá acontecendo, cara?"

"Nada."

"Mentira. Parece que seu cachorro acabou de morrer." Ele para de repente e olha ao redor. "Ah, merda, seu cachorro morreu mesmo? Você *tem* um cachorro? Percebi agora que não sei nada da sua vida aqui."

Ele tem razão. É só a segunda vez que visita Munsen desde que o conheci, há três anos. Sempre fiz questão de manter minha vida em casa separada da minha vida na faculdade.

Não que Garrett não fosse capaz de entender. Quer dizer, o pai dele não é exatamente um príncipe. Ainda me choca que Garrett apanhasse dele. Phil Graham é uma celebridade do hóquei por essas bandas, e eu costumava idolatrar o cara quando criança, mas, desde que Garrett contou sobre os abusos, não consigo nem ouvir o nome dele sem querer enfiar lâminas de patins no peito dele e torcer. Com força.

Acho que poderia ter dividido minha história quando Garrett contou a dele. Poderia ter falado do problema do meu pai com bebida. Mas não falei, porque não gosto de tocar no assunto.

Mas agora estou cansado de guardar tudo isso comigo.

"Quer saber da minha vida aqui?", pergunto, friamente. "Duas palavras: uma merda."

Garrett descansa a cerveja no joelho e me encara nos olhos. "Como assim?"

"Meu pai é alcoólatra, G."

Ele solta o ar. "Sério?"

Faço que sim.

"Por que você nunca me contou isso?" Ele balança a cabeça, parecendo chateado.

"Porque não é nada demais." Dou de ombros. "É assim que as coisas são. Às vezes ele está melhor; às vezes, pior. Faz um monte de merda e a gente conserta."

"É por isso que você e Jeff praticamente tocam o negócio sozinhos?"

"É." Respiro fundo. Que se foda. Se estou me abrindo, então não tem por que fazer isso pela metade. "Vou trabalhar aqui em tempo integral no ano que vem."

"Como assim?" Garrett fecha a cara. "Espera, por causa do *draft*? Já falei que..."

Eu o interrompo. "Nunca me inscrevi no *draft*."

Uma nuvem escura aparece em seus olhos, num misto de espanto e mágoa. "É sério isso?"

Assinto com a cabeça.

"Por que não me contou?"

"Porque não queria que você tentasse me fazer mudar de ideia. Quando aceitei a bolsa da Briar, já sabia que não ia virar profissional."

"Mas..." Ele está praticamente cuspindo agora. "E toda aquela conversa de nós dois com o uniforme do Bruins?"

"Era da boca pra fora." Meu tom é tão deprimente quanto meu futuro. "Jeff e eu fizemos um trato. Ele trabalha aqui enquanto eu estudo, depois a gente troca."

"Não, cara", diz Garrett, com veemência.

"É a vida. Jeff já fez o que pôde, agora é minha vez. Alguém tem que cuidar de tudo, ou meu pai vai perder a oficina, a casa e..."

"E isso é problema *dele*", Garrett me corta, os olhos cinzentos pegando fogo. "Não quero parecer insensível, mas é verdade. Ele não é sua responsabilidade."

"É, sim. É o meu pai." A tristeza me envolve. "Pode ser um bêbado e um canalha completo às vezes, mas está doente. Sofreu um acidente de carro há alguns anos que destruiu as pernas dele, então agora tem uma dor crônica e mal consegue andar." Engulo em seco, tentando aplacar a tristeza. "Talvez a gente consiga colocar meu pai de novo na reabilitação um dia. Talvez não. De qualquer maneira, preciso assumir a situação aqui e cuidar dele. Não vai ser pra sempre."

"Por quanto tempo então?"

"O Jeff só vai viajar um pouco", respondo, baixinho. "Ele e a namorada vão passar uns anos na Europa e depois vão morar em Hastings. Ele vai tomar conta da oficina de novo, e eu vou estar livre."

A voz de Garrett é tomada pela descrença. "Então, você vai colocar sua vida em espera? Por *anos*?"

"É."

O silêncio que se segue só aumenta meu desconforto. Sei que Garrett reprova isso, mas não tem nada que eu possa fazer. Jeff e eu fizemos um acordo, e não tenho escolha.

"Você nunca teve a intenção de ligar para aquele agente."

"Não", confesso.

Ele tensiona a mandíbula. Em seguida, solta o ar numa expiração pesada que o faz se curvar para a frente. Por fim, passa uma das mãos pelos cabelos. "Queria que você tivesse me contado isso antes. Se soubesse, não teria ficado enchendo seu saco o ano inteiro."

"O que eu ia dizer? Que meu futuro é sombrio? Que é praticamente uma sentença? Não gosto nem de pensar nisso, G."

Olho para a frente, para nada em particular. O sol já se pôs, mas ainda há um pouco de luz no céu, dando uma visão perfeita da propriedade, com a casa antiquada e o gramado cheio de ervas daninhas.

O cenário em que vou viver depois que me formar.

"É por isso que você vive como se não houvesse amanhã?", pergunta Garrett. "Porque acredita que, literalmente, não há amanhã?"

"Olha isso, cara." Gesticulo para a grama queimada pelo sol e os pneus velhos espalhados. "Este é o meu futuro."

Ele suspira. "E qual é o lance? Você sabia que não ia entrar para a NHL, então pensou: 'Ei, melhor aproveitar o meu status de pequena celebridade na faculdade e aproveitar o fluxo constante de mulheres fáceis?'." Garrett parece estar contendo o riso. "Não vai dizer que joga hóquei desde que aprendeu a andar com o único propósito de pegar mulher."

Olho feio para ele. "Claro que não. Isso é só uma consequência."

"Uma consequência, é? Então que história é essa de querer um relacionamento?" Ele arqueia a sobrancelha para mim. "Pois é, ela me contou."

"O que exatamente estamos discutindo aqui? Minha vida sexual? Pensei que estivéssemos falando do meu futuro. Que, por sinal, é uma puta piada de mau gosto. Não tenho nenhuma expectativa. Nada de hóquei, nada de mulher, nada de escolhas."

"Isso não é verdade." Ele faz uma pausa. "Você tem um ano."

Franzo minha testa. "O quê?"

"Você tem um ano inteiro, John. Seu *último* ano na faculdade. Por um ano, você *tem* escolhas. Tem o hóquei, amigos e, se quer uma namorada, pode ter também." Ele ri. "Mas isso significa manter seu pau longe de meninas que só querem saber de festa e que têm o QI de um bastão de hóquei."

Mordo o interior da bochecha.

"Quer um conselho?" Vejo a sinceridade brilhando em seus olhos. "Se soubesse que teria um último ano antes de... eu ia dizer 'ter que', mas continuo achando que você não 'tem que' fazer nada. Você *escolheu*, mas não importa, se está decidido... Se eu soubesse que teria que colocar a vida em espera a partir do ano que vem, aproveitaria o tempo que me resta ao máximo. Para de insistir em coisas que fazem você se sentir vazio. Se diverte. Conserta as coisas com essa menina, se isso vai fazer você feliz. Deixa de lado o mau humor e aproveita seu último ano."

"Não estou de mau humor."

"Mas você não tá fazendo nada de produtivo, está?"

Mordo a bochecha até arrancar sangue, mas mal noto o gosto de ferro que me enche a boca. Tenho tratado o último ano como uma espécie de corredor da morte, mas talvez Garrett esteja certo. Talvez eu precise começar a vê-lo como uma oportunidade. Mais um ano livre. Praticando o esporte que amo. Saindo com os amigos que tenho a sorte de ter e que provavelmente não mereço.

Liberdade, hóquei e amigos. É, tudo isso está na lista.

Mas o item número um? Não preciso nem pensar.

Tenho que consertar as coisas com Grace.

18

LOGAN

Agosto

Falta uma semana para o semestre começar, e finalmente estou vendo a luz no fim do túnel. Embora, para ser sincero, o final do verão não tenha sido tão ruim assim. Passei uma semana em Boston, com minha mãe, não tive mais nenhum desentendimento importante com meu pai e cheguei a ligar para o Bernie e jogar algumas partidas pelos Miners. Os caras são até bons. A maioria está na casa dos trinta, alguns já têm quarenta, e eu, o único com vinte e um anos de idade, destruí tudo no gelo, claro. Mas foi bom fazer parte de um time de novo.

A única coisa ruim desse verão basicamente indolor foi Grace não ter me atendido. Depois da conversa com Garrett, deixei uma mensagem de voz enorme na caixa postal dela, pedindo desculpas mais uma vez e implorando por outra chance. Nenhuma resposta.

Ainda assim, Grace não pode me evitar para sempre. Vou acabar encontrando com ela no campus ou... posso sempre acelerar o processo, xavecando a estagiária do departamento de habitação para descobrir para qual alojamento ela vai mudar. Meu último recurso seria ligar para a "amiga" dela, Ramona, mas não pretendo fazer isso, a menos que seja absolutamente necessário.

Mas tudo isso pode esperar. Tenho a tarde de folga hoje e dirijo animado para Hastings. Meu programa de força e condicionamento requer mais musculação agora, mas, como os pesos que tenho em casa são os piores possíveis, Jeff concordou em me cobrir duas vezes por semana para eu poder usar a academia da universidade.

Dean tem me acompanhado e, quando estaciono na frente da república, já está me esperando. Ele está sem camisa, usando uma calça da Adidas de cós baixo e correndo no mesmo lugar feito um idiota.

Sorrindo, salto do carro e caminho até ele.

"Oi. Mudança de planos", avisa Dean. "Wellsy saiu do trabalho mais cedo, então vamos correr em vez de fazer musculação."

Franzo o nariz. "Eu e você?"

"Eu, você e Wellsy", esclarece ele. "Tenho corrido com ela todas as noites. Às vezes o G. vem também, quando não está muito cansado. Mas ela vai sair com os pais mais tarde."

"Legal. Os pais dela estão na área?" Sei que Hannah não os vê tanto quanto gostaria, então imagino que esteja bem feliz. Também sei que o motivo pelo qual não os visita é... da conta dela. Embora Wellsy tenha dito a Garrett que podia me contar sobre a agressão sexual que sofreu, parece totalmente inadequado levantar o assunto. Se ela quisesse falar disso comigo, falaria.

"Estão numa pousada no centro", responde Dean. "Então esse é o único horário em que ela pode correr hoje."

Como se só esperasse sua deixa, Hannah aparece na varanda, usando camiseta e uma legging até o joelho. Seu rabo de cavalo balança de um lado para o outro enquanto corre para me dar um abraço. "Logan! Parece que não te vejo há meses!"

"É porque faz meses que você não me vê." Dou um puxão no rabo de cavalo dela. "Como tá indo o verão?"

"Bem. E o seu?"

Dou de ombros. "Bem, acho."

"E aí, vai correr com a gente?"

"Parece que não tenho escolha." Já estou de tênis, calça de moletom e uma camiseta velha, então não preciso trocar de roupa, mas entro em casa para deixar a carteira e as chaves antes de me juntar aos dois.

Pego Hannah repreendendo Dean por seu traje de corrida. "Sério, cara, veste uma camiseta."

"Ei, você conhece o ditado", resmunga Dean. "O que é bonito é pra ser mostrado."

"Não, tenho certeza de que o ditado é: bote uma camiseta quando for correr, seu narcisista."

O queixo dele cai. "Narcisista? Estou mais para *realista*. Olha este tanquinho, Wellsy. Aliás, encosta aqui. Sério. Vai mudar sua vida."

Ela bufa.

"Intimidada diante de toda esta beleza masculina?" Ele bate a mão no abdome musculoso.

"Sabe de uma coisa?", diz ela, docemente. "Aceito o convite."

Hannah se abaixa e pega um punhado de terra no vaso de planta ao lado da entrada e começa a esfregar nele, deixando uma mancha que vai do umbigo até o cós da calça. Como está quente pra caramba, a terra empapa com o suor de Dean e a barriga dele fica parecendo uma máscara de lama.

"Pronto?", cantarola ela.

Dean lhe lança um olhar furioso. "Sei que acha que vou entrar e limpar isso, mas não vou."

"Ah, não? Vai correr pela cidade assim?" Ela inclina a cabeça, desafiadora. "Duvido. Você é vaidoso demais."

Solto um risinho, mas sei que Hannah não está dando o crédito que Dean merece. Por mais que odeie que seu abdome impecável esteja sujo, ele é teimoso feito uma mula, e não vai permitir que Hannah saia ganhando.

"Você tá muito enganada. Vou ostentar esta lama como uma medalha."

Ele a encara. Cheio de si.

Ela sustenta o olhar. Espumando de ódio.

Limpo a garganta. "Vamos correr ou não?"

Os dois interrompem a guerrinha de olhares e partimos num ritmo acelerado pela calçada. "Fazemos sempre o mesmo circuito", explica Dean. "Vamos até o parque, pegamos a trilha e voltamos pelo outro lado."

Saber que os dois estão correndo juntos por tempo o suficiente para ter um "circuito" me traz uma estranha pontada de ciúmes. Tenho saudade dos meus amigos. Odeio ficar isolado em Munsen, sem ninguém para conversar, só Jeff e meu pai, constantemente embriagado.

Mal avançamos e Hannah começa a cantarolar. Bem baixinho, no começo, mas, em pouco tempo, a plenos pulmões. Sua voz é linda, doce e melódica, com um timbre rouco que Garrett diz que lhe dá arrepios. Ela entoa "Take Me to Church", do Hozier, e não posso deixar de sorrir na direção de Dean.

"Hannah sempre canta enquanto corre", diz ele, com um suspiro. "Sério. Faz isso o tempo todo. Garrett e eu já tentamos explicar que fica difícil controlar a respiração, mas..."

"Juro por Deus", interrompe ela, "se eu tiver que ouvir mais um sermão sobre isso vou socar vocês. Todos vocês. Gosto de cantar quando corro. Se conformem."

Na verdade, não me importo. A voz dela é uma boa trilha sonora para as batidas dos nossos tênis na calçada, mesmo que a música seja um pouco triste.

Quando chego à entrada do parque, noto o telhado do coreto por entre as árvores e me lembro da noite no reservatório, com Grace, quando ela me contou que gostava desse local na infância.

Meus ombros ficam tensos, quase como se eu estivesse prevendo encontrar a garota ali. O que é ridículo, porque é claro que Grace não está...

Puta merda, ela está. Vejo uma menina nos degraus. Uma trança comprida e... a decepção me invade. Espera. Não é ela. É uma loira num vestido verde, a luz do sol da tarde iluminando sua trança à medida que ela deita a cabeça para ler o livro que tem no colo.

Então a garota ergue a cabeça e, puta merda de novo, é Grace. Eu estava certo.

Paro na mesma hora, me esquecendo completamente de Dean e Hannah, que continuam correndo. Grace olha na minha direção e, embora estejamos a uns trinta metros de distância, sei que me reconhece.

Nossos olhares se encontram, e seus lábios se fecham numa expressão emburrada.

Merda, talvez Dean esteja certo. Talvez fosse melhor se eu estivesse sem camisa agora. As meninas ficam muito mais receptivas diante de um peito musculoso.

Por outro lado, é deprimente achar que a visão do meu peito nu poderia fazer Grace esquecer o que aconteceu.

"Logan. Qual é o seu problema, cara? Vai ficar pra trás?"

Os dois finalmente perceberam que não estou acompanhando e voltam na minha direção. Hannah segue meu olhar e então arfa. "Ah. É a Grace?"

Por um segundo, fico surpreso que Hannah saiba o nome, mas Garrett deve ter contado. Grande novidade.

Ao meu lado, Dean aperta os olhos na direção do coreto, tentando ver melhor. "Não... não é ela. A caloura dele é morena. E não tem pernas longas assim — merda, que pernas! Com licença, acho que vou até lá me apresentar."

Agarro seu braço antes que possa dar outro passo. "É a Grace, idiota. Deve ter tingido o cabelo. Se você estivesse olhando para o rosto dela, e não para as pernas, teria percebido."

Ele aperta os olhos de novo, e então seu queixo cai. "Merda. Tem razão."

Grace abaixa o rosto para o livro, mas sei que continua consciente da minha presença, porque seus ombros estão mais rígidos do que os postes na entrada do coreto. Provavelmente está esperando que eu fuja, mas isso não vai acontecer. Não vou fugir, não desta vez.

"Podem ir", aviso, rispidamente. "Eu alcanço vocês. Ou nos encontramos em casa."

Dean continua a babar na direção de Grace até que Hannah finalmente o sacode, para que a acompanhe pela trilha do parque. Vou na outra direção, o coração batendo cada vez mais acelerado à medida que me aproximo.

Percebo que não é só a cor do cabelo que está diferente. Ela também está com mais maquiagem do que o normal, uma sombra esfumaçada que faz os olhos parecerem maiores. Cara, que linda. Combina com as sardas, que nenhuma maquiagem é capaz de encobrir.

Percebo uma coisa, e meu peito se aperta. Ela está de vestido. E maquiada. Numa tarde de quinta-feira.

Está esperando alguém?

Me aproximo, as mãos úmidas. Não consigo tirar os olhos dela. São pernas fenomenais mesmo. Lisas, bronzeadas e... merda, estou imaginando essas pernas em volta da minha cintura. Enquanto transamos loucamente.

Dou uma pigarreada. "Oi."

"Oi", diz ela.

Não conseguiria decifrar seu tom nem que minha vida dependesse disso. Não é casual. Não é rude. É... neutro. Menos mal.

"Eu..." Os nervos falam mais alto, e deixo escapar a primeira coisa que vem à cabeça: "Você não me ligou de volta".

Ela me fita. "Não."

"É... Não culpo você." Queria que minhas calças tivessem bolsos, porque me sinto um ator sem saber o que fazer com as mãos. Estão penduradas ao meu lado, e luto arduamente para não ficar mexendo os dedos. "Sei que você talvez não queira ouvir uma palavra do que tenho a dizer, mas a gente pode conversar? Por favor?"

Grace suspira. "Pra quê? Já disse tudo que eu precisava dizer naquela noite. Foi um erro."

Concordo com a cabeça. "É, foi um erro, mas não pela razão que você pensa."

Suas feições são tomadas pela irritação. Grace fecha o livro e levanta. "Tenho que ir."

"Cinco minutos", imploro. "Me dá só cinco minutos."

Apesar da relutância visível, ela não se afasta. Também não se senta, mas ainda está de pé na minha frente, e cinco minutos na vida de um jogador de hóquei são mais do que o suficiente para marcar alguns gols.

"Sinto muito pelo que aconteceu", digo, baixinho. "Eu não devia ter terminado daquele jeito e definitivamente não devia ter deixado a gente chegar tão perto do sexo. Eu já tava com um monte de merda na cabeça antes de chegar ao seu quarto. Mas eu tava errado sobre aquilo que falei de estar a fim de alguém. Não percebi até chegar em casa naquela noite que já tava com a pessoa com quem queria estar."

Seu rosto não demonstra nenhuma reação. Zero. Nada. Uma parte de mim se pergunta se está me ouvindo, mas me forço a continuar:

"A menina de quem falei... é namorada do meu melhor amigo."

Um lampejo de surpresa permeia sua expressão. Ela está me escutando.

"Achei que estivesse apaixonado, mas a verdade é que não era ela que eu queria. O que eu queria era o que os dois têm. Um relacionamento."

Grace me encara, na dúvida. "Ah, tá. Desculpa, mas não tô engolindo esse papo."

"É verdade." Minha garganta está seca de vergonha. "Tava com inveja deles. E estressado com outras coisas também, minha família, o hóquei. Sei que parece uma desculpa esfarrapada, mas é a verdade. Eu não tava bem, muito confuso e amargo para valorizar o que tinha. Eu gostava de você de verdade. *Gosto*", me corrijo, depressa.

Me sinto como um pré-adolescente. Queria tanto que ela me desse um pingo de incentivo, mostrando uma pitada de compreensão, mas sua expressão permanece neutra.

"Pensei em você o verão todo. Continuo me odiando pela forma como agi e quero consertar as coisas."

"Não tem nada para consertar. Mal nos conhecemos, Logan. Não era sério. E, honestamente, não quero recomeçar."

"É sério pra mim." Expiro, desesperado. "Quero levar você num encontro."

Ela parece se divertir.

Droga. Ela está *rindo* de mim. Como se eu tivesse acabado de contar uma piada engraçada.

"De verdade", insisto. "Topa sair comigo?"

Grace fica em silêncio por um momento, então responde: "Não".

A decepção apertando meu estômago. Ela guarda o livro na pasta e dá um passo para longe de mim.

"Tenho que ir. Vou almoçar com meu pai daqui a pouco, ele já deve estar me esperando."

"Eu levo você", ofereço, na mesma hora.

"Não, obrigada. Vou sozinha." Ela faz uma pausa. "Até mais."

Ah, merda, não! De jeito nenhum vou deixar isso acabar assim, frio e impessoal, como se não fôssemos mais que dois conhecidos que se esbarraram na rua.

Quando começo a caminhar ao lado dela, Grace resmunga, aborrecida: "O que você tá fazendo? Já falei que não preciso que me leve pra casa".

"Não estou fazendo isso", respondo, alegremente. "Só vou para a mesma direção."

Ela aponta para a trilha. "Seus amigos foram para lá."

"É. Mas *eu* tô indo por aqui."

Ela suga as bochechas, como se estivesse rangendo os dentes, então murmura algo para si mesma, como: "*Justo* no dia que esqueci o iPod".

Perfeito. O que significa que não pode me ignorar ouvindo música.

"Você vai almoçar com o seu pai? É por isso que está toda arrumada?"

Ela não responde e acelera o ritmo da caminhada.

Aumento o passo para acompanhar. "Ei, já que estamos caminhando na mesma direção, podemos passar o tempo batendo papo."

Ela me oferece uma olhadela rápida. "Tô arrumada porque minha mãe gastou muito dinheiro neste vestido e meu cérebro paranoico acha que se eu não usar ela vai ser capaz de sentir, lá de Paris."

"Paris, é?"

Grace responde, num tom emburrado: "Passei o verão lá".

"Sua mãe mora na França? Seus pais são separados?"

"São." Ela fecha a cara para mim. "Para de me fazer perguntas."

"Quer me perguntar alguma coisa?"

"Não."

"Firmeza. Então vou continuar sendo o entrevistador."

"Você acabou de dizer 'firmeza'?"

"É. Foi inusitado o suficiente para você mudar de ideia sobre nosso encontro?"

Seus lábios se contorcem, mas o riso pelo qual estou esperando não aparece. Ela se cala de novo. E acelera ainda mais o passo.

Estamos numa rua paralela à rua principal do centro de Hastings. Passamos por várias lojinhas interessantes, até que entramos num bairro mais residencial. Espero pacientemente que Grace se canse do silêncio e diga alguma coisa, mas ela é mais teimosa do que eu pensava.

"Qual é a do cabelo? Não que eu não goste da cor. Combina com você."

"Também ideia da minha mãe", murmura Grace. "Ela decidiu que eu precisava de uma repaginada."

"Bom, você tá ótima." Lanço um olhar de esguelha. Ela está mais do que ótima. Estou com uma semiereção desde que deixamos o parque, incapaz de parar de admirar a forma como o vestido balança sobre suas coxas a cada passo que dá.

Chegamos a uma placa de PARE, e ela vira para a direita, o ritmo acelerando à medida que pega uma rua larga, ladeada por carvalhos imponentes. Droga. A casa deve estar perto.

"Um encontro", insisto, baixinho. "Por favor, Grace. Me dá uma chance de mostrar que não sou um idiota completo."

Ela me olha, incrédula. "Você me humilhou."

Quatro meses de culpa me invadem. "Eu sei."

"Eu estava pronta para *transar*, e você não só me rejeitou como me disse que estava me usando como distração. Pra não ter que pensar na pessoa com quem queria estar transando de verdade!" Suas bochechas ficam rubras. "Por que eu ia querer sair com você depois disso?"

Ela tem razão. Não há motivo nenhum para me dar outra chance.

Grace passa por mim, e meu estômago dói. Ela se dirige para o gramado na frente de uma casa bonita com fachada de ripas brancas de madeira e uma varanda extensa. Meu enjoo aumenta quando percebo um homem de cabelos grisalhos na varanda. Está sentado numa cadeira de vime branco, um jornal no colo, e nos observa por trás dos óculos. Merda, é o pai dela. Me rastejar em público já é ruim o suficiente, mas fazer isso na frente dele? É brutal.

"E antes daquilo?", grito para suas costas.

Ela se vira para mim. "O quê?"

"Antes daquela noite." Abaixo a voz quando a alcanço. "Quando fomos ao cinema. E ao reservatório. *Sei* que você gostava de mim antes."

Grace expira, cansada. "É. Gostava."

"Então vamos nos concentrar nisso", digo, depressa. "Nas partes boas. Eu fiz merda, mas prometo que vou compensar isso. Não quero mais ninguém. Só uma chance."

Ela não responde, e um desespero se apodera do meu peito. A essa altura, um "Aham, claro" me deixaria mais do que radiante. O silêncio me destrói, acabando com a onda de autoconfiança que sua confissão de que gostava de mim antes da noite fatídica proporcionou.

"Não", ela diz, enfim, despedaçando meu último resquício de esperança. "Olha, se você quer meu perdão, então tudo bem, tá perdoado. Aquela noite foi vergonhosa, mas tive o verão todo para superar. Não guardo rancor, tá legal? Se a gente se encontrar no campus, não vou sair correndo e gritando na outra direção. Talvez a gente possa tomar um café um dia. Mas não quero sair com você, pelo menos não agora."

Merda. Achei mesmo que ela fosse dizer sim.

A derrota esmaga meu peito, mas é seguida por uma onda de esperança, porque, tecnicamente, ela não disse *não*.

Disse "não agora".

Menos mal.

19

GRACE

É o primeiro semestre do meu segundo ano de faculdade. O que significa que sou uma nova Grace. Tchau, Grace caloura, que Deus a tenha, a menina que deixava a melhor amiga tomar todas as decisões e os caras fazerem gato e sapato dela. Mas com a nova Grace não tem mais nada disso. Ela não vai ser o capacho de Ramona ou a distração de Logan. Não. A nova Grace é a jovem despreocupada de dezenove anos que passou o verão numa viagem de autodescoberta pela França.

Ainda conta como autodescoberta quando se está acompanhada pela mãe?

Claro que conta, garanto a mim mesma. Autodescoberta é autodescoberta, não importa se acompanhada.

De qualquer forma: ano novo, Grace nova.

Ou melhor: ano novo, uma versão melhorada da antiga Grace.

No momento, a nova/ velha eu está fazendo a cama no seu novo quarto e esperando desesperadamente que a menina com quem vou dividir o lugar não seja uma vaca ou uma psicopata. Tentei convencer a mulher do departamento de habitação a dar um quarto só pra mim, mas eles são reservados para os alunos mais velhos, então estou presa com alguém chamada Daisy.

Ontem, quando meu pai me ajudou a trazer as coisas para a Hartford House, o lado de Daisy do quarto estava vazio, mas, quando voltei do almoço hoje, encontrei caixas e malas por toda parte. Agora estou esperando a menina aparecer, porque quero me livrar logo da apresentação embaraçosa.

Uma colega de quarto nova me traz uma pontada indesejada de tristeza. Desde abril, quando informei a Ramona que nossa amizade tinha acabado, não falo com ela. Talvez a gente sente e converse um dia desses, mas, agora, estou ansiosa para começar meu segundo ano sozinha.

Por mais irritante que tenha sido minha mãe tentando mudar meu visual, ela me ensinou várias lições valiosas este verão. Primeiro: seja confiante. Segundo: seja espontânea. Terceiro: a única opinião que importa é a sua.

Estou pensando em incorporar esses conselhos às resoluções da nova Grace, que incluem me divertir, fazer novos amigos e sair com outros caras.

Ah, e não pensar em John Logan. Um componente fundamental nesse projeto, porque, desde que o encontrei no parque, na semana passada, não consigo tirar o garoto da cabeça.

No entanto, estou orgulhosa de mim mesma por ter batido o pé. Fiquei surpresa por não sentir raiva nenhuma ao ver Logan, mas isso não significa que estou disposta a confiar nele de novo. Além do mais, sou a nova Grace agora. Não me impressiono tão facilmente. Se Logan estiver falando sério, preciso de muito mais do que um pedido de desculpas tosco e um sorriso torto. Ele vai ter que correr atrás de mim.

A porta abre, e minhas costas se enrijecem à medida que viro o rosto para ver minha nova colega de quarto pela primeira vez.

Ela é... uma graça. Só que tenho certeza de que "uma graça" não apenas é a *última* expressão que outras pessoas usariam para descrevê-la, como, se me ouvisse dizendo isso, ia me esfolar viva. No entanto, é o primeiro adjetivo que me vem à cabeça, porque parece uma fadinha. Quer dizer, se fadas tivessem cabelos pretos com franja cor-de-rosa, um monte de piercings e usassem vestidinhos amarelos com botas Doc Martens.

"Oi", ela diz, animada. "Você é a Grace, né?"

"Sou. E você é a Daisy."

Ela sorri e fecha a porta atrás de si. "Não é muito a minha cara, né? Acho que, quando me puseram esse nome, meus pais acharam que eu ia virar uma senhora sulista, igual à minha mãe. Agora eles têm que se contentar com *isto*." Ela aponta para si mesma da cabeça aos pés, dando de ombros.

Não posso deixar de notar o sotaque em sua voz, tão sutil que contribui para sua atitude descontraída. Gosto dela de cara.

"Espero que você não se importe com as caixas. Cheguei de Atlanta hoje de manhã, e ainda não deu tempo de arrumar."

"Sem problema. Precisa de ajuda?", ofereço.

Seus olhos se enchem de gratidão. "Ai, muito. Mas isso vai ter que esperar até de noite. Só passei pra pegar meu iPad e estou indo para a rádio."

"Para a rádio?"

"A rádio universitária", ela explica. "Tenho um programa de rock indie uma vez por semana e produzo dois outros. Estudo comunicação."

"Que legal. Na verdade, ia ver se tem alguma vaga de estágio lá", confesso. "Estava pensando em me juntar ao jornal universitário, mas o cara com quem falei disse que a lista de colaboradores deles já é imensa. E não sou nada atlética ou musical, então eliminei essas opções. Todos os outros grupos estudantis que encontrei parecem incrivelmente chatos. Ou estranhos. Sabia que tem um grupo ativista que passa os fins de semana algemado em árvores para protestar contra os empreendimentos imobiliários de Hastings? No ano passado, uma garota foi atingida por um raio, porque se recusou a se soltar da árvore durante uma tempestade..." Paro, de repente, sentindo o rosto quente. "Só pra você saber, sou meio tagarela."

Daisy começa a rir. "Percebi."

"Você vai se acostumar com isso", acrescento, encorajando a garota.

"Não esquenta, não ligo para a falação. Desde que você me prometa não se incomodar com meus terrores noturnos. Sério, é pesado. Acordo gritando a plenos pulmões e... *brincadeira*, Grace." Sua gargalhada é completamente descontrolada. "Você precisava ter visto sua cara. Juro que não tenho pânico noturno. Mas parece que às vezes falo dormindo."

Solto uma risadinha. "Tudo bem. Eu tagarelo durante o dia, você durante a noite. O par perfeito."

Daisy abre uma das malas em cima da cama e vasculha até encontrar uma capa rosa de iPad, que enfia na bolsa de lona cáqui pendurada no ombro antes de olhar para mim. "Ei, tá falando sério sobre o estágio? Eles tão procurando gente para ajudar na rádio. Tem umas vagas abertas, mas não sei se você vai querer, é no turno da noite. E se o material que vai ao ar não for do seu estilo, estamos precisando de um produtor para um dos programas de entrevista."

"O que eu teria que fazer?"

"É um programa de aconselhamento, na verdade. Vai ao ar nas noites de segunda e nas tardes de sexta. Você teria que selecionar as chamadas, fazer pesquisa para os apresentadores caso planejem falar de algum assunto específico, esse tipo de coisa." Ela me lança um olhar sério. "Quer saber? Por que não vem comigo agora? Posso apresentar você ao Morris, gerente da rádio, e aí vocês conversam."

Penso por um instante, mas não preciso de muito tempo para decidir. Daisy parece legal, e conversar com o gerente da rádio não vai me fazer mal. Além do mais, eu queria fazer novos amigos, não queria?

Posso muito bem começar agora.

LOGAN

É bom estar em casa. Sem querer dar uma de Dorothy, não há lugar como nosso lar. A ironia, no entanto, não me escapa — tecnicamente, "minha casa" é onde passei o verão inteiro. Mas nunca cheguei nem perto de ser feliz em Munsen como sou aqui, em Hastings, na casa que alugo há dois anos.

Na minha primeira manhã de volta, estou com um humor tão bom que começo o dia ouvindo Nappy Roots bem alto na cozinha, enquanto devoro o cereal. A batida alta de "Good Day" arranca os outros da cama. Garrett é o primeiro a aparecer, de cueca e esfregando os olhos.

"Bom dia", ele murmura. "Por favor, diga que fez café."

Aponto para a bancada. "Todo seu."

Ele serve um pouco numa caneca e se deixa cair num dos bancos. "Madrugou?", ele resmunga. "Parece tão feliz que tá me assustando."

"É seu mau humor que assusta, cara. Sorria. É nosso dia preferido do ano, lembra?"

Também conhecido como primeiro dia de testes dos calouros que não foram recrutados no ensino médio. Todo ano, os veteranos entram de penetra para avaliar os talentos em potencial, porque, infelizmente, perder bons jogadores é uma coisa anual. Os caras se formam, abandonam a faculdade, viram profissionais. Por isso estamos sempre ansiosos para ver os calouros.

Com sorte, vai aparecer algum prodígio hoje, porque o time está cheio de problemas. Perdemos três dos nossos melhores jogadores de ataque — Birdie e Niko, que se formaram, e Connor, que assinou com o Kings. A defesa perdeu Rogers para o Chicago e mais dois jogadores que se formaram, o que significa que Dean e eu provavelmente vamos jogar por mais tempo, pelo menos até alguns dos garotos mais novos da defesa pegarem o jeito.

Mas a maior perda?

O goleiro.

Kenny Simms era... um gênio. Um verdadeiro mago dentro da área. Era calouro quando assumiu a posição de titular, apesar de já ter dois outros goleiros de alto nível no banco — o cara era *desse* nível. Agora que se formou, o destino do time está nas mãos de um aluno do terceiro ano chamado Patrick, a menos que algum calouro dê uma de Kenny Simms.

"A gente devia ter subornado os professores do Simms para reprovar o cara", comenta Garrett, com um suspiro, e percebo que não sou o único preocupado com a partida dele.

"Vai dar tudo certo", respondo, pouco convincente.

"Vai nada", sentencia Dean, entrando na cozinha e caminhando até a cafeteira. "Duvido que a gente passe da primeira fase. Não sem o Kenny."

"Não seja pessimista", repreende Tucker, se juntando a nós.

"Puta merda", deixo escapar. "Você raspou a barba!" Olho para Garrett. "Por que não me contou? A gente merecia uma festa."

Dean ri. "*Ele* merecia uma festa?"

"Não, *a gente* mesmo", Garrett responde por mim. "Tivemos que aturar aquela coisa medonha por seis meses."

Dou um tapa na bunda de Tuck quando ele passa por mim. "Bem-vindo de volta, bebezão."

"Vai se foder", resmunga ele.

É bom estar em casa.

Uma hora depois, descansando os antebraços nos joelhos, as mãos entrelaçadas, me inclino para a frente para analisar a tacada de um calouro grandalhão de cabelo ruivo encaracolado que escapa do capacete.

"Esse aí não é ruim", comento.

"Quem? O garoto de mullet?", pergunta Hollis, na outra ponta da fileira de assentos da arquibancada. "Ainda não me impressionou."

No rinque, o treinador botou os candidatos — que estão de camisa de treino preta ou prateada — para fazer um treino simples. E, sim, sei que ainda é o primeiro dia, mas, até agora, também não me impressionei.

Dois de cada vez, os caras precisam passar da linha azul, bater para o gol, atravessar a linha de fundo e patinar pela zona neutra, onde um dos assistentes dá um passe, que eles precisam pegar. Nada de complicado, mas estou vendo muito mais passes errados do que gostaria.

Os goleiros, pelo menos, são razoáveis. Não têm a magia de Simms, mas bloqueiam mais discos do que deixam entrar, o que é promissor.

Ao meu lado, Garrett assobia baixinho. "Agora sim! É disso que estou falando."

O jogador seguinte dispara, e o cara é *rápido*. Um borrão preto contra o fundo branco, à medida que voa em direção à rede. A tacada que dá sai na hora perfeita, com a técnica perfeita. Resumindo: perfeitamente *perfeita*.

"Pode ter sido sorte", adverte Tucker, mas, vinte minutos depois, o garoto ainda está detonando, feito Ozzy Osbourne numa casa de shows lotada.

"Quem é esse cara?", Garrett quer saber.

Hollis espia do assento distante. "Não tenho a menor ideia."

Pierre, um canadense que se juntou a nós na última temporada, se inclina de seu assento na fileira de trás e bate no ombro de Garrett. "Hunter alguma coisa. Um garoto rico de Connecticut, estrela do time da escola."

"Se é tão bom, por que não foi recrutado?" Tucker parece na dúvida. "O que está fazendo nos testes abertos?"

"Metade das faculdades do país tentaram recrutar o cara", responde Pierre. "Mas ele não queria mais jogar. O treinador encheu o saco dele e o convenceu a vir hoje, mas tem uma boa chance de não querer se juntar ao time."

"Ah, ele vai querer", declara Dean. "Nem que eu tenha que chupar o cara."

O riso irrompe em volta dele.

"Tá fazendo isso agora, é?", pergunto, animado.

Um brilho maligno perpassa seus olhos. "Sabe de uma coisa? Não vou só chupar", ele diz, calmamente. "Vou fazer esse cara gozar. Sabe como é, ter um orgasmo."

Os outros trocam olhares mistificados, mas a expressão zombeteira de Dean me diz exatamente aonde está indo com isso. Babaca.

"Não sei se vocês sabem, mas um orgasmo é a conclusão do processo do prazer." Dean me lança um sorriso inocente. "Homens e mulheres atingem o clímax de diferentes maneiras. Por exemplo, quando uma mulher chega ao orgasmo, pode gemer, suspirar ou..."

"Do que você tá falando?", interrompe Garrett.

Dean pisca os olhos verdes. "Achei que vocês podiam estar precisando de mais informações sobre o assunto."

"Acho que a gente tá legal assim", comenta Tuck, com uma risada.

"Certeza? Ninguém tem nenhuma pergunta?" Dean sorri para mim ao dizer isso, e quando os outros voltam a atenção para o gelo dou um soco nas costelas dele. Forte. "Nossa, John, só estava tentando ser útil. Você poderia aprender muito comigo. Nenhuma mulher jamais resistiu ao meu charme."

"Sabe quem mais tinha charme?", respondo. "Ted Bundy."

Dean me lança um olhar de incompreensão. "Quem?"

"O assassino em série." Ai, merda, estou falando de Ted Bundy. Virei a Grace.

Ótimo. Agora estou *pensando* nela. Desde que me dispensou, na semana passada, eu estava me forçando a esquecê-la, mas, por mais que tente, não consigo tirá-la da cabeça.

É uma questão de ego? Fico me perguntando se é só isso, porque, honestamente, não lembro a última vez que passei tanto tempo obcecado por uma menina. Estou interessado em Grace só porque não está interessada em mim? Gosto de pensar que não sou tão arrogante, mas não posso negar a dor da rejeição.

Quero outra chance. Quero mostrar a ela que não sou um idiota sem coração que só a estava usando, mas não tenho ideia de como fazê-la mudar de ideia. Flores, talvez? Rastejar em público?

"Ei, seus bundões!"

A voz do treinador Jensen ressoa em direção às arquibancadas, e ficamos de pé na mesma hora. Nosso destemido líder — o único membro do corpo docente da Briar capaz de chamar os alunos de "bundões" — nos encara do gelo, emburrado.

"Tem alguma razão para vocês estarem aí de papo pro ar, quando deveriam estar malhando?", berra ele. "Chega de bisbilhotar o treino!" Ele se volta de cara feia para o trio de calouros gargalhando por trás das luvas. "E as moçoilas tão rindo do quê? Vamos!"

Os jogadores saem patinando como se o gelo atrás deles estivesse se partindo.

Nas arquibancadas, os rapazes e eu corremos o mais rápido possível.

20

GRACE

Ao final da primeira semana, enfim tenho notícias de Ramona. Depois de meses ignorando-a, atendo o telefone.

É hora de me encontrar com ela. Não estou particularmente entusiasmada com o café que marcamos, mas não posso dar um gelo nela para sempre. Nossa história é antiga, temos muitas lembranças boas que não posso fingir que não existem. Mas esse encontro é só para resolver as coisas, me asseguro, enquanto atravesso o campus. Não vamos voltar a ser melhores amigas. Depois do que ela fez, acho que não é mais possível.

A questão não é nem a cantada no Logan. É o que isso representa — o desrespeito absurdo aos meus sentimentos e o descaso pela nossa amizade. Uma amiga de verdade não daria em cima do cara que acabou de magoar a outra. Uma amiga de verdade coloca seus próprios desejos egoístas de lado e oferece apoio.

Trinta minutos depois de desligar o telefone, entro na cafeteria e me junto a ela numa das mesas perto da janela.

"Oi", Ramona me cumprimenta, tímida. Com medo, até. Parece exatamente a mesma, os cabelos negros soltos sobre os ombros, o corpo curvilíneo em roupas apertadas. Quando vê meu cabelo, arregala os olhos. "Você tá loira", ela exclama.

"É. Coisa da minha mãe." Afundo na cadeira diante dela. Uma parte de mim está tentada a abraçá-la, mas luto contra o impulso.

"Comprei pra você." Ela aponta um dos cafés na mesa. "Acabei de chegar, ainda tá quente."

"Obrigada." Envolvo o copo, o calor do isopor esquentando minhas mãos. Acabei de atravessar o campus às pressas, com um sol de trinta graus lá fora, mas, de repente, sinto frio. Estou nervosa.

Um silêncio constrangedor se estende entre nós.

"Grace..." Vejo seu pescoço se contrair e sei que está engolindo em seco. "Sinto muito."

Solto um suspiro. "Eu sei."

Uma sombra de esperança se espreita por entre a nuvem de desespero em seus olhos. "Isso quer dizer que me perdoa?"

"Não, quer dizer que sei que está arrependida." Tiro a tampa de plástico e dou um gole no café, fazendo uma careta em seguida. Ela esqueceu o açúcar. O que não deveria me incomodar tanto assim; no entanto, é só mais um sinal de que não sabe de nada a meu respeito. Não liga para meus sentimentos nem minhas preferências.

Pego dois pacotes de açúcar da bandejinha de plástico, rasgo e despejo o conteúdo no copo. Enquanto uso o palitinho de madeira para mexer o líquido quente, assisto à expressão de Ramona ir de ligeiramente esperançosa para chateada por completo.

"Sou uma amiga de merda", sussurra.

Não me oponho.

"Não deveria ter mandado aquela mensagem. Nem sei por que fiz aquilo..." Ela para abruptamente, a vergonha corando suas bochechas. "Não, eu *sei*. Porque sou uma vaca invejosa e insegura."

Mais uma vez, não me oponho.

"Você não entende mesmo, né?", exclama ela, diante do meu silêncio. "Você tem tudo tão fácil. Só tira dez, sem nem fazer força, pega o cara mais gostoso da faculdade sem..."

"Fácil?", interrompo, com um quê de irritação na voz. "É, eu tiro notas boas, mas isso é porque estudo feito uma louca. E os caras? Você se lembra do colégio, Ramona? Minha vida social na época não era das mais agitadas. Nem agora, aliás."

"Porque você é tão insegura quanto eu. Deixa o nervosismo falar mais alto, mas mesmo quando tá nervosa e tagarelando as pessoas ainda gostam de você. Simpatizam com você no instante em que a conhecem. E isso não acontece comigo." Ela morde o lábio inferior. "Tenho que me esforçar tanto. A única razão pela qual as pessoas reparavam em mim no colégio era porque eu era a menina má. Fumava maconha e me vestia de um jeito provocante; os caras sabiam que, se me chamassem para sair, iam conseguir no mínimo dar uma passada de mão."

"Você não tentou mudar essa imagem."

"Não. Porque gostava da atenção." Ela morde o lábio inferior com força. "Não me importava se era uma atenção boa ou ruim — eu só gostava de ser notada. Sou patética."

Sinto a tristeza subindo pela coluna. Ou talvez seja pena. Ramona é a pessoa mais autoconfiante que já conheci, e ouvi-la se rebaixando assim me dá vontade de chorar.

"Você não é patética."

"Bom, também não sou uma boa amiga", acrescenta, com firmeza. "Estava com tanta inveja de você, Grace. Sempre fui a que pegou os caras mais gatos. De repente, você estava falando comigo sobre sexo com ninguém menos que John Logan, e fiquei tão consumida de inveja que minha vontade era gritar. Quando a coisa toda explodiu na sua cara..." A culpa atravessa seus olhos. "Eu fiquei... aliviada. E meio que me achando. Então meti na cabeça que ele nunca teria *me* rejeitado e... escrevi pra ele."

Minha nossa. Pode esquecer aquela coisa de não ser patética.

"Fui idiota e egoísta, e estou pedindo desculpas, Gracie." Ela me implora com os olhos. "Você pode me perdoar? Podemos, por favor, começar de novo?"

Dou um gole no café, olhando para ela por cima do copo. Pouso o copo na mesa e respondo: "Não posso fazer isso agora".

A angústia franze sua testa. "Por que não?"

"Porque acho que precisamos de um tempo. Desde o primeiro ano passamos todas as horas do dia juntas, Ramona." A frustração aumenta dentro de mim. "Agora estamos na universidade. Devíamos estar conhecendo gente nova. E não posso fazer isso com você por perto."

"A gente pode fazer isso juntas", protesta ela.

"Não, não pode. As únicas amigas que fiz no ano passado foram Jess e Maya, e nem *gosto* delas. Preciso de espaço, tá legal? Não estou dizendo que nunca vamos voltar a nos falar. Você foi uma parte enorme da minha vida por muito tempo, e não sei se quero jogar tudo isso fora por causa de uma porcaria de uma mensagem. Mas também não posso voltar ao que era antes."

Ela fica em silêncio, mordendo o lábio com tanta força que fico surpresa de não ver sangue. Sei que quer argumentar, forçar uma reconciliação, me obrigar a ser sua amiga, mas, pela primeira vez na vida, Ramona cede.

"Será que a gente ainda pode... sei lá, trocar umas mensagens? Tomar um café de vez em quando?" Ela parece uma menininha que acabou de ouvir que o cachorro da família foi para a "fazenda".

Depois de uma pausa, faço que sim com a cabeça. "Por mim, tudo bem. Vamos devagar."

Sua expressão esperançosa volta com toda a força. "Que tal um café, então? Podemos nos encontrar aqui de novo."

Apesar da minha resistência, faço que sim mais uma vez.

Seu rosto é tomado pelo alívio. "Você não vai se arrepender. Prometo que nunca mais vou deixar de valorizar a nossa amizade."

Só acredito vendo. Por enquanto, é só isso que estou disposta a oferecer.

Trocamos um breve e desajeitado abraço, e ela vai embora, dizendo que tem aula.

Estou triste demais para me mexer, então fico sentada ali, mexendo distraída no palitinho do café. Me sinto como se tivesse acabado de terminar com alguém. O que não deixa de ser verdade.

Mas estava falando sério — preciso de um tempo longe dela. Ramona cortou minhas asas o ano todo. A velha Grace era um passarinho preso que só experimentava a vida quando a amiga a deixava sair da gaiola.

Bem, a nova Grace vai voar por tudo o que é canto.

A tristeza em meu peito se dispersa, substituída por uma pontada de emoção. Já me sinto como se estivesse flutuando. Adoro minha colega de quarto nova, as aulas estão indo bem, e estou ansiosa para começar o trabalho na rádio universitária. Morris, o aluno do terceiro ano que gerencia a estação, me colocou como produtora no ato, quando apareci com Daisy no início da semana. Segunda que vem, começo a trabalhar no programa de aconselhamento apresentado por um garoto e uma garota de fraternidade, que aparentemente são "burros feito uma porta". Palavras de Daisy, não minhas.

Além do mais, Morris parece um cara muito legal. E lindo demais — uma trivialidade deliciosa que não passou despercebida quando o conheci.

O sininho junto da porta bate com força, e minha cabeça vira involuntariamente na direção dela. Na mesma hora, desvio o olhar e me encolho sobre a mesa, torcendo para o cabelo esconder meu rosto de quem acaba de entrar.

Que é ninguém menos que Logan e quatro amigos.

Droga.

Talvez ele não me veja. Talvez eu consiga fugir antes que me note aqui.

Não quero chamar atenção, por isso não me levanto de cara. Eles se aproximam do balcão, e todos os olhares na cafeteria se concentram em seus movimentos. Tem alguma coisa nesses caras que muda o ambiente num nível molecular. São impressionantes, e não só porque são jogadores de hóquei grandes e fortes. É a confiança com que andam, os insultos bem-humorados que trocam entre si, os sorrisos fáceis que abrem para as pessoas.

Sei que deveria estar me escondendo, mas não consigo desviar o olhar. É quase criminoso ser tão atraente. Tá, estou só olhando para a nuca dele, mas é uma nuca bem sensual. E é tão fácil perceber que é um atleta. Os membros longos e os músculos tonificados sob as calças cargo e a camiseta apertada formam um conjunto sedutor que deixa meus dedos se coçando para tocar o cara.

Ai. Preciso parar com isso. Desejar Logan está muito perto de *gostar* dele, e não estou pronta para abrir essa porta ainda. Se é que algum dia vou estar.

Mas o bom senso chega tarde demais. Logan já está se afastando do balcão e caminhando na minha direção.

"Oi, linda." Ele ocupa o assento na minha frente e coloca um muffin de chocolate na mesa. "Trouxe pra você."

Droga, ele deve ter me visto assim que entrou.

"Por quê?", pergunto, suspeita, sem retribuir o cumprimento.

"Porque queria comprar alguma coisa pra você, e vi que já tava tomando café. Então peguei um muffin."

Levanto uma sobrancelha. "Tá tentando me cortejar?"

"Tô." Logan praticamente me *desnuda* com os olhos azuis brilhantes. "E adoro quando você fala difícil."

"Aham." Sufoco uma risada. "Obrigada, mas acha mesmo que um muffin vai me impressionar?"

"Não esquenta, vou pagar uma refeição completa no nosso encontro." Ele me lança uma piscadinha. "Qualquer coisa do cardápio."

Logan e suas malditas piscadinhas sedutoras.

"Falando nisso, quando vai ser?"

Eu o encaro com cautela. "Quando vai ser o quê?"

"Nosso encontro." Ele inclina a cabeça, numa pose pensativa. "Tô livre hoje. Ou qualquer dia, na verdade. Minha agenda tá aberta."

Ele é incorrigível. E lindo demais para o próprio bem. Há uma barba por fazer no queixo esculpido, como se não a fizesse há alguns dias, e minha língua arde com a vontade de traçar um caminho ao longo da linha rígida da mandíbula. É a primeira vez que fantasio lamber a *barba* de um cara. Qual é o meu problema?

"Legal", resmungo. "Mas não vou sair com você."

Logan sorri. "Hoje ou nunca?"

"As duas coisas."

Somos interrompidos pela chegada de um de seus amigos. "Pronto?", pergunta o cara para Logan, abrindo o copo.

"Cai fora, G. Estou flertando."

O amigo ri, então se vira para mim. "Oi, sou Garrett."

Certo. Como se eu não soubesse quem ele é. Garrett Graham é uma lenda na universidade, pelo amor de Deus. E também é incrivelmente bonito, do tipo que faz meu rosto ficar vermelho, apesar de não estar nem interessada no sujeito.

"Grace", respondo educadamente.

"Não queria interromper." Ele se afasta, um sorriso mal contido nos lábios. "Vou esperar lá fora, para ele poder continuar... hum... flertando com você."

"Não precisa. Já terminamos." Arrasto a cadeira para trás e fico de pé.

"Ah, mas não terminamos mesmo", murmura Logan.

Achando aquilo divertido, Garrett olha de mim para Logan. "Participei de um seminário de resolução de conflitos no colégio. Vocês precisam de um mediador?"

Pego meu café. "Bem, o taquígrafo que me segue por aí tá no intervalo do almoço, mas posso colocar você em dia sem problemas. Logan me chamou para sair, e eu recusei com educação. Pronto. Fiz todo o trabalho pra você."

Garrett ri alto o suficiente para atrair a atenção de todos à nossa volta, inclusive dos três jogadores de hóquei que estão saindo do balcão.

"Qual é a graça?", pergunta Dean, curioso. Ele nota minha presença e abre um sorriso gentil. "Grace. Quanto tempo. Adorei o cabelo."

Fico surpresa que ainda lembre meu nome. "Obrigada." Me afasto um pouquinho mais na direção da porta. "Tenho que ir. Vejo você por aí, Logan. E, hum, vocês também, amigos do Logan."

Estou saindo, quando o ouço gritar: "Você esqueceu o muffin".

"Não esqueci, não", respondo, sem me virar.

O som de risadas masculinas me dá um arrepio na coluna, e a porta se fecha atrás de mim.

"Você vai fazer o seguinte. Pega uma garrafa de vinho, convida o cara para sua casa e coloca um Usher das antigas para tocar quando ele estiver chegando. Aí é só tirar a roupa e... sabe de uma coisa?" Pace Dawson arrasta a voz ao microfone, no programa de sexta à tarde. "Esquece esse negócio de vinho e música. Basta tirar a roupa quando ele aparecer, e não tenho dúvida de que ele vai correr pro abraço."

A apresentadora, Evelyn Winthrop, concorda com o colega. "Tirar a roupa nunca falha. Os caras gostam quando você fica pelada."

Na privacidade da cabine da produção, faço meu melhor para não vomitar. Pelo vidro que separa minha sala da deles, vejo Pace e Evelyn sorrindo um para o outro como se tivessem acabado de oferecer conselhos dignos do dr. Phil para a caloura que ligou pedindo dicas de "sedução".

É minha primeira semana na rádio, e o segundo segmento de *O que tá pegando?* que ouvi os dois apresentarem. Até agora, não estou encantada com o calibre da sabedoria que estão distribuindo, mas, de acordo com Daisy, o programa tem mais ouvintes do que todos os outros somados.

"Certo, próxima ligação", anuncia Evelyn.

É minha deixa para tirar a chamada da espera e colocar no ar. Uma de minhas outras tarefas é analisar as ligações para garantir que as pessoas que participam têm dúvidas de verdade e/ ou não são loucas.

"Olá, ouvinte", diz Pace. "Conta pra gente o que tá pegando."

O aluno de segundo ano aguardando na linha não perde tempo e vai direto ao assunto. "Pace, meu amigo", ele diz. "Queria ouvir o que você acha de depilação masculina."

De seu assento estofado, o membro de fraternidade usando uma camiseta de rúgbi bufa. "Cara, sou totalmente contra. Esse negócio de aparar as coisas lá embaixo é exclusividade de mulher e gay."

Evelyn interrompe como se estivesse deixando um comentário num post de internet. "Discordo fortemente."

Enquanto os apresentadores discutem os prós e os contras de pelos pubianos masculinos, engulo o riso e me concentro em monitorar o tempo. Cada ouvinte tem direito a, no máximo, cinco minutos no ar. Este ainda tem quatro sobrando.

Meu olhar se volta para a outra janela da cabine, e vejo Morris organizando uma pilha de CDs diante de uma parede gigante de discos. São prateleiras e mais prateleiras com centenas de álbuns, o que é uma visão estranha. Não lembro a última vez que ouvi um CD de verdade — achei que, a esta altura, eram tão obsoletos quanto fitas e videocassetes. Mas a rádio é tradicional, e Morris também. Ele já confessou ter um toca-discos e uma máquina de escrever Underwood rara em seu quarto, e também tem um visual retrô que acho muito interessante. Meio hipster, meio nerd, meio punk, meio... na verdade, eu poderia continuar descrevendo seu estilo para sempre. Tem um pouco de tudo nele.

O que combina com sua personalidade peculiar. Só nos conhecemos há uma semana, mas estou descobrindo depressa que não consegue passar uma hora sem uma tirada seca, uma piada suja ou, no mínimo, um trocadilho infeliz.

Também estou bastante certa de que tem uma quedinha por mim, se o papinho constante e os elogios forem alguma indicação.

E *acho* que toparia sair com ele se me convidasse, mas toda vez que penso no assunto uma parte de mim protesta e me diz para sair com Logan em vez disso. Não vou mentir — a jogada do muffin foi... fofa. Pretensiosa, claro, mas gentil o suficiente para me deixar sorrindo por todo o caminho de volta até o alojamento.

Mas isso não significa que vou dar uma segunda chance a ele.

Olho de novo para a cabine principal e me obrigo a me concentrar no programa. Pelos próximos trinta e cinco minutos, luto muito para não rir ao ouvir os conselhos daquelas que talvez sejam as duas pessoas mais burras do planeta. Sério, se o QI somado dos dois chegar a dois dígitos, como o meu chapéu. É só um jeito de falar, claro, já que não uso chapéu de jeito nenhum.

Uma vez que os apresentadores encerram o programa, coloco a seleção de rap que Morris me passou para ocupar espaço, enquanto o DJ seguinte se prepara para assumir. Ele se chama Kamal e é um fã inveterado de hip-hop que toca faixas obscuras de que quase ninguém ouviu falar, muito menos eu.

Quando saio da cabine e entro na sala principal, Morris aparece com um sorriso torto. "Você ouviu aquela ligação sobre depilação masculina?"

"Como não? Foi um dos debates mais ridículos que já presenciei." Faço uma pausa e sorrio de novo. "Mas gostei quando Evelyn disse que, se quisesse ver matagal, faria jardinagem."

Ele ri e corre a mão pelos cabelos, chamando minha atenção para os fios indisciplinados e escuros.

Morris tem a aparência mais interessante que já vi. Pele bronzeada, cabelo preto, olhos castanhos meio dourados. Não consigo imaginar de onde seja. Meio oriental talvez? Misturado com... sei lá. Suas feições e seu estilo são uma conjunção de elementos únicos que acho muito atraente.

"Você tá me encarando." Seus lábios se contorcem, bem-humorados. "Meu dente tá sujo?"

"Não." Meu rosto fica quente. "Tava pensando de onde você é. Desculpa. Não precisa responder, se não quiser."

Ele parece achar graça na pergunta. "É uma miscelânea, né? Não esquenta, me perguntam isso o tempo todo. Minha família é a própria

ONU. Minha mãe nasceu em Zâmbia. A mãe dela era negra, e o pai dela, um médico branco que dirigia uma clínica lá. E meu pai é meio japonês, meio italiano."

"Uau, que mistura."

"E você?"

"Nem de perto tão interessante. Os Ivers estão em Massachusetts desde sempre, mas temos antepassados escoceses e irlandeses, acho."

Ouço um riso estridente atrás de nós. Quando viramos, vejo Pace e Evelyn atracados contra a parede. No meu primeiro dia aqui, perguntei a Evelyn há quanto tempo estão namorando, e ela me olhou como se eu tivesse acabado de descer de uma nave espacial. Em seguida, ela me informou que os dois só se pegam na estação, porque "a rádio é *tão* chata".

Morris e eu trocamos um olhar divertido. Pace sorri por cima do ombro magro de Evelyn ao nos ver.

"Ei, Morrison", ele chama, com a loira ainda mordiscando seu pescoço. "Festa na Sigma hoje. Ted Balofo está com um jogo novo e quer que você tente zerar. Pode vir também, Gretchen."

Mesmo que quisesse corrigir Pace, ele já não está mais prestando atenção na gente, com sua língua dentro da boca de Evelyn de novo.

"Por que ele chama você de Morrison? E quem é o Ted?", pergunto, a voz seca.

Morris ri. "Ele acha que é o meu nome, não importa quantas vezes eu corrija. E Ted Balofo é um cara da fraternidade dele. É viciado em video game, e a gente meio que compete. Sempre que um pega um jogo novo e zera, passa para o outro para ver se consegue fazer melhor. Ted é demais — você vai ver na festa."

Tenho que rir. "Quem disse que a 'Gretchen' vai à festa?"

"O Morrison. Tá querendo chamar a Gretchen pra sair desde que a conheceu."

Coro diante do sorriso travesso que ele me oferece. "É um encontro?", pergunto, lentamente.

"Se você quiser que seja. Se não, podem ser dois amigos indo a uma festa juntos. Morrison e Gretchen, dominando o mundo." Ele ergue uma sobrancelha. "Você que sabe. Encontro ou amigos. Pode escolher."

O rosto de Logan surge na minha cabeça, e isso me faz hesitar. Fico irritada, porque Logan não faz parte da equação. Não estamos juntos. Nunca estivemos. E Morris é um cara muito legal.

"O que me diz, Gretch?"

Sua voz maliciosa me faz rir. Encaro seus olhos escuros reluzentes e respondo: "Encontro".

21

LOGAN

Não estou com vontade de ir à festa hoje, mas Garrett disse que, se *ele* tem que ir, então *eu* tenho que ir também, porque "melhores amigos sofrem juntos ou simplesmente não sofrem".

Salientei com educação que podíamos sempre escolher a segunda opção, o que me rendeu uma cara feia e um indicador no meu nariz, seguido de um "Você vai".

Pelo menos ele é o motorista da vez, o que significa que posso beber. Mas nada de pegação. Zero. Tenho uma nova regra a respeito disso, e estou determinado a segui-la. Nada de boquetes insignificantes no banheiro ou rapidinhas em quartos que não sejam o meu.

John Logan está oficialmente em modo relacionamento.

"Não entendo por que você faz parte de uma fraternidade se odeia tanto tudo isso", observa Hannah. Está no banco de trás do Jeep de Garrett, porque não acredito na regra de que namoradas têm direito automático ao banco do carona e reivindiquei o lugar antes dela. Dean e Tucker foram mais cedo com Hollis, e vamos encontrar com eles na Sigma.

Concordo com ela. Garrett é membro da Sigma Tau, mas não mora na casa da fraternidade, não vai às reuniões nem anda com nenhum dos caras de lá. Sua única contribuição é aparecer nas festas, e ele sempre fica menos de uma hora.

"Meu pai era dessa fraternidade e me obrigou a entrar", Garrett responde, os olhos cinzentos concentrados na estrada escura.

"Então você nem passou pelo trote?", pergunta Hannah.

"Não. Eles me queriam tanto, porque sou filho de jogador e tal, que praticamente me deram passe livre. Eles gritavam bem alto quando os outros calouros estavam por perto e me mandavam limpar a privada com uma escova de dente ou algo assim, depois um deles me puxava de lado e sussurrava: 'Sai daqui, cara. Vai dormir um pouco'."

Hannah começa a rir. "Uau. Corrupção nas fraternidades universitárias. Estou chocada."

Garrett entra na rua lotada de carros. Acabamos estacionando várias casas mais adiante e caminhamos até o gramado da imensa propriedade da Sigma, onde Dean, Tucker e Hollis nos esperam, passando um baseado.

Dean me entrega o cigarro. Dou uma tragada profunda, enchendo os pulmões, e, em seguida, exalo uma nuvem no ar quente da noite.

"Adivinha quem acabou de aparecer", murmura Dean. "Sua caloura. Bem, acho que agora ela seria sua *segundanista*."

Meu coração acelera. "Grace tá aqui?"

Ele confirma com a cabeça. "Tá, mas... hum, veio com um cara."

Que merda. Com quem? É melhor não ser um bêbado idiota da fraternidade que só quer transar com ela.

Não quero brigar, mas se algum babaca nojento sequer *olhar* para ela do jeito errado, vai sair desta festa numa maca.

Dean afasta minhas preocupações depressa. "Um hipster qualquer", explica. "Definitivamente não é da Sigma."

De repente, estou ansioso para entrar, então empurro meus amigos na direção da porta da frente, provocando um olhar espantado de Garrett.

"Então quer dizer que hoje é dia de flerte, é?", pergunta ele, com ironia.

Ah, se é.

A república está mais cheia que a arena em dia de jogo, e, vasculhando o mar de rostos, não vejo Grace. A batida ensurdecedora explodindo nas caixas de som torna impossível conversar, então gesticulo para Garrett que vou procurar por ela e sou engolido pela multidão ao me aventurar mais fundo na sala de estar.

Várias meninas atraentes sorriem quando passo por elas, mas não quero saber. Não vejo Grace em lugar nenhum. Imagino se Dean não está mentindo. Grace com alguém numa festa de fraternidade? Quanto mais penso, mais improvável parece.

Passo pela cozinha e analiso o grande grupo reunido em torno da bancada de granito. Nada dela. Uma das meninas bebendo uma Corona perto da pia se afasta dos amigos e caminha na minha direção.

"Logan", ronrona, envolvendo meu bíceps com os dedos.

"Oi, Piper", murmuro, e minha vontade é empurrá-la para bem longe antes que seus lábios toquem meu rosto.

Não há como negar que ela é bonita, mas não esqueci sua campanha de difamação pelo Twitter.

Ela planta um beijo na minha bochecha e, embora se afaste depois, continua com o corpo pressionado contra o meu, a mão presa ao meu braço. "É nosso último ano", começa ela. "Sabe o que isso significa?"

Não consigo nem fingir estar interessado. Estou ocupado demais olhando para a porta da cozinha, em busca de Grace. "O quê?"

"Que nosso tempo tá acabando."

Sinto seus lábios quentes roçarem meu pescoço e dou um passo para trás.

Ela franze a testa. "Faz três anos que você tá fazendo doce", me acusa. "Para de lutar contra o que você quer."

Deixo escapar um riso de desdém. "O que *você* quer, Piper. Já falei uma centena de vezes que não tô interessado."

Sua boca pintada de vermelho se fecha num biquinho. "Pense em como ia ser bom. Toda essa tensão reprimida entre nós." Ela fica na ponta dos pés para sussurrar no meu ouvido, o cabelo escuro fazendo cócegas no meu queixo: "O sexo ia ser *incrível*".

Solto seus dedos dos meus braços. "Tentador", minto. "Mas vou ter que passar. Se estiver interessada, tem gente nova no time. Um garoto chamado Hunter parece bem o seu tipo."

Seus olhos fervem de raiva. "Vai se foder. Virou o cafetão dos seus colegas?"

"É só uma dica. A gente se vê por aí, Piper."

Posso sentir seus olhos cravados nas minhas costas enquanto saio da cozinha, mas não dou a mínima. Estou cansado da insistência e da total falta de respeito pelo desinteresse declarado.

Atravesso a sala de novo, olhando cada cômodo duas vezes antes de desistir. Talvez ela esteja lá fora. Está quente pra cacete, então a festa se espalhou pelo jardim. É hora de expandir o perímetro.

Decido começar pelo gramado da frente. Quando chego ao hall de entrada, uma sensação de triunfo me domina, porque vejo Grace de relance na escada em caracol.

Está sozinha, e meu coração dispara à medida que admiro a forma como o tecido da saia preta abraça sua bunda. Como os cabelos longos balançam nas suas costas, ondulando feito uma cortina de ouro a cada passo que ela dá. Merda, ela está se movendo.

Grace chega ao andar de cima e desaparece do meu campo de visão. Aquilo me impele à ação.

Sem perder tempo, subo a escada às pressas e corro atrás dela.

GRACE

Lavo as mãos no banheiro do andar de cima e seco com uma toalha do New England Patriots, e isso me faz sorrir. Times são marcas tão lucrativas. É só estampar o escudo em qualquer item bobo e milhões de pessoas compram, não importa o que seja.

Confiro meu reflexo no espelho, satisfeita ao descobrir que o antifrizz funcionou e que meu cabelo sobreviveu à umidade da caminhada até aqui. Morris me buscou no meu alojamento, e, embora tenhamos conversado sem parar durante o trajeto, não falamos muito desde que entramos. A música está muito alta, e ele está absorto demais no jogo de tiro que está rolando numa das salas. No instante em que chegamos, Ted Balofo mandou Morris plantar a bunda no sofá e colocou um joystick na mão dele.

Eu não me importo. Estou me divertindo vendo Morris bater o recorde de Ted em todas as fases. Quando ele faz isso, os garotos da fraternidade comemoram como se fosse o touchdown da vitória no Super Bowl e zombam de Ted Balofo por estar levando uma surra. Aliás, é bom dizer que Ted Balofo não tem nada de gordo.

Às vezes, não entendo esses apelidos.

Quando saio para o corredor, sinto um déjà-vu. Só que, desta vez, quem sai do banheiro sou eu, e não Logan.

Deixo escapar um ruído de surpresa diante de sua visão. Faz três dias que não vejo nem falo com ele, desde a história do muffin.

"Oi, linda." Ele sorri para mim. "Adorei a saia."

Seus olhos azuis avaliam lentamente minhas pernas nuas, e amaldiçoo Daisy por me convencer a vestir uma saia curta. Então *me* amaldiçoo por permitir que o olhar de Logan desencadeie uma onda de arrepios quentes, descendo por meu corpo e se concentrando entre as minhas pernas.

Suspiro. "O que você tá fazendo aqui?"

"É uma festa." Ele revira os olhos. "Por quê? O que *você* tá fazendo aqui?"

Respondo, entre os dentes: "Tô num encontro".

A confissão não o faz nem titubear. "Ah, é? E cadê o cara? Me apresenta pra ele."

"Nem pensar."

Logan se aproxima, e seu aroma inebriante me envolve como uma névoa espessa. Seu corpo imenso invade meu espaço. Ombros fortes, pernas compridas e um peito tão largo que posso ver cada músculo sob a camiseta. Quero deslizar as mãos sob o tecido e correr os dedos por cada curva musculosa. E depois enfiar as duas dentro da calça dele e pegar seu...

Para com isso.

Tento controlar a respiração, mas está saindo em rajadas ofegantes. Pela forma como a respiração *dele* se acelera, sei que Logan percebe a mudança em meu corpo. A tensão sexual aquece o ar entre nós.

"Por quanto tempo você vai continuar lutando contra isso?" Sua voz é rouca. Permeada de desejo.

"Não tô lutando contra nada." É um milagre que eu consiga soar tão composta com o coração batendo mais forte que a música no térreo. "Já falei que não tô interessada em sair com você. Não quero reviver uma história do ano passado. Foi bom enquanto durou, agora acabou."

"Bela rima." Ainda determinado, ele se aproxima mais cinco centímetros, ficando tão perto que posso sentir o calor do seu corpo. "Então você não se sente nem um pouco atraída por mim?"

Não respondo. Não posso responder. O desejo fechou minha garganta.

"Porque eu ainda me sinto atraído por você." Seus olhos percorrem meu corpo sob as pálpebras pesadas. "Pra falar a verdade, acho que quero você ainda mais."

Sei o que ele quer dizer. A atração parece mil vezes mais forte. É quente e feroz, e posso sentir meu sexo pulsando. Meu olhar está colado à sua boca, na curva sensual do lábio inferior. Sinto falta do seu beijo. Sinto falta da língua persuasiva e sedenta, e a maneira como ele gemia quando a enroscava na minha.

Distância. Preciso recuar, me proteger dessa tentação. Minha bunda bate contra a parede. Droga. Não tenho para onde ir. Não tenho como correr dessa sensação sufocante consumindo todo o oxigênio à nossa volta.

"Me beija." Mal posso ouvir a ordem rouca por entre as batidas do meu coração.

Ele deita a cabeça, a boca a centímetros da minha. Estou hipnotizada por ela. Pela barba sombreando a mandíbula e o modo como a língua umedece o lábio superior. Um beijo não seria o fim do mundo, seria? Só para tirar isso da cabeça. Tirar *Logan* da minha cabeça.

Ele leva a mão até meu rosto e dedos ásperos roçam minha pele. Estremeço.

"Me beija", murmura de novo, e perco o controle.

Seguro a parte de trás de sua cabeça e trago sua boca para a minha, beijando Logan como se estivesse possuída. Quando ele geme contra meus lábios, sinto o som estrangulado no clitóris. Ai, ai. Não consigo respirar. Não consigo me concentrar em mais nada, exceto na sua língua faminta em minha boca e no meu coração acelerado.

Logan segura minha bunda e aperta meu corpo contra o dele, movendo os quadris. "Fiquei pensando nisso o verão todo." Seu sussurro agonizante aquece meu pescoço um segundo antes de sua boca se colar à minha pele, chupando forte o suficiente para me fazer gemer.

Agarro seus ombros largos, incapaz de interrompê-lo. Ele beija minha pele até chegar de novo aos meus lábios, e sua língua brinca com eles antes de entrar de novo em minha boca. Seus quadris não param de se mexer. Os meus também. Estou sedenta demais, e ele sabe disso. Rosna baixinho, em seguida, desliza uma das mãos para dentro da minha saia, os dedos fazendo cócegas na minha coxa, subindo cada vez mais, se aproximando do local que implora por seu toque. Milímetros. Perto assim. Quero gritar para que me toque de uma vez, mas Logan se demora. Esfrega minha coxa com o polegar. Bem devagar. Devagar demais.

Ele interrompe o beijo e me encara nos olhos, a mão avançando em direção à minha calcinha. Seus dedos tremem. A respiração fica ofegante.

E então Logan puxa a mão de volta, com uma expressão tão sofrida que seria de imaginar que acabou de sair de três dias seguidos num pau de arara.

"Não, droga", ele arfa. "Não era isso que eu queria."

"O-o quê?", gaguejo, ainda atordoada com os beijos enlouquecedores.

"Só queria um beijo. Não essa pegação." Ele inspira fundo. "Estava falando sério aquele dia. Quero levar você num encontro."

"Logan..." Eu paro, com cautela.

Ouço passos nas escadas, e ele se afasta depressa, voltando o rosto para ver quem está subindo.

Quando vejo Morris, meu coração sobe até a boca.

Ah, merda.

Morris. Esqueci completamente dele.

"Achei você", Morris diz, com um sorriso desconfortável. "Tava preocupado que pudesse ter se perdido no caminho do banheiro."

Inspiro profundamente, tentando acalmar o coração. Rezando para não transparecer muita culpa. Ou pior: excitação.

"Eu já estava voltando", respondo. "Esbarrei em... um amigo no caminho."

Vejo as narinas de Logan se dilatando.

"Este é Logan", acrescento, então aponto para ele, como se não pudesse chegar a essa conclusão sozinho.

Morris cumprimenta o cara que eu estava beijando com um aceno de cabeça. "Prazer." Então ele olha para mim. "Pronta pra voltar para a festa?"

Não.

Sim.

Não sei.

O que sei é que vim à festa com Morris, que, aliás, é uma pessoa fantástica, e não vou sair daqui com outro cara, não importa quão tentada esteja.

"Claro." Em seguida, murmuro, evitando ao máximo qualquer contato visual com Logan: "Vejo você por aí". Então vou embora com Morris, me obrigando a não olhar para trás.

Mas posso sentir os olhos de Logan em mim o tempo todo.

22

LOGAN

É uma pena que não existam mais duelos no mundo moderno. Porque, neste momento, eu poderia muito bem bater com uma luva de couro na cara de Morris Ruffolo e desafiar o cara para um.

E que nome é esse? *Morris Ruffolo*. Acho muito suspeito esse negócio do nome ser um sobrenome. E Ruffolo? Ele é italiano? Não parece.

E, sim, sei o nome do cara com quem Grace foi à festa na noite passada. Depois que ela me abandonou lá em cima, saí perguntando e descobri tudo o que precisava saber. O nome, a reputação, e, claro, o alojamento dele. Que é onde estou neste momento.

Acabei de bater à porta do cara, mas ele não está com a menor pressa de atender. Sei, no entanto, que tem alguém, porque dá pra ouvir o som abafado da televisão.

Bato uma segunda vez, e uma voz irritada responde: "Um segundo!".

Ótimo. Ele está em casa. Quero tirar isso da frente logo, para aproveitar o resto do sábado.

Quando Morris abre a porta e me vê ali, fecha a cara e torce a boca. "O que você quer?"

Certo. Estava na dúvida se Grace tinha contado do beijo, mas sua hostilidade patente responde à minha pergunta.

"Vim aqui declarar minhas intenções com Grace", anuncio.

"Puxa, que honrado da sua parte." Morris bufa. "Teria sido mais honrado ainda *não* se pegar com ela ontem."

Deixo escapar um suspiro arrependido. "Esse é o outro motivo pelo qual vim aqui. Me desculpar."

Apesar da cara ainda emburrada, ele abre mais a porta e dá um passo relutante para trás, num convite para eu entrar. Avalio depressa o cômodo atulhado de coisas antes de começar a falar:

"Desculpa ter dado em cima dela. É sacanagem, e você tem o direito de me bater. Só não acerta o nariz, porque já o quebrei tantas vezes que tenho medo de que um dia não volte ao normal."

Morris deixa escapar uma risada descrente. "Cara, você não pode estar falando sério."

"Claro que estou." Afasto uma perna da outra, me posicionando para receber o golpe. "Manda ver. Prometo não revidar."

Morris balança a cabeça, parecendo surpreso e irritado. "Não, obrigado. Agora fala logo o que você quer e some daqui."

"Você que sabe. Não adianta vir cobrar depois." Dou de ombros. "É o seguinte: enquanto as coisas não estiverem sérias entre você e Grace, não vou parar de tentar ficar com ela." Sou tomado por uma sensação de arrependimento, e minha voz falha de leve. "A gente chegou a sair em abril, mas fiz uma merda feia..."

"É, ela me contou."

"Ah, é?"

Ele balança a cabeça. "No caminho de volta pra casa ontem. Não explicou em detalhes, mas deixou bem claro que você mandou muito mal."

"É", concordo, com tristeza. "Mas vou consertar o que fiz. Sei que não é o que você quer ouvir, mas cheguei à conclusão de que deveria avisar, porque pode ser que você me veja com muito mais frequência daqui para a frente. Sabe como é, se sair com Grace de novo." Arqueio uma sobrancelha. "Você vai sair com ela de novo?"

"Talvez sim. Talvez não." *Ele* arqueia uma sobrancelha. "Não é da sua conta."

"Certo." Enfio as mãos nos bolsos. "Enfim, era isso que eu queria dizer. Espero que não haja mais ressentimentos. Não apareci lá planejando dar um beijo nela, meio que aconteceu e... puta merda, você está jogando *Mob Boss*?" Meu olhar pousa na imagem congelada na TV, fixada na parede em frente à cama.

A suspeita fica aparente em seus olhos. "Você conhece esse jogo? Nunca consigo falar com ninguém dele."

Caminho até o móvel sob a TV e pego a caixa do jogo. É ele mesmo, tenho um igualzinho em casa.

"Cara, curto muito esse jogo", respondo. "Um cara do time me deixou viciado, o Fitzy. Quer dizer, o nome dele de verdade é Colin Fitzgerald. Ele é louco por video game, joga um monte de coisa esquisita que ninguém nem sabe que existe. Ele escreve resenhas de jogos para o blog da Briar..."

"Você tá de brincadeira", exclama Morris. "Você conhece o F. Gerald? Sou *louco* pelos textos dele. Espera aí... ele joga hóquei?"

"É, o Fitzy usa um pseudônimo no blog. Não quer que as mulheres saibam que no fundo é um nerd." Sorrio. "Como jogadores de hóquei, temos uma reputação a zelar."

Morris balança a cabeça, espantado. "Não acredito que você é amigo do F. Gerald. Ele é uma lenda na comunidade..."

Ele deixa a frase morrer no ar, e nossa conversa surpreendentemente animada chega a um fim, dando lugar a um silêncio constrangedor. Suspirando, aponto para a tela e aconselho: "Economiza a munição".

Ele estreita os olhos. "O quê?"

"Você sempre morre nessa fase, né?"

Transparecendo cansaço, ele faz que sim.

"Foi a mesma coisa comigo. Chegava no final, mas não conseguia matar o Don Angelo, porque ficava sem bala e não tinha uma merda de uma caixa de munição no galpão." Dou uma dica. "Tem um canivete nas docas. Pode usar nos comparsas do Angelo, depois passar para o AK quando chegar ao galpão. Talvez você morra nas primeiras vezes, mas vai acabar aprendendo a usar a faca. Vai por mim."

"Sério?", ele pergunta, na dúvida.

"Vai por mim", repito. "Quer que eu passe de fase pra você?"

"Vá à merda. Eu passo sozinho." Morris pega o joystick e, com um suspiro, olha para mim. "Certo, cadê a faca?"

Sento do lado dele. "Escondida no canto do estaleiro, perto do escritório do chefe do cais. Vai naquela direção que eu mostro quando você chegar lá."

Morris reinicia o jogo.

GRACE

A primeira coisa que faço ao sair da rádio na segunda-feira à noite é mandar uma mensagem rápida para um tal de John Logan.

Eu: *Tá em casa?*

Ele: *Tô.*

Eu: *Passa o endereço. Tô chegando.*

Logan leva quase um minuto inteiro para responder.

Ele: *E se eu não quiser receber visitas?*

Eu: *Sério? Depois de tanto "flertar" vai mesmo dizer não?*

A mensagem seguinte aparece no mesmo instante. Com o endereço. Rá. Foi o que eu pensei.

Meu próximo passo é chamar um táxi. Em geral, não me importo de caminhar os trinta minutos até Hastings, mas tenho medo de que minha raiva possa alcançar um nível incontrolável se a deixar fervilhar por esse tempo todo. Isso mesmo, estou com raiva. E irritada. E completamente pasma. Sabia que Morris não tinha ficado feliz com o que aconteceu na festa da Sigma, mas ele não me deu qualquer indicação de que aquilo seria o fim. Na verdade, foi incrivelmente compreensivo quando expliquei minha história com Logan na volta para casa.

O que torna o que aconteceu cem vezes mais desconcertante.

Me remexo, impaciente, dentro do táxi, nos poucos minutos em que ele leva para percorrer o trajeto. Quando chegamos ao nosso destino, enfio uma nota de dez na mão do motorista e abro a porta traseira antes mesmo de o carro parar. É a primeira vez que vou à casa de Logan, mas não faço mais que uma avaliação superficial do lugar. Gramado bem cuidado, varanda branca. Bato na porta da frente com o punho fechado.

Dean atende, usando nada mais que shorts, o cabelo louro espetado em todas as direções. "Oi", ele cumprimenta, surpreso.

"Oi." Fecho a cara. "Vim falar com Logan."

Ele me convida para entrar e aponta para a escada à nossa esquerda. "Está no quarto. Segunda porta à direita."

"Obrigada."

A conversa se resume a isso. Ele não pergunta o motivo da minha visita, e eu não dou uma explicação. Apenas marcho até o quarto de Logan, no andar de cima.

A porta está escancarada, então tenho uma visão clara dele deitado numa cama de casal, os joelhos dobrados, equilibrando um livro aberto. Está com a testa franzida, como se estivesse concentrado na leitura, mas, ao ouvir meus passos, volta o rosto na direção da porta.

"Você chegou rápido." Ele joga o livro de lado e fica de pé.

Invado o quarto e fecho a porta atrás de mim, para que ninguém veja a bronca que estou prestes a dar.

"Qual é o seu problema?", esbravejo, em vez de dar oi. "Você foi ao alojamento do Morris declarar suas *intenções*?"

Logan dá um sorriso contido. "Claro. Era a coisa certa a fazer. Não posso sair correndo atrás da garota de outro cara pelas costas dele."

"Não sou a garota dele", retruco. "Saímos uma vez! E agora nunca vou ser a garota dele, porque Morris não quer mais sair comigo."

"Como assim?" Logan parece assustado. "Que decepção! Achei que ia dar mais trabalho."

"Sério? Você vai fingir que tá surpreso? Ele não quer mais sair comigo porque *você* falou pra ele que não podia, seu idiota!"

O espanto permeia seu olhar. "Não falei nada disso."

"Falou, sim."

"Foi o que ele disse?", pergunta Logan.

"Não exatamente."

"Certo. Bem, então o que foi que ele disse exatamente?"

Cerro os dentes com tanta força que minha mandíbula dói. "Que vai pular fora, porque não quer se envolver numa história tão complicada. Eu disse que não tem nada de complicado nisso, já que *não estamos juntos*." Minha irritação só aumenta. "E aí ele insistiu que eu tenho que te dar uma chance, porque você é..." Desenho aspas no ar para ressaltar exatamente o que Morris disse: "Um cara legal que merece outra chance".

Logan abre um sorriso.

Aponto o indicador pra ele. "Tira esse sorriso da cara. Você colocou essas palavras na boca dele. E que merda é essa de vocês serem da 'família'?" A descrença que senti durante a conversa com Morris volta com toda a fúria, e passo a andar de um lado para o outro pelo quarto, com passos apressados. "O que você falou pra ele, Logan? Fez uma lavagem cerebral ou algo assim? Como assim vocês são uma *família*? Vocês nem se conhecem!"

Ouço Logan tentando conter o riso e me viro na direção dele, para lhe lançar um olhar furioso.

"É a família que a gente criou no *Mob Boss*, um jogo em que você é o chefe de uma máfia e tem que lutar contra um bando de outros chefes por território, esquemas ilegais e outras coisas. A gente jogou quando fui lá, e acabei ficando até as quatro da manhã. Sério, foi intenso." Ele dá de ombros. "Somos o Comando Lorris."

Estou chocada.

Meu Deus.

Lorris? Tipo, *Logan* mais *Morris*? Eles viraram uma Brangelina?

"Como assim?!", explodo. "Vocês são *melhores amigos* agora?"

"Ele é um cara legal. Na verdade, agora que fiquei sabendo que pulou fora, acho o cara muito mais legal ainda. Não pedi nada, mas ele deve ter sacado o que você se recusa a ver."

"Ah, é? O quê?", murmuro.

"Que você e eu somos perfeitos um para o outro."

Não tenho palavras para isso. Não consigo transmitir com precisão o que estou sentindo. Horror, talvez? Irritação completa? Não que eu esteja apaixonada por Morris nem nada parecido, mas se soubesse que beijar Logan na festa teria levado a... *isto*, teria usado uma porcaria de uma mordaça.

Solto o ar, tentando me acalmar. "Você me *usou*", eu lembro.

Vejo o pesar marcar seu rosto. "Involuntariamente. E tô tentando compensar isso."

"Como? Me convidando para sair? Comprando muffins e me beijando em festas?" Estou tão exausta que mal consigo pensar. "Não sei nem se você *gosta* de mim, Logan. Essa coisa toda parece girar inteiramente em torno do seu ego. O único motivo por que me viu de novo depois daquela primeira noite foi porque não conseguia lidar com o fato de que eu não tive um orgasmo. E, na festa, quando descobriu que eu estava com outra pessoa, quis marcar território, ou sei lá o quê. Tudo o que você faz é para si próprio, e não porque sente algo por mim."

"Não é verdade. E a noite em que fui até o refeitório? Como aquilo me beneficiou?" Sua voz é rouca. "Gosto de você, Grace."

"Por quê?", eu o desafio. "Por que você gosta de mim?"

"Porque..." Ele leva a mão ao cabelo escuro. "Você é divertida. É inteligente. Doce. Me faz rir. Ah, e só de olhar pra você eu fico louco."

Engulo uma risada. "O que mais?"

O constrangimento cora suas bochechas. "Não sei direito. A gente não se conhece muito bem, mas gosto de tudo que sei de você. E tudo o que *não* sei eu quero descobrir."

Parece sincero, mas uma parte de mim ainda não confia nele. Sou a Grace magoada e humilhada que quase transou com ele, em abril, de novo. A Grace que disse que era virgem e depois o viu pular pra fora da cama, como se ela estivesse coberta de formigas. E que ficou ali — nua —, enquanto ele dizia que não podia dormir com ela, porque estava a fim de outra.

Como se pudesse sentir minhas dúvidas, Logan se apressa a acrescentar, numa voz suplicante: "Me dá outra chance. Deixa eu provar que não sou um idiota egocêntrico".

Hesito.

"Por favor. Me diz o que preciso fazer para você sair comigo, e eu faço. Qualquer coisa."

Bem. *Isso* é interessante.

Não sou do tipo que faz joguinhos. Não mesmo. Mas não posso lutar contra essa desconfiança irritante, a voz cínica na minha cabeça me avisando que não tem boas intenções.

No entanto, não consigo dizer não de novo, porque outra parte de mim, aquela que adora passar o tempo com esse cara, quer que eu diga sim.

Talvez eu precise mesmo de uma prova. Talvez ele tenha que me mostrar que está falando sério. Uma ideia martela na minha cabeça. É uma loucura. Um ultraje, até. Mas, pensando bem, se Logan não for capaz de enfrentar alguns obstáculos simples, então talvez não mereça outra chance.

"Qualquer coisa?", pergunto, devagar.

Seus olhos azuis brilham, determinados. "Qualquer coisa, linda. O que você quiser."

23

LOGAN

"O que rima com insensível?" Bato a caneta na mesa da cozinha, mais do que frustrado com a tarefa. Quem poderia imaginar que rimar fosse tão difícil?

Cortando cebola na bancada, Garrett ergue o olhar. "Sensível", diz, prestativo.

"Ah, tá. Vou rimar 'insensível' com 'sensível'. Genial."

Do outro lado da cozinha, Tucker termina de colocar a louça na máquina de lavar e se vira para mim, com o cenho franzido. "O que você tá fazendo aí? Faz uma hora que tá rabiscando nesse bloquinho."

"Escrevendo um poema de amor", respondo, sem pensar. Então comprimo os lábios, percebendo o que acabei de fazer.

Um silêncio mortal recai sobre a cozinha.

Garrett e Tucker trocam um olhar. Extremamente demorado. Então, em sincronia, voltam-se na minha direção e me encaram como se eu tivesse acabado de sair de um manicômio. E posso muito bem ter saído de um. Não tenho nenhum outro motivo para estar escrevendo poesia por livre e espontânea vontade. E esse não é nem o item mais maluco da lista de Grace.

Isso aí. Foi o que eu falei. *Lista*. A descarada me mandou uma mensagem não com um ou dois itens, mas seis tarefas que tenho que completar antes que ela concorde em sair comigo. Tarefas não, *gestos* talvez seja a melhor maneira de definir.

Eu entendo, no entanto. Grace não acredita em mim e está preocupada que vou estragar tudo de novo. Droga, ela no mínimo acha que essa lista vai me assustar e não vamos nem marcar o tal encontro.

Mas está errada. Não tenho medo de seis míseros gestos românticos. Alguns vão ser difíceis, não tenho dúvida, mas sou um cara esperto. Se consigo reconstruir o motor de um Camaro 1969 usando apenas as partes encontradas nos ferros-velhos de Munsen, então certamente posso escrever um poema meloso e fazer "uma colagem artística que represente os traços da personalidade dela que acho mais fascinantes".

"Só uma pergunta", começa Garrett.

"Sério?", comenta Tuck. "Porque tenho *muitas*."

Suspirando, baixo a caneta. "Vai. Pode falar."

Garrett cruza os braços. "É para uma garota, certo? Porque se estiver fazendo isso do nada, então é só estranho."

"É pra Grace", respondo, com os dentes cerrados.

Meu melhor amigo acena, solene.

Então se mata de tanto rir. Idiota. Faço uma cara feia para ele e vejo suas costas largas tremendo a cada gargalhada. Em meio ao riso, Garrett consegue tirar o telefone do bolso e começa a digitar.

"O que está fazendo?", exijo saber.

"Mandando uma mensagem pra Wellsy. Ela precisa saber disso."

"Odeio você."

Estou tão ocupado olhando para Garrett que não percebo o que Tucker está tramando até ser tarde demais. Ele pega o bloco da mesa, dá uma olhada e exclama: "Puta merda. G., ele rimou céu com corcel".

"Corcel?" Garrett solta uma gargalhada. "O cavalo?"

"O carro", murmuro. "Estava comparando os lábios dela com o corcel vermelho que consertei quando era criança. Usando minha própria experiência, esse tipo de coisa."

Tucker balança a cabeça, exasperado. "Você deveria ter comparado com mel, seu burro."

Ele tem razão. Mel teria sido muito melhor. Sou um péssimo poeta e sei disso.

"Ei", digo, a inspiração batendo. "E se eu usar a letra de 'Amazing Grace'? Posso mudar para... hum... Querida Grace."

"É", interrompe Garrett. "Genial. 'Querida Grace'."

Penso na próxima linha. "Que..."

"Bunda tens", sugere Tucker.

Garrett solta outra gargalhada. "Só melhora. 'Querida Grace, que bunda tens'." Ele digita no telefone de novo.

"Ei, quer parar de ditar essa conversa para Hannah?", resmungo.

Tucker ri. "Sério, por que você tá escrevendo poesia para essa garota?"

"Porque tô tentando reconquistar Grace. E escrever um poema é uma das exigências dela."

Isso chama a atenção de Garrett. Ele ergue o rosto, telefone na mão, e pergunta: "Quais são as outras?".

"Não é da sua conta."

"Se você se sair tão bem com o resto quanto com esse poema épico, vai ganhar a menina em dois tempos!"

Mostro o dedo do meio para ele. "Valeu pelo sarcasmo." Então pego o bloco de volta da mão de Tuck e vou embora. "Aliás, da próxima vez que qualquer um de vocês precisar de ajuda com as mulheres, não contem comigo. Babacas."

Seu riso selvagem me segue por todo o caminho até o andar de cima. Entro no quarto, bato a porta e passo uma hora digitando o poema mais caído do mundo no meu laptop. Nossa. Estou me esforçando mais neste poema maldito do que nas aulas de verdade. Ainda tenho cinquenta páginas de economia para ler e um plano de marketing para fazer, mas comecei alguma dessas coisas? Não.

Pego o celular e escrevo para Grace.

Eu: *Qual é o seu e-mail?*

Ela responde quase na mesma hora: *grace_ivers@gmail.com*.

Eu: *Entra lá.*

Dessa vez, Grace demora bastante para responder. Quarenta e cinco minutos, para ser exato. Já estou na trigésima página da leitura, quando o telefone vibra.

Ela: *Ñ mude de carreira, Emily Dickinson.*

Eu: *Ei, vc ñ disse q tinha q ser BOM.*

Ela: *Verdade. Nota 4. Mal posso esperar p/ ver a colagem.*

Eu: *O q vc acha de purpurina? E fotos íntimas?*

Ela: *Se tiver uma foto do seu pau nessa colagem, vou tirar xerox e distribuir p/ todo mundo na faculdade.*

Eu: *Melhor ñ. Os caras vão ficar c/ complexo de inferioridade.*

Ela: *Ou c/ o moral elevado.*

Sorrindo, digito outra mensagem depressa: *Esse encontro tá no papo, linda.*

Há uma longa demora, então ela responde: *Boa sorte c/ o item 6.*

Ela está tentando me intimidar. Rá. Boa sorte com isso. Grace Ivers subestimou tanto minha tenacidade quanto a minha desenvoltura.

Mas vai descobrir isso em breve.

GRACE

Estou rindo sozinha diante da minha mesa, relendo o poema indescritivelmente ruim que Logan me mandou. As analogias são de matar — em geral, envolvem carros ou hóquei — e a métrica é uma zona. É ABAB? Não, tem um terceiro verso. ABACB?

É muito ruim.

Ainda assim, meu coração dá um pulinho de felicidade.

"Qual é a graça?" Daisy entra no quarto, chegando do programa de uma hora que ela apresenta na rádio. Está com uma calça jeans rasgada, uma blusa minúscula e os Doc Martens de sempre, mas a franja virou roxa. Deve ter pintado quando eu estava na aula de hoje, porque ainda era rosa de manhã.

"Amei o roxo", digo.

"Obrigada. Agora me mostra do que você está rindo." Ela aparece atrás de mim e fita a tela. "É o vídeo do bebê coala que o Morris mandou hoje mais cedo? Porque foi tão fofi... 'Ode a Grace'?", exclama, assustada. "Ai. Será que quero mesmo ver?"

Acho que uma pessoa melhor teria minimizado a janela antes que ela pudesse ler o poema, mas deixo o e-mail aberto. É divertido demais para manter em segredo.

Sua risada ecoa pelo quarto ao passar os olhos pelos versos. "Nossa, é um desastre. Mas pontos para as referências a hóquei." Daisy levanta uma mecha do meu cabelo e examina de perto. "Ei, parece *mesmo* o tom da camisa do Bruins nos anos sessenta."

Embasbacada, encaro minha amiga. "Você sabe como era a camisa do Bruins?"

"Meu irmão tem uma." Ela sorri. "Eu costumava ir a todos os jogos dele, no ensino médio, então acabei virando fã. Agora, joga no Dakota do

Norte. É uma surpresa que meus pais não tenham deserdado a gente: rejeitamos tudo o que representa o Sul e nos mudamos para o Norte na primeira chance que tivemos." Seu olhar volta para a tela. "Então você tem um admirador secreto?"

"Admirador, sim. Secreto, não. Sabe o cara que eu falei? Logan?"

"O jogador de hóquei?"

Faço que sim. "Passei umas tarefas pro cara, antes de sair com ele."

Daisy me olha, intrigada. "Que tipo de tarefas?"

"Bem, este poema, por exemplo. E..." Dou de ombros, em seguida, pego meu celular e abro a mensagem que mandei ontem à noite, com a lista mais absurda que já fiz.

Daisy pega o telefone. Quando termina de ler, está às gargalhadas. "Meu Deus. Que loucura. Rosas *azuis*? Isso existe?"

Solto um risinho. "Não na natureza. Nem na floricultura de Hastings. Talvez ele consiga encomendar em Boston."

"Você é muito má", acusa ela, um sorriso imenso nos lábios. "Adorei. Quantos ele já fez?"

"Só o poema."

"Não acredito que embarcou nessa." Ela se deixa cair na cama, em seguida franze a testa e olha para o colchão. "Você arrumou minha cama?"

"Arrumei", respondo, timidamente, mas Daisy não parece chateada. Já tinha avisado que às vezes meu TOC dá as caras, e, até agora, ela não se incomodou com isso. Só pediu para eu não tocar nem em sonho nos seus sapatos e na sua biblioteca de músicas no iTunes.

"Espera, mas você não dobrou minha roupa lavada?" Ela finge estar horrorizada. "Como assim, Grace? Achei que fôssemos amigas."

Mostro a língua para ela. "Não sou sua empregada. Dobre sua própria roupa."

Os olhos de Daisy brilham. "Então está me dizendo que é capaz de olhar para essa cesta transbordando de roupas recém-saídas da secadora", ela aponta para a cesta em questão, "e resistir à vontade de dobrar tudo? Todas essas camisas... amarrotando enquanto falamos. Essas meias solitárias... morrendo de saudade do par..."

"Vamos dobrar a sua roupa", deixo escapar.

Uma gargalhada agita seu corpo miúdo. "Foi o que pensei."

24

LOGAN

Uma semana inteira se passa antes que eu consiga riscar outro item da lista. Já completei quatro dos seis, mas os dois últimos estão complicados. Tenho um plano em ação para o sexto, mas o quinto é *sinistro*. Procurei em tudo o que é canto, até pensei em comprar na internet, mas essas coisas são muito mais caras do que eu pensava.

É terça-feira à tarde, e estou com Garrett e nosso amigo Justin. Viemos buscar Hannah, Allie e a namorada de Justin, Stella, no prédio de teatro, e vamos os seis de carro até Hastings, para almoçar. Mas, no instante em que entramos no auditório escuro em que as meninas marcaram de nos encontrar, meu queixo cai e nossos planos mudam.

"Puta merda... aquilo é um divã de veludo vermelho?"

Eles trocam um olhar confuso. "Hum... é", responde Justin. "Por quê..."

Já estou correndo na direção do palco. As meninas ainda não chegaram, o que significa que tenho que agir depressa. "Anda logo", chamo, por cima do ombro.

Os passos dos dois ecoam atrás de mim, e, no momento em que começo a subir no palco, já tirei a camiseta e estou abrindo o cinto. Paro para pescar o telefone no bolso de trás e jogo para Garrett, que o pega sem titubear.

"O que está acontecendo?", exclama Justin.

Tiro as calças, chuto para um canto e me jogo no divã só de cueca preta. "Rápido. Tira uma foto."

Justin não para de balançar a cabeça e piscar, como se não conseguisse entender o que está presenciando.

Garrett, por outro lado, dispensa as perguntas. Ele e Hannah passaram duas horas fazendo corações de origami comigo no outro dia. Garrett posiciona o celular, os lábios se contorcendo incontrolavelmente.

"Espera." Penso por um instante. "O que você acha? Pistolinha com os dedos ou joinha?"

"O que está acontecendo?"

Nós dois ignoramos a cara perplexa de Justin.

"Deixa eu ver o joinha", pede Garrett.

Abro um belo sorriso para a câmera e levanto os polegares.

A risada do meu melhor amigo ecoa nas paredes do auditório. "Vetado. Vai por mim, pistolinhas."

Ele bate duas fotos — uma com flash, outra sem — e, simples assim, mais um gesto romântico no papo.

Enquanto me visto depressa, Justin esfrega as têmporas com tanta força que parece que seu cérebro acabou de implodir. Ele me fita, embasbacado, enquanto subo a calça jeans até os quadris. E fica mais boquiaberto ainda ao me observar caminhando até Garrett, para ver as fotos.

Balanço a cabeça, satisfeito. "Cacete. Devia ser modelo."

"Você é muito fotogênico", concorda Garrett, com a voz grave. "E, cara, seu negócio aparece nessa foto."

Caramba, é verdade.

Justin corre ambas as mãos pelo cabelo escuro. "Juro por tudo o que é mais sagrado: se um de vocês não me explicar o que acabou de acontecer aqui, vou perder a cabeça."

Rio. "Uma garota queria uma foto minha num divã de veludo vermelho, mas você não tem ideia de como é difícil encontrar uma porcaria dessas."

"Você diz isso como se fosse uma explicação. Não é." Justin suspira como se carregasse o peso do mundo nas costas. "Jogadores de hóquei são loucos."

"Não, só não somos caretas que nem você e a galera do futebol americano", rebate Garrett, gentil. "Somos conquistadores, cara."

"Conquistadores? Essa foi a coisa mais cafona que eu já... não, quer saber? Não vou entrar na sua", resmunga Justin. "Vamos encontrar as meninas e almoçar."

GRACE

Meu Deus. Ele conseguiu. Olho para o telefone, dividida entre rir, gemer e correr para a sex shop mais próxima para comprar um vibrador, porque, *mãe do céu*, John Logan tem o corpo mais sexy do planeta.

Ficar de pé, com a língua para fora, no meio da rádio, provavelmente não é uma conduta de trabalho adequada, mas, na teoria, não estou trabalhando hoje. Só vim para almoçar com Morris. E não me importo de babar em público, de *tão* deliciosa que é a foto. O peito nu de Logan me tenta na tela do telefone, os músculos torneados, os pelos ralos sobre os peitorais perfeitos, o abdome marcado. Meu Deus, e a cueca boxer está tão apertada que dá pra ver o contorno do...

"Ora, vejam só", ouço a voz maravilhada de Morris.

Dou um pulo, assustada, e me viro para olhar feio para ele, por chegar assim na surdina. A julgar pelo brilho divertido em seus olhos, é óbvio que espiou por cima do meu ombro e viu de relance a foto pela qual eu estava babando.

"Estava curioso para ver como ele ia resolver essa", comenta Morris, ainda sorrindo feito um bobo. "Mas não devia ter duvidado do cara. Ele é incansável."

Estreito os olhos. "Logan contou da foto?"

"Da lista toda, na verdade. Encontrei com ele ontem à noite — Lorris está quase dominando o Brooklyn. Ele não parava de reclamar que não conseguia encontrar um sofá de veludo vermelho." Morris dá de ombros. "Falei que podia jogar um cobertor vermelho no sofá do meu alojamento, mas ele disse que você ia considerar trapaça pra se esquivar."

Abafando um suspiro, jogo o telefone na bolsa, em seguida caminho até o frigobar do outro lado da sala e pego uma garrafa de água. Tiro a tampa, fazendo o possível para ignorar o quanto Morris está se divertindo.

"Queria ser gay", comenta ele, com tristeza.

Uma risada escapa. "Aham. Continua. Quero ver até onde você vai."

"Sério, Gretch, amo o cara. Tenho tesão por ele." Morris suspira. "Se soubesse que Logan existia, nem tinha convidado você pra sair."

"Puxa, obrigada."

"Ah, nem vem. Você é o máximo, e eu te pegaria sem pestanejar. Mas não posso competir com Logan. O sujeito tá em outro nível, quando se trata de você."

É engraçado — depois da nossa breve experiência desastrosa, Morris e eu nos tornamos amigos ainda mais próximos. Às vezes, a culpa por ter beijado Logan na festa da Sigma reaparece, mas ele não me deixa pedir desculpas. Insiste que um mísero encontro não conta nem como relacionamento, e acho que está sendo sincero. Foi melhor mesmo não termos começado nada, porque já notei a forma como ele olha para Daisy, e tenho certeza de que é *ela* que ele quer "pegar".

Quanto a mim, quero sair com Logan mais do que qualquer outra coisa neste mundo e lamento ter passado todas essas tarefas, porque, sério, ele me conquistou no segundo em que me mandou aquele poema. Logan obviamente quer esse encontro tanto quanto eu, ou não teria se esforçado na colagem mais animal que já vi. E nos corações de origami. E nas rosas encharcadas de corante alimentar azul.

Agora, essa foto... Ele é realmente determinado.

"Sabe de uma coisa?", comento, devagar. "Tô me sentindo mal por obrigar o cara a fazer tudo isso quando sei que vou sair com ele. Acho que deveria avisar para não se preocupar com o último item."

"Não", discorda Morris, na mesma hora.

Minha testa se franze. "Por que não?"

"Puro egoísmo." Ele ri. "Tô curioso para ver como ele se sai."

Aperto os lábios para conter o riso. "Sinceramente? Eu também."

LOGAN

Dois dias depois de o destino colocar um divã de veludo vermelho na minha vida, acelero na rampa de acesso à rodovia na direção de Hastings, com Garrett sentado em silêncio no banco do carona. Nenhum de nós falou muito durante o trajeto de uma hora de volta de Wilmington, embora provavelmente por razões diferentes. Eu não consigo parar de pensar na arena pela qual passamos a caminho do restaurante. Não tinha nada do esplendor da TD Garden. Era só um estádio velho, grande e comum, igual a qualquer outro de New England.

Ainda assim, venderia a alma por uma chance de treinar lá diariamente.

Paro diante de casa, mas deixo o motor ligado. "Obrigado por fazer isso, cara. Fico devendo um favor imenso." Faço uma pausa. "Sei que você não gosta de depender dos contatos do seu pai."

Ele dá de ombros. "Mikey é meu padrinho. Usei meus próprios contatos." Ainda assim, estou bem ciente de que ele odiou fazer aquela ligação. Padrinho ou não, Mikey Hanson, lenda da NHL, ainda é o melhor amigo de Phil Graham, e Garrett passou a maior parte da vida tentando se desvencilhar da sombra do pai idiota.

"Tem falado com ele?", pergunto, cauteloso. "Seu pai, digo."

"Não. Às vezes ele liga, mas ignoro. Tem falado com o seu?"

"Uns dois dias atrás." Tenho me esforçado para manter o contato com meu pai e Jeff, e também com minha mãe e David, porque, depois que a pré-temporada começar e a rotina de treino ficar mais intensa, vou viver numa bolha de hóquei e provavelmente esquecer a família.

Garrett fica em silêncio por um instante; em seguida me olha, pensativo. "Ela vale tudo isso, cara?"

Não pergunto de quem está falando. Só faço que sim.

"Não é só por causa do sexo?"

Meu sorriso é triste. "Não fizemos ainda."

A surpresa transparece em seus olhos. "Sério? Achei que tinha rolado em abril."

"Não."

Os cantos de sua boca se erguem num sorriso. Estou imaginando coisas ou ele parece *orgulhoso* de mim? "Bom, então isso acaba de responder à minha pergunta." Garrett me dá um tapa no ombro e estende a mão para a maçaneta da porta. "Boa sorte."

Verdade seja dita, não tenho certeza se preciso de sorte. Todas as vezes que entreguei um dos meus presentes vergonhosamente românticos na porta de Grace, fui recompensado com um sorriso radiante iluminando seu rosto. Posso estar imaginando coisas, mas acho que ela ficou encarando minha boca com tanta atenção que parecia estar morrendo de vontade de me beijar. Mas não dei um único passo na direção dela. Não queria forçar a barra rápido demais. Tenho a impressão, no entanto, de que posso ganhar o beijo esta noite.

Vinte minutos depois, bato à porta dela, me obrigando a controlar o orgulho. Estou me sentindo o máximo pela forma como cumpri cada uma de suas exigências. As pessoas não entendem quão teimoso posso ser.

Grace não parece surpresa ao me ver. Provavelmente porque mandei uma mensagem avisando que estava a caminho. Não expliquei o motivo, mas ela olha para minha cara e inspira fundo. "Você não..."

Estendo o celular, triunfante. "O apoio de uma celebridade, milady."

"Certo, entra aqui. *Tenho* que ver isso." Com uma das mãos ela agarra o telefone, enquanto me puxa para dentro do quarto com a outra.

Daisy, a colega de quarto, está de pernas cruzadas na cama e sorri ao me ver. "Olha só quem é! O que tem para nós esta noite, garotão?"

Sorrio de volta. "Nada de especial. Só..."

"Oi, Grace", uma voz surge do alto-falante do meu celular. Ela abriu o vídeo e apertou play com uma velocidade impressionante. Sua colega de quarto congela ao ouvir a saudação alegre da voz masculina. "Aqui é Shane Lukov", continua o cara de cabelos escuros na tela.

"Puta merda!", grita Daisy. Ela pula para fora da cama e corre para junto da amiga, enquanto fico na frente das duas, sorrindo o sorriso de todos os sorrisos.

"Estou aqui em Wilmington e tenho uma mensagem importante", anuncia a estrela do Bruins. Lukov abalou o campeonato com uma estreia explosiva, e as pessoas estão loucas para ver o que vai fazer na temporada que vem. Aos vinte anos, já está sendo comparado a Sidney Crosby, e, sinceramente, não acho que seja exagero. "Faz muito tempo que conheço Logan." Lukov pisca para a câmera. "E, por 'muito tempo', quero dizer cinco minutos inteiros. Mas o que *é* o tempo, na verdade? Ele parece um cara legal. Bonitão. E reza a lenda que é osso duro de roer no gelo. Isso é tudo o que preciso saber para dar meu apoio ao garoto. Então, saia com ele." Um sorriso largo enche a tela. "Meu nome é Shane Lukov e aprovo esse garoto."

O vídeo termina. Daisy está ocupada pegando o queixo do chão. Grace me olha como se nunca tivesse me visto na vida.

"Então." Pisco, inocente. "Que horas pego você amanhã?"

25

GRACE

Hastings tem vários restaurantes legais, mas, se quiser algo mais sofisticado, tem que ir ao Ferro's. O restaurante italiano é lindo — paredes com painéis escuros de carvalho, cabines isoladas, toalhas de linho vermelhas. E luz de velas. Muitas velas.

É preciso reservar com pelo menos uma semana de antecedência, mas Logan conseguiu uma mesa em menos de vinte e quatro horas. Quando me disse aonde íamos, pensei que talvez tivesse marcado na semana passada, já prevendo que ia completar os itens da lista, mas, no caminho, ele admite que conseguiu a mesa como um favor.

E falei que ele está de terno?

Logan fica *maravilhoso* de terno. O paletó preto impecável envolve seus ombros largos, e ele decidiu não usar gravata, então tenho uma visão deliciosa de seu pescoço forte, que espreita por cima do colarinho aberto da camisa branca.

O garçom nos leva à mesa, e Logan espera que eu sente primeiro. Em seguida, se acomoda ao meu lado.

"Vamos mesmo sentar um do lado do outro?", pergunto, com a voz aguda demais. "Isso é..." Tão *íntimo*. Típico de casais apaixonados, que não conseguem tirar as mãos um do outro.

Logan estende casualmente o braço sobre o encosto, os dedos descansando em meu ombro nu. Ele me acaricia de leve. Me provocando.

"Isso é...?", ele me instiga.

"Muito agradável", termino, e ele me dá uma risada de quem entendeu direitinho.

Sua coxa está colada na minha, uma tora dura que demonstra quão forte ele é. Meu vestido preto subiu um pouco, e espero que ele não note minhas pernas arrepiadas. Não estou com frio. Muito pelo contrário, na verdade. Sua proximidade e o calor de seu corpo me deixam febril.

"Posso perguntar uma coisa?", pondera ele, inseguro, após o garçom listar os pratos do dia e nos servir água com gás.

"Claro." Viro o corpo para que a gente possa olhar um para o outro. Essa coisa de sentar do mesmo lado não foi projetada para contato visual.

"Como é que você não me perguntou sobre o hóquei?"

Fico petrificada na mesma hora, o que ele obviamente interpreta de forma equivocada como desconforto, porque se apressa em quase se desculpar. "Não que eu me importe. Na verdade, é meio legal. A maioria das meninas só fala de hóquei, como se imaginasse que é o único assunto sobre o qual sou capaz de conversar. Só acho estranho que você nunca toque nisso."

Pego o copo de água e dou um gole bem demorado. Não é a tática mais brilhante para adiar a resposta, mas é a única em que consigo pensar. Sabia que ia acabar vindo à tona. Pra ser sincera, estou surpresa que não tenha acontecido antes. Mas não significa que eu estivesse ansiosa por este momento.

"Bem. Hum. É que..." Inspiro fundo e continuo, com a velocidade de um velocista. "Nãosoumuitofãdehóquei."

Uma ruga surge em sua testa. "O quê?"

Desta vez, repito mais devagar, pausando entre cada uma das palavras. "Não sou muito fã de hóquei."

Então prendo a respiração e espero a reação dele.

Logan pisca. E pisca de novo. E mais uma vez. Sua expressão é uma mistura de choque e horror. "Você não gosta de hóquei?"

Infelizmente, confirmo com a cabeça.

"Nem um pouco?"

Agora dou de ombros. "Não me incomoda quando está só passando..."

"*Só passando?*"

"Mas não presto atenção." Mordo o lábio. Já estou na merda mesmo, posso muito bem dar o golpe final. "Minha família é mais do futebol americano."

"Futebol americano", repete ele, apático.

"É, meu pai e eu somos fanáticos pelo Pats. E meu avô foi do ataque do Bears."

"Futebol americano." Ele pega sua água e dá um longo gole, como se precisasse se hidratar depois da bomba.

Sufoco uma risada. "Mas acho incrível que você seja tão bom no que faz. E parabéns pela vitória no Frozen Four."

Logan me encara. "Você não podia ter dito isso *antes* de eu ter convidado você para jantar? O que a gente está fazendo aqui, Grace? Não posso me casar com você agora... seria uma blasfêmia."

A contração em seus lábios deixa claro que ele está brincando, e o riso contra o qual eu estava lutando irrompe. "Ei, espera um pouco antes de sair cancelando a cerimônia. A taxa de sucesso de casamentos interesportivos é muito maior do que você imagina. A gente pode ser uma família Pats-Bruins." Faço uma pausa. "Mas nada de Celtics. Odeio basquete."

"Bem, pelo menos temos *isso* em comum." Ele se aproxima e me dá um beijo na bochecha. "Não tem problema. A gente vai superar isso, linda. Podemos precisar de terapia de casal um dia, mas, quando eu ensinar você a gostar de hóquei, vai ser tranquilo para os dois."

"Você não vai conseguir", aviso. "Ramona passou anos tentando me forçar a isso. Não funcionou."

"Então ela desistiu rápido demais. Eu, por outro lado, nunca desisto."

Não desiste mesmo. Caso contrário, não estaríamos neste restaurante megarromântico agora, aninhados um do lado do outro, nesta cabine.

"Falando nisso." Sua expressão escurece, ligeiramente. "Como vão as coisas entre vocês?"

Sinto a tensão percorrer minha coluna. "Quer dizer, depois que ela me passou a perna e se ofereceu para *consolar* você no dia fatídico?"

Ele sorri. "Você chama de dia fatídico? Eu chamo de noite fatídica."

Desatamos a gargalhar, e uma parte de mim encontra um consolo peculiar em ser capaz de rir de uma noite que me fez sentir tão humilhada. Tão rejeitada. Mas já passou. Logan mais do que provou o quanto lamenta o que aconteceu e quão sincero é a respeito de começar do zero. E eu não estava mentindo naquele dia, no parque, quando disse que não guardo rancor. Tanto meu pai quanto minha mãe me ensinaram a importância do perdão, de expulsar a amargura e a raiva, em vez de deixar as emoções negativas me consumirem.

"Encontrei Ramona no dia em que vi você na cafeteria", admito. "A gente conversou, e ela pediu desculpas. Eu disse que estava disposta a dar outra chance à nossa amizade, mas que quero fazer isso no meu próprio ritmo. Ela concordou."

Ele fica em silêncio.

"O quê? Você não acha que eu deveria?"

Logan parece pensativo. "Não sei. Dar em cima de mim foi bem baixo. Não dá uma impressão muito boa dela." Ele contrai os lábios. "Não queria que magoasse você de novo."

"Eu também não, mas cortar Ramona da minha vida parece... errado. Conheço a garota desde sempre."

"Ah, é? Achei que estivessem no mesmo quarto por acaso."

"Não. Somos amigas de infância."

Explico como Ramona e eu éramos vizinhas, o que conduz a conversa à minha infância em Hastings, e então à infância dele em Munsen. Fico surpresa com a completa falta de silêncios constrangedores. Todo primeiro encontro tem sempre pelo menos *um* momento assim, mas Logan e eu não parecemos ter esse problema. Só paramos de falar quando o garçom anota nosso pedido e quando entrega a conta.

Duas horas. Mal posso acreditar quando vejo isso no telefone e percebo quanto tempo ficamos aqui. A comida estava fenomenal, a conversa, divertida, e a companhia, absolutamente incrível. Depois que terminamos a sobremesa — um tiramisu maravilhoso que Logan insiste em dividir comigo —, ele nem sequer me deixa ver a conta. Simplesmente enfia um maço de dinheiro na capinha de couro que o garçom colocou na mesa, desliza para fora do banco e estende a mão.

Eu aceito, me desequilibrando momentaneamente nos saltos enquanto me ajuda a ficar de pé. Minhas pernas estão bambas e me sinto tonta. Não consigo parar de sorrir, mas estou satisfeita de ver Logan ostentando o mesmo sorriso bobo.

"Isto foi bom", murmura.

"É, foi."

Ele entrelaça nossos dedos e os mantém assim durante todo o caminho até o carro, onde solta minha mão com relutância para abrir a porta para mim. Quando senta no banco do motorista, nossos dedos se entrelaçam de novo, e ele dirige só com uma das mãos o trajeto inteiro de volta ao campus.

A postura descontraída só vacila quando ficamos de pé, diante da minha porta. "E aí, como me saí?", ele pergunta, a voz rouca.

Dou um risinho. "Quer uma análise de desempenho detalhada do nosso encontro?"

Logan puxa o colarinho da camisa, mais nervoso do que jamais vi. "Mais ou menos. Faz... séculos que não saio com alguém. Desde o primeiro ano, acho."

Meu olhar surpreso encontra o dele. "Sério?"

"Quer dizer, eu vi algumas meninas. Joguei sinuca no bar, conversei em festas... mas um encontro de verdade? Buscar em casa, sair pra jantar e levar até a porta?" Suas bochechas se tingem do tom mais lindo de vermelho. "É, tem um tempo que não faço isso."

Deus do céu, quero passar os braços em volta dele e apertar essa fofura toda até dizer chega. Em vez disso, finjo meditar sobre o assunto. "Certo, bem, sua escolha de restaurante? Dez. Cavalheirismo? Você abriu a porta do carro para mim, então é dez também. Conversação? Nove."

"Nove?", pergunta ele.

Ofereço um sorriso travesso. "Tirei um ponto por causa do hóquei. Foi meio monótono."

Logan estreita os olhos. "Agora você foi longe demais."

Ignoro. "Carinho? Dez. Você passou o braço à minha volta e segurou minha mão, o que foi bonitinho. Ah, e o último quesito: beijo de boa-noite. Ainda não posso avaliar, mas, só para você saber, vai sair de menos um, porque você pediu uma avaliação em vez de tomar uma atitude."

Seus olhos azuis brilham. "Sério? Estou sendo penalizado por tentar ser cavalheiro?"

"Menos dois agora", provoco. "Suas chances estão ficando cada vez mais remotas, Johnny. Logo, não vai..."

Sua boca envolve a minha num beijo tórrido.

Pertencimento. É a única forma de descrever a onda de sensações que me invade. Seus lábios *pertencem* aos meus. Suas mãos seguram meu rosto, e um calor me inunda, seus polegares acariciando meu queixo. Logan me beija com um contraste chocante de ternura e sede. A língua brinca com a minha num carinho doce, e depois mais um, e então ele se afasta.

"Você me chamou de Johnny", ele diz, a respiração fazendo cócegas nos meus lábios.

"É proibido?", provoco.

Com o polegar, Logan alisa de leve meu lábio inferior. "Meus amigos às vezes me chamam de John, mas só minha família me chama Johnny." Seu olhar arde com intensidade. "Gostei."

Sua boca roça a minha de novo, e meu coração dispara. O contato é mínimo, como uma pena brincando em meus lábios. Ele desliza as mãos por meus braços nus, deixando arrepios em sua esteira. Em seguida, descansa ambas em meu quadril de forma quase casual, só que não tem nada de casual no modo como seu toque me faz sentir.

"Vai sair comigo de novo?"

Logan é tão alto que tenho que deitar a cabeça para trás para olhar para ele. Uma parte de mim está tentada a fazer o cara suar, mas não há nada que possa conter a resposta rápida e inequívoca que escapa de minha boca.

"Claro."

26

GRACE

Em nosso segundo encontro, Logan e eu vamos a uma festa. Em circunstâncias normais, isso não me deixaria nervosa. Ramona me arrastou para uma centena delas no ano passado, por isso eu deveria ser, no mínimo, uma especialista no assunto. Mas *esta* festa é na casa de Beau Maxwell. O quarterback do time de futebol americano da Briar.

A galera do futebol americano me assusta. As festas são barulhentas e tendem a acabar com uma visita da polícia. E a maioria dos jogadores fala alto, é arrogante e anda por aí como se fosse um presente de Deus para o mundo. O que é irônico, porque, no ano passado, o time teve o pior desempenho que a Briar viu em vinte e cinco anos.

A última vez que vi esse pessoal foi numa festa na qual tive que interromper uma briga entre Ramona e uma maria-chuteira que tentou arrancar seus olhos por pegar um cara do ataque. E tive que fazer isso sozinha, porque os jogadores não ajudaram em nada. Só formaram um círculo em volta das meninas e ficaram gritando "miau!" o tempo todo. Babacas.

"Beau é um cara legal", garante Logan, enquanto saltamos do banco de trás do táxi, depois que ele paga o motorista. "Sério. Ele é gente boa."

"Como pode ainda estar na Briar? Não estava no último ano no ano passado?"

"Ele está no quinto ano agora. Não jogou no primeiro."

"Então ele tem mais um ano para se safar", resmungo. "No ano passado não jogou nada. Você estava na partida em que desperdiçou *cinco* interceptações e não fez nenhum touchdown? Que merda foi aquela?"

Logan balança o dedo para mim. "Que vergonha. Pegando no pé de um cara porque teve um dia ruim?"

Suspiro. "Tá. Acho que ele merece uma folga. Quero dizer, nem todo mundo consegue ser tão bom quanto Drew Baylor, né?"

Seus olhos exalam fogo. "Seu conhecimento de quarterbacks universitários é estranhamente excitante."

"Tudo é excitante pra você", respondo, revirando os olhos.

"É. Não deixa de ser verdade."

Chegamos à porta da frente, e a música ensurdecedora atrás dela me traz uma pontada de inquietação. Agarro o braço de Logan. "Se a festa ficar muito louca, promete que a gente vai embora?"

"Mas esta é a sua turma, lembra? Por que você ia querer renegar a paixão familiar por futebol americano?"

Seu sorriso maroto me provoca um risinho. "Ei. Só porque gosto de ver os caras jogando não significa que queira ficar com eles."

Logan se abaixa e dá um beijo em minha testa. "Não esquenta. Na hora que você quiser ir embora é só falar e a gente vai."

"Obrigada."

Um instante depois, ele abre a porta sem bater, e entramos na cova do leão. Na mesma hora, sou atacada por uma onda de calor humano. Tem tanta gente dentro dessa casa que o ar está em chamas. O cheiro de cerveja, perfume e suor é tão forte que faz minha cabeça girar, mas Logan não parece incomodado. Pega minha mão e me leva mais fundo na multidão.

No canto da sala de estar, está rolando uma partida animada de *beer pong*, e as meninas de um dos lados da mesa estão em vários estados de nudez. Ah, é um *beer pong* com striptease. Do outro lado da sala, a pista de dança improvisada está repleta de corpos girando e cercada de móveis em cima dos quais meninas embriagadas e seminuas dançam.

Chegamos tarde, porque Logan tinha treino de hóquei, mas são só dez horas, cedo demais para as pessoas já estarem tão bêbadas.

"Dou vinte dólares se você subir numa dessas mesas", ele sussurra em meu ouvido.

Dou um soco em seu braço.

Ele me lança seu sorriso torto e finge esfregar o bíceps dolorido. "Quer uma bebida?", grita por cima da música.

"Quero", grito de volta.

Caminhamos até a cozinha, que está igualmente lotada e barulhenta. Logan pega uma garrafa de rum da bancada, serve dois copos de plástico e despeja um pouco de Coca-Cola para adoçar o negócio. Dou um golinho e faço uma careta. A cuba-libre dele precisa de ajustes. É praticamente só rum.

O álcool queima minha garganta e aquece minha barriga, aumentando ainda mais a temperatura do meu corpo. Estou com um vestido frente única curto, o que significa que não tenho o que fazer para evitar o brilho de suor em minha pele.

"Como *você* pode ser amigo dessa gente?", pergunto, quando saímos da cozinha. "Meu pai disse que os jogadores de hóquei e de futebol americano da universidade têm uma rivalidade antiga."

"Não mais. Faz uns três anos que isso terminou, quando o messias chegou à Briar."

"Aham. E quem é ele?"

"Dean", responde Logan, com uma risada. "Tenho certeza de que você já sabe disso, mas ele vai atrás de qualquer coisa que use saia..."

Finjo arfar de surpresa. "*Jura?*"

Ele ri. "Enfim, um belo dia, ficou sem marias-patins para pegar no primeiro ano e não teve escolha a não ser investir nas marias-chuteiras. Acabou aparecendo numa das festas do Beau, os dois se identificaram, como os bons pegadores que são, e ficaram amigos." Logan passa o braço à minha volta, enquanto caminhamos por um corredor cheio de gente. "Dean me arrastou com os caras para algumas das festas, e a gente acabou se dando bem com eles também. E a rivalidade chegou ao fim."

Não tenho ideia de para onde estamos indo, mas Logan parece conhecer a casa como a palma da mão. Ele ignora várias portas fechadas antes de me levar por uma que se abre para uma sala de estar espaçosa. Dois sofás de couro enormes dispostos em forma de L ocupam o centro da sala, de frente para uma TV ligada na ESPN. Atrás do sofá maior, há uma mesa de sinuca, e um cara segurando o taco alisa a barba espessa e examina o feltro verde atentamente, enquanto seu adversário o provoca.

Fico surpresa com a sala vazia. Só uns caras perto da mesa de sinuca, uns casais lá no fundo e duas pessoas se agarrando no sofá: Dean e uma ruiva de peitos enormes. Beau Maxwell, esparramado numa poltrona, assiste aos dois com uma expressão quase entediada.

O quarterback levanta a cabeça ao nos ver entrar. "Logan", cumprimenta, com a voz arrastada. "E aí, cara?"

John se instala no sofá ao lado de Dean e me coloca no colo, como se fosse a coisa mais natural do mundo. Enquanto ele passa os braços ao redor da minha cintura, noto o brilho de interesse nos olhos azuis de Beau. Na verdade, percebo que parece muito com Logan, agora que o estou vendo de perto, e não das arquibancadas do estádio de futebol americano. Os dois são enormes, têm cabelo escuro, olhos azuis e feições esculpidas. Mas tem uma grande diferença — Beau não faz meu coração disparar da mesma maneira que Logan.

Dean e a ruiva interrompem o beijo e se viram para nós com o rosto corado. "Oi", diz ele, com uma piscadela. "Quando vocês chegaram?"

"Acabamos de entrar", responde Logan.

Beau ainda está me olhando com curiosidade. "Quem é sua amiga?", ele pergunta.

"Esta é a Grace. Grace, Beau."

O quarterback avalia minhas pernas de cima a baixo. Inclusive as coxas, porque a forma como Logan me colocou em seu colo fez meu vestido subir, e Beau definitivamente notou.

"Prazer", ele diz, com um sorriso nos lábios. "Tenho que dizer que é a primeira vez que vejo Logan chegar a uma festa acompanhado."

"Vai se acostumando", ele rebate. "Não planejo sair mais de casa sem ela." Então beija meu pescoço, e um arrepio percorre meu corpo. Sua mão é um peso sólido em meu quadril, me mantendo grudada a ele, e... sim, não estou imaginando coisas — tem outro peso sólido debaixo de mim. Uma ereção muito perceptível contra minha bunda.

Às vezes, ainda me surpreende o fato de que *eu* o excito. Durante todo o primeiro ano, ouvi boatos e mais boatos sobre John Logan. Ele dorme com qualquer uma, é excelente de cama, não é do tipo que namora. Então o que está fazendo *comigo*? Me convidando para jantar e me levando a festas. Nem dormimos juntos ainda, pelo amor de Deus.

Enquanto me encanto com a ideia de que, de alguma forma, peguei — ou talvez *domei* seja uma palavra melhor — um cara como Logan, a conversa prossegue à minha volta. Ele e Beau entram num debate animado sobre antidoping em esportes universitários, embora eu não tenha certeza de como chegaram a esse tópico. Estou ocupada demais apreciando a forma como os dedos de Logan acariciam meu quadril distraidamente por cima do vestido. Como eu queria que ele estivesse tocando minha pele nua. Queria que Logan tivesse feito mais do que só me beijar na outra noite. Morro de desejo por esse cara. O tempo todo.

"Aí está você." Uma menina num vestido verde insinuante e botas pretas pesadas aparece na sala e caminha até Beau. "Procurei você em tudo o que é canto."

"Tá barulhento demais lá fora", suspira ele. "Acho que tô ficando velho. Faz eu me sentir jovem de novo. Por favor."

Ela ri e se inclina para roçar os lábios em sua bochecha. "Com prazer."

Faço força para não a encarar demais, mas é difícil. Tem a pele bronzeada, olhos escuros que parecem um poço sem fim e cabelos castanhos espessos que descem por suas costas; é *deslumbrante*. Não uso essa palavra de maneira leviana, mas não tenho outra forma de descrever a menina que acabou de entrar. Deslumbrante, para não falar em ridiculamente sedutora. Sério, do jeito que olha para Beau à forma como move os quadris enquanto senta no braço da cadeira, ela parece uma Scarlett Johansson.

Suas feições se fecham quando percebe Dean no sofá. "Richie", ela diz, com frieza.

"Sabrina", responde ele, um brilho zombeteiro nos olhos verdes.

"Notei que você se deu ao trabalho de ir à aula hoje de manhã." Ela sorri. "Percebeu que o assistente é homem? Coitado. Não vai poder comer alguém pra passar de ano."

"Pau no cu, Sabrina."

Ela ergue uma sobrancelha. "Ah, é? Então vem."

Então é Dean quem ergue a própria sobrancelha. "Eu bem que deveria. Aí talvez você ficasse quieta."

Sabrina joga a cabeça para trás e ri. "Ah, Richie, você acha mesmo que vou ficar?" Ela pisca para Beau. "Conta pra ele como é."

Não tenho a menor ideia do que está acontecendo agora. A animosidade entre Dean e essa tal de Sabrina é visível, mas desaparece no momento em que Beau coloca a morena de pé.

"Licença, galera", ele diz, e o brilho de excitação em seus olhos revela por que está levando Sabrina para longe.

Depois que eles se vão, eu me viro para Dean com um olhar interrogativo. "Por que ela chama você de Richie?"

"Porque é uma vaca", ele diz, o que não responde nada.

"Ah, você está chateado", murmura a ruiva para ele. "Eu te ajudo a esquecer."

Num piscar de olhos, estão com a língua na boca um do outro de novo.

Viro para Logan. "O que acabou de acontecer?"

"Não tenho a menor ideia." Sorrindo, ele me dá um beijo na boca, depois levanta, me levando consigo. "Vamos lá, vamos nos misturar. Acho que vi Hollis e Fitzy por aqui em algum lugar."

Deixamos a sala de estar e voltamos para a terra do barulho e da bebedeira, onde Logan me apresenta a mais algumas pessoas antes de continuarmos procurando seus colegas de time. Não estou entediada. Também não estou me divertindo horrores, mas isso não é por causa de nada que Logan diga ou faça. É porque, à medida que a festa se desenrola, começo a notar que algo me faz sentir... incomodada.

As garotas. Um monte delas.

Uma procissão de garotas que não tem nenhum problema em dar mole descaradamente para ele.

A atenção que Logan recebe é impressionante. E muito chata. Uma coisa é alguém dizer oi para ele. Mas essas meninas não param nisso. Correm as unhas feitas por seu braço nu. Piscam o olho maquiado para ele. Chamam Logan de "lindo" e "amor". Uma delas beijou sua bochecha. Vaca.

Tento muito não me incomodar. Sabia que ele era popular. Também sabia que, antes de me conhecer, ficar era um esporte para Logan. Mas isso não significa que goste que esfreguem isso na minha cara a cada dois segundos.

Quando a nona garota — sim, estou contando — desfila até ele e se insinua, chego ao meu limite.

"Vou ao banheiro", explodo.

Logan pisca diante do meu tom curto. "Ah... tudo bem. Vai lá em cima... em geral é menos lotado."

O fato de que não me pergunta se estou bem ou se oferece para ir comigo até o andar de cima é um tanto irritante. Rangendo os dentes, saio da sala pisando duro.

No corredor, eu me esquivo de um grupo de rapazes, desvio de um casal gritando insultos e acusações um para o outro e caminho até a escada. Assim que chego ao andar de cima, ouço a voz de Logan atrás de mim.

"Grace. Espera."

Viro, relutante. "O que foi?"

"Me diz você." Com olhos azuis preocupados, ele estuda meu rosto. "Você literalmente cortou a Sandy no meio da frase e saiu."

"Ah, coitada da Sandy", murmuro. "Peça desculpas por mim."

Logan arregala os olhos. "Tá. O que tá acontecendo aqui?"

"Nada." Sou atingida por uma onda de constrangimento, porque meus olhos estão ardendo como se estivesse prestes a chorar. Dou as costas e caminho na direção do banheiro. Droga. Ele tem razão — o que está acontecendo? Não sei por que estou com tanta raiva. Ele não está dando em cima delas. Verdade seja dita, Logan se afastava sempre que uma menina chegava perto o suficiente para tocar nele.

"*Grace*." Ele pousa a mão no meu ombro, me puxando para encará-lo. "Fala comigo. Por que tá chateada?"

"Porque..." Mordo a bochecha por dentro. Hesitante. Então exalo um gemido irritado. "Você já dormiu com *todas* as meninas da faculdade?"

Logan parece espantado. "O quê?"

"Sério, John, que merda! A gente não pode dar dois passos sem uma garota chegar e começar a *acariciar* você, e a dizer 'Nossa, como nos divertimos, a gente devia repetir', e pisca dali, passa a mão daqui."

Ele fica boquiaberto. Por fim, entende o que está acontecendo, e um sorriso lento se espalha em sua boca. "Espera, você tá com ciúme?"

Fico eriçada. "Não!"

"Sim! Você tá com ciúme."

Meu queixo fica tenso. "Só não gosto de todas essas meninas dando em cima de você comigo bem aqui. É grosseiro e desrespeitoso e..."

"Você tem ciúme", ele termina. Minha vontade é de tirar aquele sorriso idiota da cara dele a tapa.

"Não tem graça." Tento afastar sua mão do meu braço.

Logan não só me segura mais apertado como coloca a outra mão na minha cintura, me empurrando contra a parede. De uma hora para a outra, tenho um metro e oitenta e mais de noventa quilos de um jogador de hóquei gostoso me esmagando.

Seus lábios roçam os meus num beijo suave, antes de ele me fitar nos olhos, sério e espantado. "Não precisa ter ciúme", ele afirma, com a voz rouca. "Nem me lembro dessas meninas que vieram falar com a gente. Não sei o nome delas. Esta noite, só tenho olhos para você. Aliás, *sempre* só tenho olhos para você." Seus lábios quentes me tocam de novo, firmes e tranquilizadores. "Nunca fiquei com a Sandy, por sinal."

"Mentiroso", resmungo.

"É verdade." Ele sorri. "Ela joga para o outro time."

Estreito os olhos. "Sério?"

"Ah, sim. Ela e a namorada foram a uma festa na nossa casa, no semestre passado, e passaram o tempo todo se agarrando no sofá."

"Você só está falando isso para fazer eu me sentir melhor?"

"Não. É verdade. Dean pensou que tinha morrido e ido para o céu."

Deixo uma risada escapar. Começo a relaxar, os músculos que antes estavam tensos agora estão soltos e formigando diante do toque do seu corpo contra o meu. Não gostei da sensação que experimentei lá embaixo. Irascível e indignada, pronta para brigar com qualquer garota que sequer *olhasse* para Logan.

"Mas isso é ainda mais sensual do que ver Sandy e a namorada se pegando a noite toda." Uma nota sedutora engrossa a voz dele.

"O quê?"

"Você. Com ciúme." Seus olhos azuis se acendem. "Nunca estive com alguém que se sinta tão possessiva comigo. Me deixa excitado."

Logan não está brincando. Sua ereção está cutucando minha barriga, e isso faz uma onda de satisfação percorrer meu corpo. Movo os quadris, apenas o suficiente para minha pélvis esfregar aquela elevação dura, e suas pálpebras ficam pesadas.

"Isso me excita ainda mais", murmura.

Escondo um sorriso. "Ah, é?"

"Se é. Confia em mim, linda, você é a única mulher que quero. A única que me deixa louco."

Levantando as sobrancelhas, envolvo sua nuca com os braços. "Não sei... Ainda tô com ciúme. Acho que talvez precise que você me tranquilize um pouco mais."

Rindo, ele aponta a porta ao nosso lado com a cabeça. "Quer que eu faça você gozar no banheiro?" Minhas coxas se comprimem, *visivelmente*, e ele ri de novo. "Isso é um sim?"

"Não." Eu me inclino para mordiscar seu pescoço. "É um 'Claro que sim'."

27

LOGAN

Pela quarta vez esta semana, saio do treino querendo esmurrar uma parede. A falta de habilidade e bom senso de alguns dos outros jogadores da defesa é insuportável. Estou disposto a pegar leve com os calouros, mas não tem desculpa para a maneira como os caras do terceiro ano jogaram esta semana. Brodowski ficou literalmente imóvel, procurando alguém para tocar o disco, e Anderson só deu passes para atacantes marcados, em vez de virar o jogo para mim ou avançar com o disco para dar um tempo de os atacantes saírem da marcação.

Os treinos de troca de passe foram um desastre. Os calouros patinaram em câmera lenta. Os veteranos cometeram erros estúpidos. É óbvio que nosso time está fraco. Tão fraco que as chances de chegar à segunda fase estão cada vez menores — e nem jogamos a primeira partida.

Ao tirar o equipamento no vestiário, percebo que não sou o único frustrado. Tem muita cara feia à minha volta, e até Garrett está surpreendentemente quieto. Como capitão do time, ele tenta motivar todo mundo depois de cada treino, mas é evidente que está desanimado com o estado deplorável da equipe.

O único cara que sorri é o novato, Hunter, que recebeu tantos elogios do treinador por seu desempenho hoje que vai cagar pirulitos e gatinhos por semanas a fio. Não tenho ideia de como Dean conseguiu convencer o cara a se juntar ao time — tudo o que sei é que arrastou Hunter para o bar e, na manhã seguinte, o garoto estava a bordo. Deve ter sido uma noite fenomenal.

"Logan." O treinador aparece na minha frente. "Quero falar com você depois do banho."

Merda. Repasso o treino depressa na cabeça, em busca do que posso ter feito de errado no rinque, mas não me parece arrogância achar que joguei bem. Dean e eu éramos os únicos que estávamos *tentando* alguma coisa.

Trinta minutos depois, quando entro na sala do treinador, ele está à mesa, com um olhar sombrio que aumenta minha agitação. Porra. Foi o passe errado que dei no início do treino? Não. Não pode ser. Nem Gretzky teria conseguido manter o disco com os noventa quilos de Mike Hollis o esmagando contra o rinque.

"O que houve?" Eu sento, tentando não demonstrar como estou abalado.

"Vamos direto ao ponto. Você sabe que não gosto de perder tempo." O treinador Jensen se recosta na cadeira. "Falei com um amigo do Bruins hoje de manhã."

Todos os músculos em meu corpo congelam. "Ah. Quem?"

"O assistente técnico."

Meus olhos quase pulam para fora da cabeça. Sabia que o treinador tinha contatos — é claro que tem, afinal, passou sete temporadas em Pittsburg —, mas quando ele disse "amigo", presumi que estava falando de alguém mais baixo na hierarquia do time. E não do assistente.

"Olha, não é segredo nenhum que você está na mira de todos os olheiros desde o colégio. E sabe que já me perguntaram sobre você antes. Se estiver interessado, eles querem que treine com o Providence Bruins."

Meu Deus.

Eles querem que eu treine com a equipe de base do Boston Bruins?

Mal posso assimilar a informação. Tudo o que consigo fazer é olhar para o treinador. "Eles me querem no Bruins?"

"Talvez. Querem testar você com a equipe de base, para ver como se sai." Sua voz soa com uma intensidade que raramente ouço fora do gelo. "Você é bom, John. Pra cacete. Mesmo que optem por desenvolver você no Providence primeiro, não vai demorar muito até que seja chamado para jogar na liga em que *merece*."

Cara. Isso não pode estar acontecendo. Estou na merda do Jardim do Éden, salivando em cima da droga de maçã. A tentação é tão forte que sou capaz de saborear o gosto da vitória. Não é só *um* time profissional

— é *o* time. Para o qual cresci torcendo, no qual fantasiava em jogar desde que tinha sete anos.

O treinador estuda meu rosto. "Você reconsiderou seus planos para depois da formatura?"

Minha garganta fica mais seca que areia. Meu coração dispara. Quero gritar "Sim! Reconsiderei!". Mas não posso. Fiz uma promessa ao meu irmão. E, por melhor que seja a oportunidade, não é o *suficiente*. Jeff não vai ficar impressionado se eu anunciar que vou jogar para uma equipe de base. Nada menos que um contrato de verdade com o Bruins vai convencer meu irmão a me deixar fazer isso. Ou nem isso.

"Não, não reconsiderei." Dizer isso é a morte. A *morte*.

Pela frustração escurecendo os olhos do treinador, posso dizer que ele sabe. "Olha, John." Seu tom é estudado. "Entendo por que você não se inscreveu no *draft*. De verdade."

Tirando meu irmão, e agora Garrett, o técnico é a única pessoa que sabe que não me inscrevi. No primeiro ano em que podia me candidatar, fingi que tinha perdido o prazo de inscrição, o que o fez me arrastar para esta exata sala e gritar comigo durante quarenta e cinco minutos sobre como sou irresponsável e estou desperdiçando o talento que Deus me deu. Quando se acalmou, começou a murmurar sobre pedir um favor para alguém para me inscrever, e não tive escolha além de contar a verdade. Bem, *parte* da verdade. Falei do acidente do meu pai, mas não da bebida.

Desde então, ele não tem me incomodado com isso — até agora.

"Mas é do seu futuro que estamos falando", conclui o treinador, bruscamente. "Se você abrir mão disso, filho, vai se arrepender para o resto da vida. Garanto."

Não preciso de garantias. *Sei* que vou me arrepender. Merda, já me arrependo de um monte de coisas. Mas a família vem em primeiro lugar, e eu dei minha palavra. Não posso voltar atrás agora, não importa quão tentador seja.

"Obrigado por me avisar, treinador. E, por favor, agradeça ao seu amigo por mim." Engulo um caroço de desespero e levanto, lentamente. "Mas a resposta é não."

"Tem certeza de que é isso que você quer?"

A voz suave de Grace e sua expressão tímida fazem meu peito doer. Não sei por que ela me pergunta isso, porque obviamente é a última coisa que quero fazer. É o que *tenho* que fazer.

Fui direto para o alojamento dela depois do treino e não perdi tempo em contar sobre a conversa com o técnico, mas depois bateu um pequeno arrependimento. Deveria ter guardado para mim. Depois que a gente começou a sair, falei para ela dos meus planos para o futuro, e, embora não tenha dito em voz alta, sei que Grace não concorda com eles.

"Não queria dizer não", respondo, com aspereza. "Mas tive que fazer isso. Meu irmão espera que eu volte para casa quando me formar."

"E seu pai? O que *ele* espera?"

Deito a cabeça na pilha de almofadas em sua cama. Tem o cheiro dela. Doce e feminino, uma fragrância relaxante que diminui um pouco da tensão acumulada em meu peito.

"Ele espera que eu o ajude a tocar o negócio, porque não pode fazer isso sozinho. É o que a família faz. Você ajuda quando é necessário. E uns cuidam dos outros."

Grace franze a testa. "À custa dos seus sonhos?"

"Se for o caso, sim." Toda essa conversa é pesada demais, então eu a puxo para mim. "Vai, vamos colocar esse filme. Preciso de uns tiros e umas explosões para me distrair."

Grace pega o laptop e dá play no filme, mas quando tenta colocar o computador entre nós, eu o passo para meu colo, para que não haja nenhuma barreira a impedindo de se aninhar ao meu lado. Adoro abraçar Grace. E brincar com seu cabelo. E me abaixar para beijar seu pescoço sempre que me dá vontade.

Não namoro ninguém desde o colégio, mas estar com ela é diferente do que era com minhas antigas namoradas. Grace parece... mais madura, acho. Naquela época, a gente só falava besteira e preenchia os silêncios se agarrando. Mas Grace e eu conversamos de verdade. Falamos sobre nossos dias e as aulas, a infância, o futuro.

Mas não é a *única* coisa que a gente faz. Vi Grace quase todos os dias desde o primeiro encontro, e fomos bem safados nessas ocasiões. Aquele momento no banheiro na festa de Beau? Do outro mundo — e ela nem me tocou. Ajoelhado ali, com a cara entre as pernas dela, bati uma punheta e não me lembro de já ter gozado tão forte sem sexo.

Ainda não transamos, mas não ligo. Antes, para mim, era tudo uma questão de recompensa rápida — conquistar, comer e cair fora. Tipo no hóquei com bola, na época do colégio, jogado às pressas depois da aula, antes de minha mãe me chamar para jantar.

Com Grace, parecem três tempos de hóquei *de verdade*. A animação e o entusiasmo do primeiro, a ansiedade crescente do segundo e a pura intensidade do terceiro, que vem da euforia de saber que se chegou a algum lugar. Uma vitória, uma derrota, um empate. Não importa. Ainda é a sensação mais poderosa do planeta.

Se tivesse que definir, diria que estamos no segundo período agora. A ansiedade. Momentos quentes que me deixam sedento. Sem pressão para concluir o jogo.

Com vinte minutos de filme, Grace se vira para mim de repente. "Ei. Pergunta."

Aperto o pause. "Manda ver."

"Estamos namorando?"

Lanço a ela meu olhar malicioso. "Não sei, você quer namorar?"

Seus olhos castanhos brilham. "Bem, *agora* não sei mais."

Sorrindo, me inclino para deixar o laptop no chão e pulo em cima dela. Grace grita quando a coloco de costas e aperto meu corpo contra o seu, me escorando num dos cotovelos para fitá-la.

"Mentirosa", acuso. "Claro que você quer. E, pra sua informação, é isso que estamos fazendo."

Ela fica com uma expressão pensativa no rosto por um momento e então assente. "Então tá."

"Ah, que generoso da sua parte, linda. A gente devia mandar fazer camisas combinando: 'Então tá'."

Grace explode numa gargalhada que faz cócegas em meu queixo. Adoro esse riso. É tão verdadeiro. *Tudo* a respeito dela é verdadeiro. Já saí com muitas garotas que fazem joguinhos, que dizem uma coisa quando querem dizer outra, que mentem ou manipulam para conseguir o que querem. Mas Grace não. Ela é aberta e sincera. Quando está chateada ou irritada, me *diz*. Gosto disso.

Baixo a cabeça para dar um beijo nela. Quando nossas línguas se encontram, uma onda de prazer vai direto para o meu pau, que endurece contra sua perna. Movo os quadris para a frente, e só esse tantinho de atrito me arranca um gemido. Cara. Preciso gozar. Já fiz isso duas vezes esta semana. Na primeira ela me masturbou, na segunda me chupou. Outras noites, bati uma no chuveiro, imaginando que estava transando com ela e não com a minha mão, mas isso não é nada comparado ao que ela está fazendo agora, ao abrir minha calça e me envolver com os dedos.

Meus olhos se reviram diante do carinho suave. "Que horas Daisy volta?", murmuro.

"Não deve aparecer por pelo menos mais uma hora." Grace desenha um lento círculo em torno da cabeça do meu pau. Um líquido pré-ejaculatório molha seus dedos, tornando mais fácil deslizar o punho para cima e para baixo.

Movo os quadris e a beijo, envolvendo um seio pequeno e firme com uma das mãos. Ela não está de sutiã, e os mamilos sobressaem sob o algodão macio da blusa. Esfrego a palma da mão sobre o pontinho contraído, provocando com o polegar, então o aperto, arrancando um ruído ofegante de seus lábios.

Estou tão duro que não consigo pensar direito. É insuportável essa necessidade de me aliviar. Minha respiração fica ofegante à medida que deslizo a mão do seu peito e vou avançando em direção ao cós da calça legging.

Grace interrompe o beijo, tensa sob meu toque. "Hum..." Suas bochechas ficam coradas. "Não posso hoje. Tô naqueles dias."

Contenho uma risada. "Naqueles dias?"

"Qual é o problema?", ela pergunta, na defensiva. "Queria que eu dissesse que tô menstruada?"

Tremo, imediatamente transportado para aqueles momentos desconfortáveis da aula de educação sexual.

"Tá vendo?", ela questiona. "'Naqueles dias' é melhor." Então afasta minha mão da virilha e planta as palmas em meu peito, me empurrando de leve. "Deita. Quero provocar você um pouco."

Me provocar é tudo o que ela faz. Grace tira minha camiseta e explora cada centímetro do meu peito com a boca. Sinto seus lábios macios e beijos fugazes ao longo da minha clavícula, e então sobre meu peitoral esquerdo, pairando sobre meu mamilo e me causando arrepios. Sua língua me experimenta, e sinto aquele movimento minúsculo em meu mamilo, como se fosse no meu pau. Ele pulsa, dolorido, e estou a ponto de me contorcer. Quero sua boca de novo. Quero que chupe a cabeça, só um pouquinho, e então brinque com a língua. Quero...

Ah, agora ela está beijando minha barriga, descendo e fazendo *exatamente* o que quero. Juro, essa garota deve ler pensamentos. Seus lábios me envolvem, a língua fazendo aquilo com que eu fantasiava.

Devo ter feito algum barulho, porque ela me espia com um sorriso satisfeito. "Tudo bem aí em cima?"

"Porra. Mais do que bem."

"Pergunta", diz ela, e agora estou sorrindo também, porque amo quando faz isso. Anuncia que está prestes a me interrogar, em vez de falar logo.

Ofereço minha resposta-padrão: "Manda ver".

"E a sua bunda?"

Minha testa se franze. "Como assim?"

"Por exemplo, se eu fizer *isto*..." Seu dedo desliza para um ponto em que eu não estava esperando ser tocado. "Você vai surtar ou vai querer que eu continue?"

Ela faz de novo, e fico chocado quando uma onda de prazer percorre minha coluna. "Continua", respondo, rouco. "Por favor, continua."

Grace parece ao mesmo tempo surpresa e intrigada. Em seguida, abaixa a cabeça e me enfia fundo na boca, outro movimento inesperado que embaralha minha visão. Minha nossa. Estou completamente envolvido por um calor apertado e molhado. A ponta do meu pau vai no fundo da sua garganta, e meus quadris se movem antes que possa impedi-los, saindo uns três ou quatro centímetros e entrando de novo.

Seu gemido reverbera em mim. Seu dedo continua a me atormentar. Gentil e exploratório, provocando uma dor estranha de prazer que não esperava.

É intenso demais. E ela não para. Me tortura com a língua, lambendo meu pau, lenta e cuidadosamente, como se fosse uma cartógrafa que planeja me mapear depois. E aquele dedo. Esfregando, provocante.

Meu saco se comprime, minha garganta está tão seca que mal posso dizer uma palavra. Mas consigo emitir duas. "Vou gozar." Em seguida, mais uma. "Logo."

A última vez que ela fez isso, não ficou ali até o fim. Agora, mantém a boca no meu pau, o cabelo comprido fazendo cócegas em minhas coxas enquanto a cabeça se move. Estou quase lá. O sangue fervendo. Mas ainda falta um pouco, uma tensão provocante que me faz gemer de impaciência. Eu quero. *Preciso*. Eu... Ela enfia o dedo e, puta merda, não vou mentir. É bom pra caralho. Chupa meu pau com força, enfia o dedo mais fundo, e explodo feito uma granada.

Arfo, em busca de ar, e meus quadris se erguem da cama, enquanto gozo com os sons de seus gemidos e minha respiração ofegante. Seu pescoço se move à medida que ela engole, cada pequena sucção arrancando mais prazer do meu corpo, até eu não passar de uma pilha de músculos arquejante e inconsciente na cama.

Grace se aninha ao meu lado, pousando a mão na minha barriga, uma pequena âncora quente que me impede de flutuar para longe.

"Isso foi..." Inspiro fundo. "Fenomenal."

Sua risada aquece a curva do meu pescoço. "Vou anotar. Bunda: fenomenal. Só chupada... como foi que você falou da última vez? Só *incrível*, acho."

"Tudo o que você faz comigo é incrível *e* fenomenal", corrijo, enfiando os dedos em seus cabelos. Acho que nunca me senti tão satisfeito na vida. "Ei. Pergunta."

"Manda ver."

Sorrio com a inversão de papéis e acrescento: "O primeiro jogo da pré-temporada é amanhã à noite. Sei que você não gosta de hóquei, mas... topa ir?".

"Ah, eu iria se pudesse", responde ela, parecendo genuinamente chateada. "Mas vou encontrar um cara da turma de psicologia."

Deito de lado e estreito os olhos para ela. Uma sensação estranha e desconhecida me invade.

Fico surpreso ao perceber que é ciúme.

"Que cara?"

Ela ri. "Calma, seu bobo. É só um cara da minha turma. Temos que fazer um trabalho em dupla, um estudo de caso. A gente deve se encontrar algumas vezes pelas próximas duas semanas."

"Ah, é?" Faço uma pausa. "Ele é bonito?"

"Acho que não é de se jogar fora. Magro demais, mas algumas meninas gostam disso."

Algumas meninas? Ou uma em especial?

Quando percebe minha expressão, Grace ri ainda mais alto. "Rá. Quem tá com ciúme agora?"

"Não tô com ciúme", minto.

"Tá sim!" Ela se aproxima e dá um beijo sonoro em meus lábios. "Mas não precisa. Tenho namorado, lembra?"

"Tem mesmo."

Merda, agora sei como ela se sentiu na festa, na outra noite. Esse aperto possessivo no peito é... algo novo. Não gosto da sensação, mas não posso impedir que venha. Desde que entrei na Briar, não tive nada sério com ninguém, mesmo que o caso durasse mais de uma noite. Vi algumas meninas com frequência suficiente para desenvolver *algum* sentimento por elas, mas nunca tive um relacionamento exclusivo. Estava bem ciente de que saíam com outros caras e não me importava.

Dessa vez, eu me importo. A ideia de Grace com outro cara é inaceitável. Não vou tão longe a ponto de dizer que ela é *minha*, mas... bom, ela é minha. Para abraçar e beijar e fazer rir.

Isso mesmo, minha.

"Que horas são?", ela pergunta. "Tô com preguiça demais para levantar a cabeça."

Ergo o rosto para ver o relógio. "Dez e trinta e dois."

"Quer terminar de assistir ao filme?"

"Claro." Me abaixo para pegar o laptop, que apita no instante em que o toco. "Hum... acho que tem alguém ligando pra você no Skype."

Ela espia a tela, em seguida dá um pulo de pânico. "Ai, não. Veste a calça!"

Franzo a testa. "Por quê?"

"Porque é minha mãe!"

Se eu ainda tinha algum resquício de ereção, ela desaparece num passe de mágica. Subo a calça e fecho o zíper, enquanto Grace acomoda o computador no colo. Seus dedos pairam sobre o botão, então ela olha para mim. "Vá uns vinte e cinco centímetros para a esquerda, se não quiser que ela te veja."

"*Você* não quer que ela me veja?"

Grace revira os olhos. "Eu não ligo. Na verdade, ela sabe tudo sobre você, então seria melhor dar um oi. Mas entendo se não quiser conhecer minha mãe agora."

Dou de ombros. "Por mim, tudo bem."

"Tá. Se prepara. Ela tá prestes a ensurdecer a nós dois com..."

Um grito de júbilo. O ruído mais agudo do planeta.

Por sorte, sua voz se reduz a um decibel tolerável quando ela começa a falar. "Querida! Êêê! Você atendeu!"

O vídeo preenche a tela, revelando uma loira muito atraente que parece jovem demais para ser a mãe de uma menina de dezenove anos. Sério, ela parece ter uns trinta. Se muito.

"Oi, mãe", cumprimenta Grace. "Será que quero saber por que você tá acordada às cinco e meia da manhã?"

O sorriso que ela oferece como resposta é absolutamente diabólico. "Quem disse que dormi?"

Grace comentou que a mãe é extravagante, impulsiva e que age mais ou menos como uma adolescente; agora vejo que não estava exagerando.

Ela geme. "Por favor, me diga que você passou a noite acordada pintando, e não... fazendo outras coisas."

"Nada a declarar."

"*Mãe*!"

"Tenho quarenta e quatro anos, querida. Espera que eu viva como uma monja?"

Quarenta e quatro? Uau. Não parece nem um pouco. Sua resposta descontraída me faz rir, o que faz com que seus olhos castanhos se estreitem.

"Grace Elizabeth Ivers, tem um *homem* sentado ao seu lado? Pensei que era uma pilha de lençóis, mas isso é o ombro de alguém!" A mãe dela suspira. "Se identifique, senhor."

Sorrindo, me aproximo da câmera para que veja meu rosto. "Boa noite, sra. Ivers. Ou bom dia, acho."

"A sra. Ivers mora na Flórida. Pode me chamar de Josie."

Engulo uma risada. "Josie. Sou Logan."

Outro arquejo. "O Logan?"

"É, mãe. O Logan", confirma Grace, com um suspiro.

Josie olha de mim para Grace, em seguida faz uma cara séria. "Querida, gostaria de um momento a sós com Logan. Vá dar um passeio ou algo assim."

Meu olhar alarmado se volta para Grace, que parece estar tentando não rir. "Ei, você disse que não tinha problema", ela murmura. Em seguida, dá um beijo na minha bochecha. "Tenho que fazer xixi. Fiquem à vontade."

À medida que Grace pula para fora da cama, literalmente me *abandonando*, o pânico toma conta. Grace me deixou à mercê da mãe. Merda. Devia ter me escondido quando tive a chance.

No momento em que Grace sai do quarto, Josie pergunta: "Ela já foi?".

"Já." Engulo em seco.

"Ótimo. Não se preocupe, vou ser rápida. E só vou dizer isso uma vez, então é melhor ouvir direito. Gracie me disse que ia dar outra chance a você, e apoio totalmente essa decisão." Ela fita a câmera com uma expressão ameaçadora. "Dito isso, se magoar a minha filha, vou pegar o primeiro avião, aparecer na sua porta e espancar você até a morte com uma fronha cheia de barras de sabão."

Apesar do tremor atemorizado que a ameaça me provoca, não posso conter uma risada. É uma forma muito específica de violência.

Quando respondo, o humor se foi e minha voz é ríspida. "Não vou magoá-la", prometo.

"Ótimo. Ainda bem que isso está resolvido."

E, juro, a mulher tem personalidade múltipla, porque, num piscar de olhos, está radiante de novo. "Agora me conta tudo sobre você, Logan. Está estudando o quê? Quando faz aniversário? Qual é sua cor favorita?"

Engulo outra onda de risadas e respondo às perguntas aleatórias que ela atira na minha direção, a toda velocidade. Mas não me importo. A mãe de Grace é hilária, e levo apenas alguns segundos para descobrir de onde sua filha herdou o senso de humor e a tendência a tagarelar.

Três minutos depois, o telefone de Josie toca. Ela diz que precisa atender e promete ligar de volta, em seguida a tela fica preta. Estou prestes a baixar o laptop, mas, quando ouço passos se aproximando da porta, tenho uma ideia.

Também conhecida como a vingança perfeita para a traição de Grace.

Assim que a porta se abre, olho fixamente para a tela e ajo como se ainda estivesse conversando com sua mãe. "E ela enfiou o dedo na minha bunda quando tava me chupando. Foi bom pra cacete. Nunca pensei que ia gostar de ter alguma coisa naquele lugar, mas..."

Grace grita, horrorizada.

"Ai, meu Deus!" Ela se joga na cama e pega o laptop. "Mãe, não ouve o que ele tá falando! É brincadeira..." Então ela para, abruptamente, piscando para a tela antes de se virar para me encarar. "Seu *idiota*."

Eu me encolho de tanto rir, o que só a deixa mais irritada. Logo Grace está batendo em mim com os punhos pequeninos, como se pudesse de fato me machucar.

"Você é terrível!", ela grita, gargalhando e dando murros inúteis ao mesmo tempo. "Achei mesmo que tinha dito aquilo a ela!"

"Era essa a ideia." Dou risada, em seguida nos giro para colocar Grace de costas na cama e me posicionar em cima dela. "Desculpa. Não consegui evitar."

Ela ergue a mão e dá um peteleco na minha testa. "Babaca."

Meu queixo cai. "Você acabou de me dar um peteleco?"

Ela me dá outro.

"Você acabou de me dar *outro* peteleco?"

Agora é Grace que está gargalhando, porque estou fazendo cócegas nela sem parar. Enquanto se contorce na cama e tenta escapar de meus dedos implacáveis, chego a várias conclusões.

Um: nunca me diverti tanto com uma menina na vida.

Dois: não quero que isso acabe nunca.

E três...

Acho que posso estar me apaixonando por ela.

28

GRACE

"Ele simplesmente apareceu no meio da reunião de vocês?" Ramona parece estar se divertindo muito ao pegar seu café. É a primeira vez que a vejo desde o encontro desconfortável no início do mês, e estou surpresa por me sentir tão à vontade. Não houve nenhum silêncio constrangedor, nenhuma amargura da minha parte, e ela parece bastante interessada no que está acontecendo na minha vida.

"Foi", respondo. "Fingindo que tava só me trazendo um café, mas nós dois sabíamos que era mentira."

Ramona sorri. "Então John Logan é do tipo ciumento. Sério mesmo? Não me surpreende. Jogadores de hóquei são bem agressivos. São bem homem das cavernas quando alguém tenta roubar o disco deles."

"Eu sou o disco?"

"Por aí."

Reviro os olhos. "Bom, não tô nem aí. Quem tinha que estar com ciúme era *eu*. Você tem noção de quantas meninas se jogam em cima dele? O tempo todo, mesmo quando estamos juntos. Mas aconteceu uma coisa meio legal." Faço uma pausa para dar efeito. "Esbarramos com a Piper no teatro, em Hastings."

Ramona fica boquiaberta. "Ai. Merda. O que ela disse?"

A satisfação me invade. "Primeiro, foi toda gentil, mas só porque não tinha percebido que eu tava lá. Deu em cima dele, mas ficou na cara que Logan não estava retribuindo, então ela começou a falar de hóquei e só depois percebeu que eu tava *com* ele, e não só de pé *perto* dele. Foi como se tivesse entrado no porão de um assassino em série. Puro horror."

Ramona solta um risinho.

"Logan me apresentou como a namorada dele, e juro que Piper parecia prestes a me matar." Conto o caso com uma alegria vingativa. "Aí ela fugiu para junto das amigas."

"Com quem ela tava?"

"Umas meninas que não reconheci." Faço uma pausa. "E Maya. Que, aliás, nem me disse oi."

Isso não parece surpreender Ramona. "Maya pensa que você a odeia", admite. "Você sabe... por causa da participação dela naquela história do Twitter."

"Não odeio." Dando de ombros, dou uma mordida no meu muffin de chocolate com banana. "Mas não tenho vontade de sair com ela. Não temos nada em comum."

Não deixo de notar a forma como Ramona estremece, como se a acusação fosse dirigida a *ela*. Mas não era minha intenção. Nós duas nos divertimos muito juntas. Passávamos noites inteiras conversando, na época da escola. Nem me lembro do que falávamos, só que o assunto nunca acabava.

Uma tristeza me invade. Sinto falta disso. Tirando Daisy, não fiz nenhuma amiga neste semestre, e, apesar de estarmos próximas, não temos nem de perto o que eu tinha com Ramona.

Como se estivesse lendo meus pensamentos, sua voz amolece. "Sinto sua falta, Gracie. De verdade."

Sinto um aperto no coração. "Eu também, mas..."

Mas o quê? *Não confio em você? Não perdoei você?* Nem sei como me sinto sobre nossa amizade, não quero resolver isso agora.

"Acho que é melhor a gente ir devagar", termino. Então abro um sorriso encorajador. "E você, o que tem feito? Como vão as aulas?"

Ela passa alguns minutos me contando sobre o curso de teatro e de algumas festas a que foi, mas há uma sombra em seus olhos que me incomoda. Sua voz não tem o tom despreocupado que estou acostumada a ouvir, e até sua aparência parece um pouco... desconectada. A maquiagem dos olhos está pesada demais. A blusa, mais apertada do que o normal, os seios praticamente pulando para fora. Por pior que pareça dizer isso, Ramona parece acabada e vulgar. No passado, era capaz de sustentar sua sensualidade sem o menor problema, porque tinha autoconfiança para isso. Mas, agora, isso faltava.

A conversa muda para nossas famílias, e acabamos ficando na cafeteria por mais quarenta minutos, contando uma à outra o que os pais têm aprontado e rindo das suas palhaçadas. Quando anuncio que preciso ir para a aula, seu sorriso desaparece, mas ela simplesmente balança a cabeça e se levanta. Jogamos os copos vazios no lixo, damos um abraço e seguimos nossos caminhos separados.

Ao observar Ramona se afastar, com os ombros curvados e as mãos no bolso da calça jeans, meu coração se comprime. Sou uma amiga de merda por manter a distância? Sinceramente, nem sei mais.

Reflito sobre a questão enquanto caminho pela calçada de paralelepípedos, em direção à matéria eletiva de teoria do cinema que peguei neste semestre. Estou subindo os degraus do prédio coberto de hera quando meu telefone toca. É Logan.

Atendo, abafando um suspiro e torcendo para que ele não esteja ligando para se desculpar de novo pelo papelão do café de ontem. Ainda não decidi se foi irritante, bonitinho ou as duas coisas. Ele acabou aparecendo de novo, no final do dia, e tivemos uma longa conversa sobre confiar um no outro. Acho que conseguimos chegar a um entendimento sobre limites.

"Oi, linda. Que bom que peguei você antes da aula."

O som de sua voz rouca me faz sorrir. "Oi. E aí?"

"Queria confirmar uma coisa com você: Dean e Tuck vão a um show em Boston, no sábado à noite, e decidiram passar o fim de semana lá. Vão pegar duas noites de hotel e tudo. E Garrett vai ficar com Hannah até domingo, então..."

Ele faz uma pausa, e praticamente posso ver o rubor em suas bochechas. Nunca esperei que Logan corasse de nervoso, e é a coisa mais fofa.

"Achei que talvez você quisesse passar o fim de semana comigo."

A excitação me invade. O nervosismo também, mas nada muito exagerado. Há quase três semanas somos oficialmente um casal, e nem uma vez Logan tentou me forçar a fazer sexo. Na verdade, nem tocou no assunto, o que acho tanto desconcertante quanto reconfortante.

Ele é rápido em me tranquilizar de novo, acrescentando: "Sem grandes expectativas, aliás. Não estou convidando você para... sei lá... uma orgia de três dias nem nada parecido".

Solto uma gargalhada. Meu namorado, sempre um poeta.

"Jogo todas as camisinhas da casa fora, se você quiser. Sabe como é, pra eliminar a tentação."

Engulo uma risada. "Que gentil da sua parte."

Sua voz fica mais grossa. "Só quero dormir com você. E acordar com você. E fazer sexo oral em você, se estiver no clima para um orgasmo à la John Logan."

Uma risada escapa, e ele retribui com outra, que chega ao meu ouvido e deixa minha cabeça leve.

"Vou adorar passar o fim de semana com você", digo, com firmeza. "Ah. Acabei de me lembrar. Tenho que jantar com meu pai no domingo à noite. Você pode me deixar na casa dele lá pelas seis?"

"Sem problema." Então ele hesita. "Você não vai contar onde passou o fim de semana, vai?"

Fico lívida. "Claro que não. Não quero que tenha um ataque cardíaco. Ele ainda se oferece para amarrar meus sapatos às vezes."

Logan ri. "Vou passar no mercado amanhã. Tem alguma coisa especial que quer que eu compre? Petiscos? Sorvete?

"Ah, sim. Sorvete. Menta com chocolate."

"Pode deixar. Mais alguma coisa?"

"Não, mas mando uma mensagem se pensar em algo." Meu coração dispara mais rápido do que deveria, considerando que estamos falando só de um fim de semana. Não estamos fugindo juntos nem nada disso. Mesmo assim, todo o meu corpo está tremendo de ansiedade, porque três dias ininterruptos com Logan parecem o paraíso absoluto.

"Então amanhã pego você depois da sua última aula? Termina lá pelas cinco, né?"

"Isso."

"Certo. Mando uma mensagem quando estiver a caminho. Até mais, linda."

"Logan?", deixo escapar, antes que ele desligue.

"O quê?"

Inspiro fundo. "Não jogue as camisinhas fora."

29

GRACE

É sexta-feira à noite. Logan e eu estamos aninhados no sofá da sala, prestes a assistir a um filme de terror que ele escolheu. Jantamos peixe com batata frita em Hastings e, quando voltamos, achei que íamos subir e arrancar as roupas um do outro. Eu pretendia entregar minha flor a ele, como diria minha mãe. Em vez disso, Logan me surpreendeu sugerindo um filme.

Suspeito que esteja tentando não parecer ansioso demais, mas os olhares ardentes que continua lançando na minha direção me dizem que quer isso tanto quanto eu. Ainda assim, gosto da ideia de ir devagar. Deixar a tensão acumular, a ansiedade ferver.

"Não acredito que vamos ver isso", reclamo, quando vejo o nome do filme na tela.

"Você disse que eu podia escolher", protesta ele.

"É, porque achei que fosse colocar algo *bom*." Olho para a televisão. "Já sei que é o tipo de filme que vai me deixar com raiva."

"Espera, com raiva?" Ele me lança um olhar perplexo. "Achei que estivesse reclamando porque não queria ficar com *medo*."

"Com medo? Por quê?"

O riso escapa de sua garganta. "Porque é um filme de terror. Um fantasma vai matar as pessoas de maneiras terríveis, Grace."

Reviro os olhos. "Filmes de terror não me dão medo. Eles me irritam, porque as personagens são burras. Tomam as piores decisões possíveis, e esperam que a gente fique com pena delas quando morrem."

"Talvez sejam adultos inteligentes e sensatos que fazem tudo certo, mas mesmo assim acabam mortos", ressalta ele.

"Tem um *fantasma* na casa, e eles decidem continuar lá. A decisão sensata seria ir embora."

Ele puxa uma mecha do meu cabelo, a voz assumindo um tom severo. "Hum, vamos ver... acho que vai ter um bom motivo para eles não poderem sair de casa. Aposto cinco dólares."

"Fechado."

Nós nos acomodamos para ver o filme, Logan deitado e eu aconchegada junto dele, com a cabeça em seu peito. Ele acaricia meu cabelo, e a primeira cena surge na tela. É uma sequência de ação que antecede os créditos de abertura — incrivelmente *não* assustadora, diga-se de passagem —, envolvendo uma loira peituda, uma força malévola invisível e um chuveiro escaldante. A mulher encontra seu terrível fim: é queimada viva. O espírito maligno, claro, mudou a temperatura da água. Logan olha para mim animado após a cena da morte, mas me recuso a retribuir sua alegria, porque me sinto mal pela menina de verdade. Ele ganhou essa, porque tenho que admitir que a única decisão que tomou no filme foi tomar um banho, e quem pode culpá-la?

O filme se desenrola da maneira mais previsível possível. Um grupo de estudantes universitários realiza experimentos paranormais na casa fantasma, até que... o primeiro morre.

"Lá vem", digo, animada. "A razão *sensata* para eles ficarem em casa."

"Fica olhando, o fantasma não vai deixar ninguém sair", chuta Logan.

Ele chuta errado.

Na tela, as personagens discutem se devem ir embora, e uma das meninas anuncia: "Gente, estamos fazendo um trabalho importante aqui! Estamos *provando* a existência de entidades paranormais! A ciência *precisa* disso. Precisa *da gente*".

Começo a rir, tremendo contra o peito forte de Logan. "Ouviu isso, Johnny? A ciência precisa deles."

"Odeio você", resmunga ele.

"Cinco dólares...", cantarolo para Logan.

Sua mão desliza por meu corpo e belisca minha bunda, me fazendo gritar de surpresa. "Pode tripudiar. Você ganhou a batalha, mas vou ganhar a guerra."

Sento de frente para ele. "Como assim?"

"Você ainda tem que aguentar o filme até o final, e vai odiar cada segundo dele. Eu, por outro lado, estou adorando."

Ele está absolutamente certo.

A menos que...

Enquanto Logan volta a atenção para o filme, me aninho junto a ele de novo, só que, dessa vez, não descanso a mão em seu peito. Pouso-a mais baixo, a meros centímetros do cós da calça de moletom que vestiu quando chegamos do jantar. Logan não parece notar. Está muito absorto no filme. Rá. Não vai continuar assim por muito tempo.

Com a maior indiferença, levo a mão para o ponto em que a bainha da camiseta branca subiu ligeiramente. Deslizo os dedos sob o tecido e acaricio sua barriga dura, então ouço sua respiração falhar. Lutando contra um sorriso, achato a palma da mão contra sua pele e paro de movê-la. Depois de um momento, ele relaxa.

Na tela, a trupe idiota de "especialistas" em paranormalidade tenta gravar a voz do espírito usando uma engenhoca saída direto de *Os Caça-Fantasmas*.

Eu me estico e beijo o pescoço de Logan.

Ele fica tenso, então deixa escapar uma risada. Baixa e divertida. "Não vai funcionar, gata..."

"O que não vai funcionar?", pergunto, inocente.

"O que você tá tentando fazer agora."

"Aham. Tenho certeza de que não."

Eu o provoco com beijos suaves na lateral do pescoço, movendo meu corpo para que ele não possa deixar de sentir o calor da minha boceta contra sua coxa. *Boceta*. Estou até começando a pensar que nem ele. Logan me corrompeu com as palavras sujas que sussurra quando brinca comigo, e gosto disso. Gosto da emoção de ser ousada e devassa, e *amo* o jeito como sua carne quente treme quando o provo com a língua.

Sua cabeça está voltada para a tela, mas sei que não está prestando atenção ao filme. A protuberância em sua calça de moletom aumenta, dura e longa contra o tecido. Beijo seu pescoço, sentindo os fortes tendões tensionarem, o pomo de adão vibrando sob meus lábios.

Quando fala, sua voz é tão rouca que me arrepia. "Quer ir lá pra cima?"

Ergo a cabeça e encontro seus olhos. As pálpebras estão pesadas, e o olhar, nebuloso. Faço que sim.

Logan não desliga o filme. Simplesmente fica em pé e me levanta com ele, então me conduz para o quarto, segurando minha mão o tempo todo. Está muito mais arrumado do que a última vez que estive nele. Na noite em que apareci para gritar com Logan por causa da história com Morris. Parece que foi há uma vida.

Estamos a meio metro de distância um do outro. Ele não se move. Não me toca. Apenas me olha, com nada menos que admiração nos olhos.

"Você é tão linda."

Até parece. Estou de calça jeans e uma blusa solta listrada que fica caindo de um dos ombros. Meu cabelo está desarrumado, porque estava um vento louco mais cedo. Sei que não estou bonita, mas a forma como olha para mim... Faz eu me *sentir* bonita.

Seguro a barra da blusa, puxo-a por cima da cabeça e a deixo cair no chão. Suas narinas se dilatam diante da visão do meu sutiã minúsculo meia taça. Sustentando seu olhar, levo as mãos às costas, abro o fecho, e o sutiã cai também.

Logan inspira fundo. Já viu meus peitos antes. Já me viu nua, na verdade. Mas a fome em seus olhos, a admiração reluzente... é como se estivesse me olhando pela primeira vez.

Tiro a calça e a calcinha e me aproximo dele, com uma confiança que me assusta. Deveria estar nervosa, mas não estou. Minhas mãos estão firmes enquanto tiro sua regata. Seu peitoral nunca falha em me deixar tonta. É torneado. Masculino. Perfeito.

Baixo sua calça de moletom, e ele não diz uma palavra. Não está de cueca. Sua ereção se projeta, rígida e imponente. Quando envolvo os dedos nela, Logan emite um ruído desesperado no fundo da garganta.

Mas ainda não me toca. Seus braços permanecem pensos junto ao corpo; ele, completamente imóvel. Acho que nem pisca.

"Tem algum motivo para suas mãos não estarem em cima de mim agora?", provoco.

"Estou tentando ir devagar", ele explica. "Se tocar você, não vou ser capaz de parar, e aí já vou estar dentro e..."

Calo sua boca com um beijo firme, levando as mãos à sua nuca. "Essa é a ideia. Você dentro de mim." Então mordisco seu lábio inferior e, de uma hora para a outra, o resquício de controle ao qual ele estava se agarrando já era.

Rosnando contra meus lábios, Logan me empurra em direção à cama, o corpo forte pressionado contra o meu, a ereção entre nós.

Minhas panturrilhas batem na beirada da cama, e caio para trás com um grito, puxando-o comigo. Pousamos no colchão com um baque que nos faz rir. O lençol tem cheiro de sabão em pó, parecendo limpo e convidativo, e o aroma, misturado com o odor masculino inebriante de Logan, faz meu cérebro mergulhar numa névoa. Seu corpo se move com urgência à medida que ele me beija de novo. Estava certo em me avisar, porque não consegue parar de me beijar, nem para respirar. E não tira as mãos de mim. Do meu corpo todo. Logan explora avidamente o pescoço, os seios, a barriga, e então está entre minhas pernas, sua língua lambendo meu clitóris, quente e ganancioso.

Eu costumava ficar muito sem jeito quando meu namorado do colégio fazia isso. Era sempre íntimo demais, fazia eu me sentir exposta. Com Logan, estou entregue demais ao prazer para me importar com quão vulnerável a posição me deixa.

Meus quadris se erguem para encontrá-lo, ansiando por mais, e ele ri e me dá o contato que desejo. Envolve os lábios em meu clitóris e me chupa. Se eu não estivesse deitada, teria caído. O prazer dispara por minha coluna e se espalha pela corrente sanguínea. Quando ele enfia um dedo dentro de mim, minha mente se fragmenta em milhões de pedaços. Gozo mais rápido do que esperava. Mais rápido do que *Logan* esperava, e ele geme enquanto estremeço contra seu rosto, a língua e o dedo me conduzindo ao longo do orgasmo.

Quando caio de volta na terra, Logan levanta a cabeça com uma safadeza em voz baixa. "Adoro fazer você gozar", murmura. "É tão sensual." Ele tira o dedo e um tremor de prazer percorre meu corpo. "Você está molhadinha."

Deixo escapar um gemido, mas a decepção por ter tirado o dedo é substituída por uma excitação pulsante, porque Logan está abrindo a gaveta da mesa de cabeceira para pegar uma camisinha. Engolindo em seco, vejo quando a coloca. Com habilidade. Ele provavelmente já botou um milhão de preservativos na vida. É quase um especialista.

E se eu for péssima de cama?

Quando Logan traz o corpo forte para cima do meu, sinto o coração galopar numa velocidade alucinante. Seus lábios roçam minhas têmporas. Suaves. Gentis. "Tem certeza?", ele sussurra.

Olho para Logan, a preocupação se esvaindo. "Tenho."

Suas feições estão tensas pela concentração, e ele leva a ereção até mim. Entra um pouquinho e enrijeço, involuntariamente. A intrusão é de apenas um centímetro, mas a pressão é intensa. Seu pênis é muito maior do que o dedo.

"Você está bem?" Sua voz sai rouca, tomada pela preocupação.

"Estou", confirmo.

Um calor se espalha dentro de mim, e meu clitóris pulsa acelerado, junto com meu coração. Logan entra mais um centímetro e encontra resistência. É uma sensação estranha, mas não desagradável. Gotas de suor pontilham sua testa, e os tendões em seu pescoço saltam com o esforço, como se ele estivesse lutando para manter o controle.

Uma ansiedade que beira o temor se aloja em meu peito. É provavelmente a pior comparação possível, mas isso me lembra da primeira vez que minha mãe me levou ao salão de beleza para depilar as pernas. Eu deitada ali, com a cera quente aplicada à pele, observando a esteticista segurar o cantinho da tira, antecipando a dor, esperando que a puxasse.

"Acho que tem que ser como tirar um band-aid", deixo escapar. "Esquece esse negócio de ir devagar. Entra de uma vez."

Ele engasga com uma risada. "Não quero machucar você." Na verdade, Logan parou de se mover por completo, a ereção não entra nem sai. Só fica... ali.

"Qual é o problema, Johnny? Tá com medo?"

Uma chama de desafio brilha em seus olhos. "Zombar de mim não vai fazer você perder a virgindade."

"Desistir também não." Sorrio para ele. "Anda logo. Me come."

Logan mantém uma das mãos no meu quadril, mas leva a outra à minha boca, beliscando meu lábio inferior numa punição. "Não me apresse." Seu olhar se suaviza ao avaliar meu rosto. "Tem certeza?"

"Tenho..."

A mísera palavra mal escapa da minha boca e ele entra fundo. Suspiro, a rajada de dor me pegando de surpresa.

Logan está todo dentro de mim e, pelas feições tensas, sei que está se forçando a ficar imóvel.

"Tudo bem ainda?", murmura.

Faço que sim. A dor já está abrandando. Movo os quadris, e ele revira os olhos. "Minha nossa", exclama.

Por que ele não se mexe? Me sinto tão completa, mas estranhamente vazia.

Mais uma vez, ele verifica meu estado mental, emocional e físico. "Como você tá?"

Reviro os olhos. "Ótima. E você?"

"Tô morrendo aqui." E finalmente, *finalmente*, Logan faz algo diferente de se manter imóvel em cima de mim. Sua ereção sai um pouco, bem pouquinho, e entra de novo.

O prazer me invade. "Ah, faz isso de novo."

"Tem certeza? Tô tentando dar um tempo para você se adaptar."

"Tô bem. Juro."

Sua boca encontra a minha num beijo terno e doce. Em seguida, seus quadris começam a se mover. Empurrando e recuando num ritmo preguiçoso que arranca um ruído entrecortado da minha garganta. Me agarro a ele, enfiando os dedos em suas costas fortes.

"Me envolve com as pernas", ele pede, com a voz áspera.

Obedeço, e o ângulo muda na mesma hora, aumentando o contato, aproximando nossos corpos. Ele me enche, uma e outra vez, cada investida demorada intensificando a dor dentro de mim, até todo centímetro da minha pele estar quente e rijo, clamando por alívio. Preciso de mais. Meu clitóris está inchado, pulsando. Levo a mão até ele e esfrego, e o estímulo adicional é maravilhoso.

Logan descansa os cotovelos de cada lado da minha cabeça enquanto aumenta o ritmo, seus quadris indo para a frente, os lábios grudados nos meus, como se não pudesse suportar não me beijar. Quando atinge um ponto lá no fundo, a tensão explode num orgasmo tão intenso que nem sequer emito um som. Arqueio a coluna e aperto os olhos com força, a respiração presa na garganta, os lábios colados aos dele.

"Ah, *merda*." Logan entra uma última vez. Suas costas, molhadas de suor, tremem sob minhas mãos, enquanto ele rosna ao chegar ao clímax.

Seu coração martela contra meus seios, e me sinto quase presunçosa, porque fui *eu* que fiz isso com ele. Eu o fiz xingar e gemer e tremer como se o mundo sob seus pés tivesse desaparecido. Eu o fiz se despedaçar.

E ele fez exatamente a mesma coisa comigo.

Mais tarde, estamos deitados de lado, um de frente para o outro. Estou mole e saciada, preguiçosa demais para me mover. Mas não para admirar o belo corpo masculino estendido ao meu lado. Logan é comprido e poderoso, e não tem um pingo de gordura: é só músculo esticado contra os ossos. Seus braços são deliciosamente torneados; as coxas, imensas.

"Você é enorme", comento.

"Tá me chamando de gordo?", ele pergunta, com um sorriso.

"Não se preocupe, gosto de ficar na cama com um jogador de hóquei grande e viril." Acaricio seus bíceps preguiçosamente. "Mas, sério, você é enorme. Peito grande, pernas grandes, mãos grandes..."

"Pau grande", interrompe ele. "Não se esqueça disso."

"Essa coisinha de nada?" Meus dedos correm para sua virilha, percorrendo a pele aveludada. Não tenho ideia de como ainda está duro, depois do que acabamos de fazer. "Espera", digo. "Deixa eu pegar uma lupa para ver melhor."

"Cala a boca." Rindo, Logan me vira e me pressiona com o corpo musculoso que eu estava admirando. Ele se abaixa para beijar meu pescoço — não, ele não me beija. Assopra com força contra minha pele, me fazendo gritar. "O que você estava dizendo sobre o meu pau?"

"Nada", grito, com um ganido. "Atende perfeitamente minhas necessidades."

Ele solta um risinho, então rola para ficarmos cara a cara de novo, deslizando uma das pernas entre as minhas. "Nunca fiz isso antes", Logan admite. "Sabe, ficar deitado pelado com uma garota, só conversando."

"Nunca fiz isso pelada, mas ficava deitada conversando com meu namorado do colégio direto."

"Do que vocês falavam?"

"De tudo. Da escola. Da vida. Da TV. O que passasse pela cabeça."

"Por que vocês terminaram?"

"Brandon ganhou uma bolsa para estudar na Califórnia, e eu vim para a Briar. Não queríamos manter um namoro à distância. Nunca dá certo."

"Às vezes dá", discorda ele.

"Acho que sim. Mas nenhum de nós queria tentar, então..." Suspiro. "Acabou."

"Por que vocês nunca transaram?", pergunta Logan, curioso.

"Não sei. Só não aconteceu. E quase nunca conseguíamos ficar sozinhos. Meu pai tinha uma regra estrita sobre deixar a porta do meu quarto aberta, e os pais do Brandon eram ainda mais rigorosos. Não podíamos nem ir para o andar de cima. Ficávamos na sala, com a mãe dele nos espiando da cozinha."

Ele franze a testa. "Acho difícil acreditar que vocês não tenham arrumado um tempo sozinhos em... quanto tempo ficaram juntos?"

"Seis meses. E claro que ficamos algumas vezes sozinhos, mas, como eu disse, simplesmente não aconteceu."

Ele leva uma das mãos ao meu peito e aperta de leve. "Tá me dizendo mesmo que ele nunca tentou traçar isso aqui? Será que era gay?"

"Vai por mim, ele não era. Tá até casado agora."

Logan fica boquiaberto. "Sério? Ele era mais velho que você?"

"Não, temos a mesma idade. Parece que ele se apaixonou por uma garota no primeiro dia da faculdade, e eles se casaram no verão. A mãe dele contou para o meu pai."

Estremeço quando a pontinha do seu polegar roça meu mamilo, mas Logan não parece estar começando nada. Sua bochecha repousa contra o travesseiro, as feições relaxadas enquanto me acaricia, distraidamente.

"Você teve uma namorada no colégio?", pergunto.

Ele mexe as sobrancelhas para mim. "Tive muitas."

"Hum, que garanhão."

"Mas tive duas namoradas sérias. Uma no nono ano. Perdi a virgindade com ela."

"Quantos anos você tinha? Quinze?"

"Catorze." Ele me lança uma piscadinha. "Comecei cedo. Por isso sou tão bom no que faço."

Reviro os olhos. "E tão humilde." Paro para pensar no assunto. "Catorze parece novo demais para fazer sexo."

"Nem sei se dá para chamar o que fizemos de sexo", diz ele, com um riso de desdém. "A primeira vez durou uns três segundos, no máximo. Sério, entrei, gozei, saí. Nas outras, foram uns dez, mais ou menos. Eu tava sempre tão excitado que não conseguia me controlar quando ela tirava a roupa."

"E a segunda namorada?"

"Foi no ensino médio. Ficamos juntos um ano, mais ou menos. Ela era bem legal, meio mimada, mas não me importava, fazia de tudo por aquela menina." Ele franze a testa. "Me traiu com um cara mais velho. Na verdade, acho que ele estudava na Briar."

"Sinto muito."

"Ela me machucou pra cacete." Ele solta um gemido exagerado de dor, em seguida, pega minha mão e a coloca no peito. "Esperei por anos até alguém aparecer e me curar."

Solto um gemido também. De tão meloso que soou aquilo. "Você deveria ter colocado isso no poema."

"Escrevo outro", promete ele.

"Por favor, não." Um bocejo toma conta de mim; me viro para olhar as horas no despertador e me surpreendo ao descobrir que são só dez e quinze. "Por que tô tão exausta?"

"Cansei você, é?" Ele sorri, presunçoso. "Tava com medo de ter perdido o jeito durante o meu período de LP, mas ainda estou em forma."

"LP?" Suas abreviaturas às vezes me deixam louca. Torço para um dia ser capaz de entender todas.

"Lisura prolongada", explica ele.

"Foram só três semanas, seu tarado."

"Na verdade, tem... seis meses?"

Arregalo os olhos. "Faz seis meses que você não transa com ninguém?"

"É." Um olhar tímido preenche seu rosto. "Desde que conheci você."

"Mentira."

Agora ele parece ferido. "Acha que não tô falando sério?"

"Não... claro que não..." Minha mente se esforça para digerir a informação. Mesmo antes de conhecer Logan, estava bem ciente de sua reputação — testemunhei em primeira mão quando saiu daquele banheiro na festa.

E nós passamos o verão todo separados. Ele quer mesmo que eu acredite que não pegou *ninguém* durante todo esse tempo? Verdade seja dita, eu também não, mas não sou *John Logan*, o cara que dormiu com metade das meninas da Briar.

"Quase aconteceu uma vez", acrescenta ele, com uma expressão de dor no rosto. "Foi logo no início do verão, e você ainda estava ignorando minhas mensagens. Fui até a casa de uma mulher certo de que ia dormir com ela, mas quando tentou me beijar... Fui embora. Não pareceu certo."

Estou chocada. Absolutamente chocada.

"Mas *isto*..." Ele se inclina e pressiona gentilmente a boca na minha, no beijo mais doce possível. "Isto...", outro beijo, "... parece...", e outro, "... certo."

30

LOGAN

Melhor. Fim de semana. Da história.

Sinceramente, não lembro a última vez que sorri tanto. Ou ri tanto. Ou transei tanto.

Desde sexta à noite, Grace e eu parecemos dois coelhos, e toda vez é melhor que a última. A manhã de domingo está no final e *ainda* estamos mandando ver, enroscados nos lençóis, meu pau mergulhando em sua boceta quente e apertada. Fico perguntando se ela não está dolorida, mas Grace continua dizendo que não. Se for mentira, ela está aguentando firme. Como um jogador de hóquei que se enche de curativos, coloca o uniforme e corre para o gelo, porque o jogo é *tudo* para ele.

Acho que sou importante assim para ela também. Ou talvez Grace só goste da quantidade absurda de orgasmos que estou dando a ela. Agora está prestes a ter outro. Passei uns trinta minutos com a boca nela, até não aguentar mais, desesperado para entrar. Sua boceta ainda está molhada e inchada da minha língua. Ela me aperta feito uma máquina, enquanto seu corpo esbelto se flexiona contra o meu, arqueando a coluna contra cada investida apressada.

Ela está perto. Memorizei suas respostas, os ruídos que faz e a forma como seus músculos internos apertam meu pau quando o orgasmo é iminente.

"*Ah.*" Grace arfa quando giro os quadris, os olhos vidrados. "Isso... é... tão... bom."

"Bom" nem sequer chega perto de descrever. É... *divino*. O paraíso é aqui, nesta cama. Adoro estar dentro dela. Adoro *ela*.

A base da minha coluna se arrepia, o prazer contraindo meus músculos. Seguro sua bunda e enterro os dedos na carne firme, apertando contra mim, fodendo mais forte. Gozo primeiro, a mente aérea, nebulosa e incoerente. Ela vem logo atrás, apertando meu pau e fazendo um barulho sussurrante e satisfeito que me deixa louco.

Sempre que acabamos de transar, quase deixo escapar que a amo. E, em todas as vezes, fechei a boca para evitar que as palavras saíssem, porque tenho medo de dizer isso cedo demais. Conheço Grace desde abril, mas só começamos a namorar há menos de um mês, e não sei direito qual é a etiqueta do "eu te amo". Eu disse à minha primeira namorada depois de duas semanas juntos. À segunda, depois de cinco meses. Então, talvez devesse tirar uma média e dizer a Grace... depois de três meses. É. Parece adequado.

Assim que nos recuperamos do orgasmo, decidimos, enfim, nos arrastar para fora da cama. É quase meio-dia e não comemos nada desde que acordamos. Meu estômago ronca feito o motor de um carro turbinado. Nós nos vestimos, porque, não importa quantas vezes eu tente convencê-la, Grace se recusa a andar nua, com medo que os caras cheguem em casa. Fiquei perturbando Grace por isso, mas estou descobrindo depressa que ela tem uma característica extremamente irritante: está sempre certa.

Acabamos de entrar na cozinha quando passos ecoam do hall de entrada.

"Tá vendo?", ela aponta, vitoriosa. "Eles teriam visto a gente!"

"Vai por mim, os caras já me viram pelado várias vezes", digo.

"Mas eles nunca vão *me* ver pelada, se eu puder evitar."

De repente, imagino Dean cobiçando seus peitos nus, e a onda quente de ciúme que a visão provoca me faz perceber que sou grato por ela ter decidido se vestir.

Mas não é Dean que entra a passos largos na cozinha. É Garrett, e em seguida Hannah. Embora pareçam assustados ao encontrar Grace ali, cumprimentam minha namorada antes de se voltar para mim com um sorrisinho na cara. Babacas. Sei exatamente o que estão pensando — a musiquinha irritante. *Tá namoraaaaaaando.*

"Oi." Semicerro os olhos. "Achei que iam ficar fora este fim de semana."

"Aham, tô vendo", zomba Garrett, os olhos cinzentos brilhando.

"Porque foi isso que você falou", rebato, enfaticamente.

Hannah vai até Grace e estende a mão. "Não fomos apresentadas. Sou Hannah."

"Sou Grace."

"Eu sei." Hannah parece não conseguir tirar o imenso sorriso idiota da cara. "Logan fala de você o tempo todo."

Grace olha para mim. "Sério?"

"O dia inteirinho", confirma Garrett, abrindo outro imenso sorriso idiota. "Também escreve poemas grandiosos sobre você e recita para a gente na sala todas as noites."

Hannah gargalha.

Mostro o dedo do meio para ele.

"Ah, eu sei dos poemas", diz Grace ao meu melhor amigo. "Já enviei o que ele me mandou para uma editora de Boston."

Eu me viro na direção dela. "Você não tá falando sério."

Garrett dá uma gargalhada. "Se ela estiver blefando, pode deixar que *eu* me encarrego de mandar."

"Tô me sentindo excluída", comenta Hannah. "Por que só eu não vi esse poema?"

"Eu mando pra você", oferece Grace, me deixando com um rosnado de *nem pensar* nos lábios.

"Então, o que a gente vai comer?" Garrett marcha até a geladeira. "Tô morrendo de fome, e *alguém* não quis parar na lanchonete para tomar café."

"Trabalho quatro dias por semana lá", protesta Hannah. "É o último lugar aonde quero ir na minha folga."

Ele pega duas caixas de ovos. "Omelete?"

Concordamos, então Garrett começa a quebrar os ovos, enquanto Hannah e Grace picam legumes na bancada. Meu trabalho é pôr a mesa, o que leva trinta segundos inteiros. Sorrindo, sento num banquinho e os observo.

"Você vai lavar os pratos", avisa Hannah, entregando uma tábua cheia de pimentões a Garrett.

Por mim tudo bem. Apoio os cotovelos na bancada e pergunto a ela: "Então, por que voltaram mais cedo?".

"Allie e Sean estão brigando." Ela olha para Grace. "Minha colega de quarto e o namorado."

"Ao que parece, vai ser *ex*-namorado muito em breve", observa Garrett, do fogão. "Acho que nunca ouvi duas pessoas gritando uma com a outra daquele jeito."

Hannah suspira. "Às vezes eles despertam o pior um no outro. Mas também despertam o melhor. É por isso que ficam terminando e voltando o tempo todo. Achei que dessa vez ia dar certo, mas..."

Um aroma de dar água na boca invade a cozinha. Garrett não é o melhor cozinheiro, mas faz omeletes excelentes. Dez minutos depois, serve as iguarias fofinhas e douradas, repletas de queijo, cogumelo e pimentão, e nós quatro sentamos à mesa. Parece um encontro de casais, o que é surreal. Até o ano passado, Garrett não estava interessado em namorar, e, até o mês passado, nem eu.

Mas gosto disso. Hannah e Grace estão se dando bem. A conversa é animada. Rimos muito. Não lembro a última vez que me senti tão em paz. Quando terminamos de comer, nem me importo de estar encarregado dos pratos.

Grace fica com pena de mim e me ajuda a tirar a mesa, em seguida me segue até a pia, onde passo uma água em cada prato antes de colocar na máquina de lavar.

"Agora entendo por que você foi a fim dela." Sua voz é quase inaudível, mas melancólica o suficiente para enrijecer meus ombros.

Quando percebo que está olhando para Hannah, sinto uma pontada de culpa no coração. Não tinha mencionado o nome de Hannah quando contei a Grace sobre ela, em abril, mas admiti que gostava da namorada do meu melhor amigo. Ela ligou uma coisa à outra.

"Hannah é engraçada. E muito bonita", Grace comenta, sem jeito.

Seco as mãos com um pano de prato e seguro seu queixo, atraindo seu olhar para mim. "Não estava a fim *dela*", murmuro. Em seguida, viro a cabeça de Grace na direção da mesa de novo. "Estava a fim *daquilo*."

Garrett tinha acabado de puxar Hannah para seu colo, passando um braço à sua volta e dando um beijo na pontinha do nariz dela. Com a mão livre, ele alisa seu cabelo escuro, e ela se inclina para sussurrar algo em seu ouvido, fazendo-o rir. A forma como olham um para o outro... o respeito com que ele a toca... os dois estão apaixonados, e qualquer um pode ver isso.

Até Grace, que se vira para mim com um sorriso. "É. Quem não estaria?"

Depois que terminamos de ajeitar a cozinha, vamos para o quarto, mas não para transar. Mal dormimos neste fim de semana, graças à maratona sexual — não que eu esteja reclamando —, então decidimos tirar um cochilo. Coloco o alarme para ter certeza de que não vamos perder a hora, porque tenho que levar Grace à casa do pai dela às seis.

Entramos debaixo das cobertas e puxo seu corpo quente para junto de mim, abraçando por trás. Solto um suspiro de satisfação, mas, bem quando estou começando a pegar no sono, sua voz me coloca em estado de alerta.

"John?", ela murmura.

Meu coração fica apertado. Não sei por que isso acontece toda vez que Grace usa meu primeiro nome. Ela também me chama de Logan, e de Johnny, quando está tirando sarro da minha cara, mas é só quando pronuncia "John" que meu peito se inunda de emoção.

"Hum?"

"Quer jantar com a gente?"

Fico rígido, e ela percebe. Grace solta uma risada suave e acrescenta: "Não precisa ser agora. Mas... Você meio que conheceu minha mãe, e meu pai não é muito assustador. Talvez você o ache chato. Ele fala muito de ciência".

Certo. Ela tinha comentado que o pai era professor de biologia. Mas não é isso que me preocupa. Da última vez que conheci os pais de uma menina, estava na escola, e não foi grande coisa, na época. Na verdade, acho que foi inevitável, considerando que tanto eu quanto a minha namorada morávamos com a família.

E, sim, já falei com a mãe de Grace pelo Skype, mas não pareceu um encontro oficial, nem nada assim. Foi divertido e casual. Encontrar o pai de Grace — em *pessoa* — parece importante.

Diz o cara que está apaixonado por ela.

Bom argumento. Merda, me aventurei em território IMPORTANTE no momento em que percebi o que sentia por ela.

"Ele não vai se importar se eu for?"

"De jeito nenhum. Minha mãe contou que tô namorando, então, na verdade, ele tá enchendo meu saco pra conhecer você", confessa ela.

"Tá, então tudo bem." Eu a aperto mais. "Vou adorar jantar com vocês."

GRACE

Está uma noite agradavelmente quente, então meu pai decide que vamos comer no jardim. Ele faz bifes na churrasqueira enquanto Logan cuida da salada e eu das batatas. Pela concentração absoluta com que corta os tomates, seria de imaginar que está disputando uma vaga no *Top Chef*.

"Relaxa, Johnny", brinco. "Sua habilidade em preparar uma salada não vai influenciar o veredicto do meu pai sobre você."

Além do mais, acho que ele já gosta de Logan. Não o interrogou como eu imaginava, e acho que ficou secretamente aliviado quando Logan soltou uma piada assim que chegamos. Meu pai sempre achou que Brandon tinha personalidade fraca — isso mesmo, um professor de biologia molecular achava meu namorado *chato*. O que estava longe de ser o caso. Brandon era tímido, não chato. Quando estávamos sozinhos, ele me fazia chorar de rir.

Mas meu pai nunca soube disso, e não há como negar que Logan é muito mais seguro. Cinco minutos depois de conhecer meu pai, deu uma bronca bem-humorada nele por ter incutido em mim um "ódio" por hóquei. Meu pai toca no assunto de novo quando nos sentamos à mesa de vidro na varanda.

"O negócio é o seguinte, John", começa, enquanto corta o bife. "Gracie é inteligente o suficiente para reconhecer o nível inferior de habilidade envolvido no hóquei." Seus olhos brilham, achando graça.

Logan finge arfar. "Que absurdo!"

"Encare os fatos. O futebol americano está em outro patamar atlético."

Parecendo pensativo, meu namorado mastiga a batata. "Pegue os jogadores do Bruins, coloque o equipamento de futebol americano neles e jogue num campo. *Garanto* que vão jogar os quatro quartos e até detonar em campo." Ele sorri. "Agora pegue os caras do Pats, coloque patins e protetores e jogue no rinque. Acha mesmo que vão aguentar por três períodos, e *bem*?"

Meu pai estreita os olhos. "Eles não vão jogar bem, porque muitos deles provavelmente nem sabem patinar."

O sorriso de Logan é triunfante. "Mas se eles estão num patamar atlético superior", ele lembra meu pai, "como não sabem patinar?"

Meu pai suspira. "Você ganhou, Logan. Eu me entrego."

Solto um risinho.

O restante do jantar corre da mesma maneira, cheio de discussões animadas que terminam com um deles ou os dois sorrindo. Não posso conter a explosão de alegria no meu coração. Ver meu pai e meu namorado se dando bem é um alívio. Agora tenho o selo de aprovação de *ambos* os meus pais, e a opinião deles é de extrema importância para mim.

Meu pai fala sobre minha mãe enquanto nós três tiramos a mesa. "Ela está pensando em vir a Hastings no feriado de Ação de Graças."

"Sério?" Fico animada com a notícia. "Vai ficar no hotel ou aqui?"

"Aqui, claro. Não faz sentido gastar dinheiro com hotel quando tem lugar sobrando aqui." Meu pai equilibra o prato e a tigela da salada numa das mãos para abrir a porta de correr. "Estava pensando em tirar uns dias de folga e ir até Boston com ela. Temos alguns amigos em comum que podemos visitar."

Qualquer filho de pais divorciados poderia ficar cheio de esperanças ao ouvir que seus pais talvez façam uma viagem juntos, mas, para mim, o casamento está morto e enterrado. Sei que meus pais nunca vão ficar juntos de novo — são muito mais felizes separados —, mas adoro que ainda sejam próximos. Melhores amigos, na verdade. É inspirador.

Para minha surpresa, depois que agradecemos ao meu pai pelo jantar e subimos na caminhonete de Logan, isso é a primeira coisa que ele comenta.

"É muito legal que eles tenham continuado amigos depois da separação."

Concordo. "Pois é! Adoro isso. Ia detestar se vivessem brigando e me colocando no meio, ou algo assim." Então fico tensa, percebendo que a relação dos pais dele talvez seja exatamente a que acabei de descrever. Logan não toca muito no assunto, e nunca peço detalhes, porque é óbvio que ele prefere não falar sobre a família.

Em especial sobre o pai. Mas *definitivamente* não toco nesse assunto, não por causa dele, mas por mim mesma. Tenho pavor de revelar meus verdadeiros sentimentos: acho que Logan está cometendo um grande erro ao abandonar o hóquei depois da formatura.

Ele insiste que tocar a oficina e cuidar do pai é o melhor para a família, mas eu discordo. O melhor para Ward Logan é uma longa temporada na reabilitação, seguida por uma intensa terapia. Mas quem sou eu para opinar? Um ano de aulas de psicologia não forma um psicólogo.

"Seu pai é o máximo." Os olhos de Logan estão grudados no para-brisa, mas não há como não notar a tristeza em sua voz. "Parece o tipo de pessoa que sempre vai estar lá por você. Que não ia te abandonar no hospital se você quebrasse o tornozelo ou algo assim, sabe?"

O exemplo é tão específico que me faz franzir o cenho. "Isso... aconteceu com você?"

"Não." Ele faz uma pausa. "Mas aconteceu com minha mãe."

Minha cara feia se intensifica. "Seu pai abandonou sua mãe no hospital?"

"Não exatamente. Ele... quer saber? Esquece isso. É uma longa história."

Sua mão repousa sobre o câmbio, e eu a cubro com a minha. "Quero ouvir."

"De que adianta?", murmura ele. "Já passou."

"Ainda quero ouvir", digo com firmeza.

Logan deixa escapar um suspiro cansado. "Eu tinha uns sete ou oito anos. Tava na escola, então não vi como foi, mas ouvi da minha tia depois. Na verdade, toda a vizinhança ficou sabendo, de tão alto que ela gritou quando meu pai finalmente resolveu voltar pra casa."

"Você ainda não me contou o que aconteceu..."

Ele mantém os olhos na estrada. "Era inverno, o tempo tava uma merda e minha mãe escorregou no gelo limpando a saída da garagem." Seu tom é permeado pela amargura. "Meu pai tava lá dentro, e tinha bebido um pouco. Ele é quem deveria estar fazendo aquilo, pelo menos ter ajudado minha mãe. Enfim, ela machucou o tornozelo feio, quase quebrou, e ele a ouviu gritar por socorro e saiu correndo. Meu pai não queria tocar nela, porque não tinha certeza do tamanho do problema. Pelo menos ele colocou um cobertor na minha mãe enquanto os dois esperavam a ambulância."

Os ombros de Logan estão rígidos, tão inflexíveis quanto sua mandíbula. Não sei se quero ouvir o final dessa história.

"Aí a ambulância chegou, mas meu pai não foi com ela. Disse que ia atrás com o carro, para poder buscar eu e Jeff na escola. E essa foi a última notícia que minha mãe teve dele por três dias."

Logan balança a cabeça com raiva. "Ele entrou no carro e foi embora. Não tenho ideia de para onde. Mas não para o hospital, onde a mulher teve que fazer duas cirurgias. Nem para a escola, porque Jeff e eu esperamos por horas e ele não apareceu. Um dos professores percebeu que a gente ainda tava lá, fez umas ligações e nos levou para o hospital. Minha tia veio de Boston e ficou com a gente enquanto minha mãe se recuperava."

Inspiro fundo. "Por que seu pai fez isso?"

"Sei lá. Acho que percebeu que ia ter que cuidar dos filhos, da casa e da mulher, e não aguentou a pressão. Passou esses dias bebendo, nem foi ver minha mãe no hospital."

Uma indignação invade meu peito e faz com que minhas mãos tremam. Que tipo de marido faz isso? Que tipo de pai?

Logan lê meus pensamentos, porque vira a cabeça para mim com um olhar suave. "Sei que você tá odiando o cara agora, mas precisa entender uma coisa. Ele não é ruim: é uma doença. E, vai por mim, ele odeia a si mesmo. Mais do que eu ou você podemos odiar." Sua respiração sai irregular. "Na verdade, quando esteve sóbrio, ele era um bom pai. Me ensinou a patinar e tudo o que sei sobre carros. Teve um verão em que a gente consertou um Pontiac lindo. Passamos horas juntos na oficina."

"Por que seu pai voltou a beber?"

"Não sei. Acho que nem ele sabe. É o tipo de coisa que... se você tá estressado, por exemplo, pode beber uma taça de vinho, certo? Ou uma cerveja, um uísque, algo para acalmar. Mas ele não consegue beber um copo só. Bebe dois, três ou dez, não consegue parar. É um vício."

Mordo o lábio. "Eu sei disso. Mas por quanto tempo vai continuar usando isso como desculpa para suas ações? Acho que chega um ponto em que você tem que parar de se permitir isso."

"Nós já o arrastamos para a reabilitação, Grace. Ele não fica a menos que resolva ir por conta própria."

"Então talvez você precise jogar duro. Deixar que chegue no fundo do poço para tomar essa decisão sozinho."

"Como? Deixando que ele perca a casa?", questiona Logan, suavemente. "Deixando os cobradores baterem à porta, e o banco? Deixando a oficina fechar? Sei que é difícil entender, mas não podemos pegar pesado. Talvez, se batesse em nós ou nos tratasse mal, fosse mais fácil, mas ele não é abusivo, é autodestrutivo. Podemos incentivar meu pai a ficar sóbrio, podemos ajudar a manter as coisas em ordem, mas não vamos abandonar o cara."

"Você tem razão. É difícil entender", admito. "De onde vem essa lealdade inabalável? Principalmente levando em conta o exemplo que seu pai dá... Cadê a lealdade *dele*? Que sacrifícios *ele* fez por você?"

Logan vira a palma da mão para cima e entrelaça os dedos nos meus. "Esse é o outro motivo pelo qual estou fazendo isso. O exemplo dele. Se eu abandonar meu pai, não sou melhor do que ele. Então *eu* serei egoísta, e isso é algo que não quero. Às vezes, odeio tanto o velho que quero dar um murro na cara dele; às vezes me pego querendo que ele morra; mas, não importa quão frustrante seja, ele ainda é meu pai, e eu o amo." Sua voz falha. "Vou tratar o cara da maneira que gostaria de ser tratado se algum dia estivesse na posição dele. Sendo paciente e dando apoio, mesmo que ele não mereça."

Logan fica em silêncio. Meu coração se aperta, então se expande, transbordando de emoção. Ele continua a me surpreender. A me impressionar. É uma pessoa muito melhor do que eu, melhor do que ele mesmo se permite enxergar. Se eu não tinha certeza disso antes, estou muito segura agora.

Eu o amo.

31

LOGAN

"Cerveja no Malone's?", pergunta Dean, ao sairmos do que deve ter sido o pior jogo de toda a minha carreira.

Cerro os dentes. "Já marquei com a Grace. E, mesmo que não tivesse combinado, não ia comemorar essa merda de noite no bar, cara."

Ele passa a mão pelo cabelo loiro, ainda molhado do banho. "É, foi dureza. Mas acabou. Fim de jogo. Não adianta ficar pensando nisso."

Em momentos como este, me pergunto por que Dean joga. Para pegar mulher, talvez? Desde o dia em que se juntou à equipe, ele tem demonstrado uma indiferença com o esporte que é uma vergonha. Por acaso, o cara é um jogador incrível. Mas não tem interesse em continuar depois da faculdade, pelo menos não profissionalmente.

"Sério, cara, chega de cara feia", ordena Dean. "Vem pro bar com a gente. Arrumei uma identidade falsa pro calouro, vou mostrar alguns truques pra ele esta noite. Preciso de ajuda."

O "calouro", claro, é Hunter, que Dean meio que adotou. Ele está firme e forte em sua determinação de corromper o cara.

"Fica pra próxima. Grace e eu vamos ver um filme."

"Tédio. A menos que vejam pelados. Aí eu aprovo."

Estou torcendo para que isso aconteça. Preciso liberar toda a tensão reprimida que está me massacrando desde que fomos para o vestiário depois do apito final, com o cheiro azedo de uma derrota por cinco a zero na esteira.

Tudo bem que foi só um amistoso, mas indica que não estamos nem de perto preparados para o campeonato — e o primeiro jogo é na semana que vem. Além do mais, fomos derrotados pelo St. Anthony, o que só me irrita ainda mais, porque eles são um bando de babacas.

Quando entro no quarto de Grace, um pouco mais tarde, ainda estou espumando de raiva. Ela faz com a boca um barulhinho de simpatia assim que nota meu rosto.

"Foi tão ruim?" Me abraça apertado e dá um beijo suave no meu pescoço.

"O time ainda não tá entrosado", respondo, irritado. "O treinador continua reorganizando as linhas, tentando encontrar um esquema tático que funcione, mas não tá dando certo."

É frustrante, principalmente porque Dean e eu funcionamos bem quando jogamos na mesma linha. Mas, como somos os melhores jogadores da defesa, o técnico nos separou, na esperança de garantir uma qualidade mínima das duas linhas. Estou fazendo par com Brodowski agora, que precisa de tanta ajuda que é como se eu estivesse sozinho na defesa.

"Tenho certeza de que vai melhorar", assegura ela. "E prometo que vou estar na arquibancada na semana que vem."

Sorrio. "Obrigado. Sei o sacrifício que é pra você."

Grace suspira. "Imenso." Ela pega uma camiseta do chão e joga no cesto de roupa suja. "Só vou terminar de arrumar aqui e podemos colocar o filme. Tudo bem?"

"Tudo."

Tiro os sapatos e o casaco e fico observando enquanto recolhe a roupa do chão — até que percebo que é tudo da sua colega de quarto. Daisy deve amar Grace. Colega de quarto incrível e camareira com TOC num único e lindo pacote.

Ela se abaixa para pegar uma meia que está presa entre a mesa e a cama de Daisy, e a visão de sua bunda me faz soltar um gemido.

Grace olha por cima do ombro. "Tudo bem aí?"

"Ah, sim. Fica nessa posição mais um pouquinho. *Exatamente* assim."

"Tarado."

"Sou mesmo. Como me atrevo a secar a bunda gostosa da minha namorada?" Minha garganta fica seca. "Quero comer você bem assim hoje à noite."

A respiração dela se acelera. "Gostei disso."

Rio da provocação. "Então vem pra cama. Sem roupa. Agora. Se for rápida, vai ganhar orgasmos extras."

Ela arranca a camiseta, a legging e a calcinha em tempo recorde, e eu rio ao levar a mão ao fecho da minha calça. "Quem vê isso pode pensar que não satisfaço suas necessidades."

Seu olhar acompanha o movimento dos meus dedos enquanto abro o zíper. Amo o jeito como me olha. Faminta e interessada, como se não se cansasse nunca do que vê.

Um minuto depois, já tirei a roupa e coloquei a camisinha. Não preciso de preliminares esta noite — estou duro feito pedra e ansioso para começar —, mas isso não me impede de brincar com Grace um pouco.

Me coloco entre suas pernas e beijo suas coxas. Sua pele é lisa, sedosa sob minha língua, e enquanto vou lambendo por todo o caminho até o clitóris, seus dedos se entrelaçam em meu cabelo, me prendendo ali. Rindo, dou o que ela quer. Lambidas suaves e lentas, beijos carinhosos, até ela estar se contorcendo no colchão. Mas não a deixo terminar. Seu primeiro orgasmo é sempre o mais intenso, e quero sentir meu pau sendo apertado e ouvir Grace gemendo meu nome quando vier.

Dou um último beijo, então agarro seus quadris e a giro de costas. "De quatro, linda. Levanta essa bunda gostosa pra mim."

Grace me obedece. Minha virilha se choca contra sua bunda firme quando me coloco de joelhos atrás dela, então ela a esfrega contra mim, fazendo um raio de calor percorrer minha coluna. Dois meses juntos, e ela ainda me deixa louco. O prazer que me proporciona é de paralisar o cérebro.

Seguro minha ereção e a guio entre as nádegas, descendo até chegar à boceta. A expectativa aquece o ar. Este é meu momento preferido, a sugestão de sucção em torno do meu pau, a consciência de que em breve ela vai estar me apertando, me envolvendo com seu calor.

Grace está tão molhada que entro até o fim com o primeiro movimento, preenchendo seu corpo ao máximo. Começo devagar, querendo prolongar o momento, mas cada investida profunda embaralha meu cérebro mais e mais, e logo o ritmo lento se acelera, implacável, me fazendo gemer. Apesar do que disse, essa posição me parece muito... impessoal. Ergo Grace até que suas costas tocam meu peito, e encho as mãos com seus seios, provocando os mamilos.

Sua cabeça tomba de lado, e aproveito para levar os lábios ao seu pescoço. Inspiro seu cheiro, chupando a pele macia e perfumada enquanto enfio o pênis dentro dela. As estocadas rápidas e rasas nos fazem ofegar. Deslizo a mão pelo corpo dela, roçando os seios e descendo pela barriga até encontrar o clitóris, então o esfrego com o indicador, desenhando círculos suaves que contrastam com os movimentos rápidos do meu pau.

Nossos corpos estão sincronizados, e chegamos ao clímax juntos. Desabamos num emaranhado suado de pernas e braços, respirando com dificuldade depois do orgasmo, nos beijando freneticamente, mesmo ao retornar do ápice de euforia.

Depois do sexo, Grace pega o laptop e nos abraçamos sob o cobertor para ver o filme. É a vez dela de escolher, então é claro que vamos assistir a um pastelão do Jean-Claude Van Damme que, sem dúvida, vai arrancar gargalhadas da gente. Com cinco minutos de filme, no entanto, o celular de Grace toca.

Ela me escala para ver quem é, mas não atende. "Ramona", explica, quando lhe ofereço um olhar interrogativo. "Não tenho o menor saco para falar com ela agora. Vamos continuar vendo."

O telefone toca de novo.

Grace emite um barulhinho frustrado e rejeita a chamada.

Não sei se a culpo. Dean me contou que esbarrou em Ramona no bar algumas vezes, mas não a vejo desde o semestre passado. E quero que continue assim.

"Provavelmente ela quer sair", comenta Grace, e põe o telefone para vibrar.

Está prestes a descansar a cabeça no meu peito quando um zumbido alto sacode o colchão. "Acho que deveria ter colocado no silencioso." Grace senta de novo, pega o celular e fica petrificada.

"O que foi?" Tento espreitar o telefone.

Ela vira a tela para mim. A mensagem de Ramona diz apenas "SO-CORRO".

Talvez eu seja canalha e cínico, mas, para mim, isso cheira a manipulação. Grace não estava respondendo, então Ramona decide obrigá-la a responder.

"Tenho que ligar."

Abafo um suspiro. "Linda, ela deve estar só tentando assustar você pra que ligue..."

"Não." A expressão de Grace mostra preocupação. "Não trocamos pedidos de socorro à toa. Isso só aconteceu duas vezes em todos esses anos. Mandei uma vez quando pensei que estava sendo seguida por um tarado em Boston, e ela mandou quando desmaiou numa festa no último ano do colégio e acordou sem saber onde estava. Isso é sério, Logan."

Mesmo que quisesse discutir, Grace já está pulando para fora da cama e ligando de volta.

GRACE

Estou morrendo de medo. As mãos suadas, o coração disparado, os pulmões ardendo. Acho que é a única reação possível quando se descobre que a amiga está presa contra a vontade com um bando de marginais. Quando ela tem que se esgueirar no banheiro para ligar para você, porque eles tentaram *confiscar* o telefone dela depois que anunciou que queria ir embora.

No banco do carona da caminhonete de Logan, tamborilo os dedos contra as coxas, num ritmo ansioso. Quero pedir que vá mais rápido, mas ele já está acima da velocidade. E não para de me encher de perguntas, para as quais não tenho respostas, porque Ramona desligou na minha cara há cinco minutos e não atendeu mais.

"Que jogadores de hóquei?", Logan exige saber pela terceira vez em dez minutos. "Alguém da Briar?"

"Pela última vez, *eu não sei*. Falei tudo o que ela me disse, Logan, então, por favor, para com o interrogatório."

"Desculpa", murmura ele.

Estamos os dois tensos. Não sabemos o que vamos encontrar quando chegarmos ao hotel de beira de estrada. Disparando na direção de Hastings, a conversa com Ramona ressoa em minha mente como um enxame de abelhas.

"*Achei que ia ter outras pessoas aqui, mas são só eles. E não me deixam sair, Gracie! Prometeram me dar uma carona para casa e agora estão dizendo que eu devia dormir aqui, mas não quero, e não tô nem com minha bolsa! Só com o telefone! Não tenho dinheiro para um táxi, e ninguém vai vir me buscar... e..."*

Nesse ponto, ela começou a chorar, e o medo inundou meu estômago. Conheço Ramona há um bom tempo. Sei a diferença entre suas lágrimas de crocodilo e as de verdade. Sei quando está fingindo e quando está morrendo de medo. Sei como soa quando está calma e quando está apavorada.

E, agora, está apavorada.

O trajeto até a cidade é tenso. Meus músculos estão tão contraídos que meu corpo dói quando chegamos ao hotel. O edifício de tijolos em forma de L fica na periferia de Hastings e, embora não seja como a pousada do centro, não chega a ser uma espelunca.

Quando Logan para o carro no estacionamento, seus olhos azuis escurecem. Sigo seu olhar e percebo o ônibus vermelho parado na calçada.

"É do St. Anthony", ele diz, com uma voz curta. "Vão jogar contra o Boston College amanhã, devem ter decidido passar a noite aqui."

"Espera, é o time contra quem você jogou hoje?"

Ele confirma com a cabeça. "São uns filhos da puta, todos eles, inclusive a comissão técnica."

Fico ainda mais preocupada. Já ouvi Logan insultar os adversários antes, mas sempre com certo respeito. A rivalidade com Harvard, por exemplo — Logan é capaz de reclamar até cansar, mas nunca vai falar que os caras são filhos da puta ou atacar o caráter deles desse jeito.

"São tão ruins assim?", pergunto.

Ele desliga o motor e solta o cinto de segurança. "O antigo capitão foi suspenso na última temporada por quebrar o braço de um jogador da Briar. O cara não estava nem com o disco quando Braxton se chocou contra ele. O novo capitão é um riquinho de Connecticut que cuspiu nos caras do nosso banco toda vez que passou por eles hoje. É um escroto."

Saltamos do carro e nos apressamos até o quarto trinta e três, um dos poucos detalhes que consegui arrancar de Ramona enquanto soluçava. Logan segura meu braço e me coloca atrás dele, num gesto protetor.

"Deixa que eu lido com isso", diz.

O brilho mortal em seus olhos é aterrorizante demais para eu tentar argumentar.

Ele bate na porta com tanta força, que o batente balança. Uma música alta explode lá dentro, junto com uma risada masculina grave que faz meu sangue gelar. Parece que estão se divertindo.

Em seguida, um cara alto de cabelos escuros e cavanhaque aparece na porta. Ele dá uma olhada na jaqueta da Briar de Logan e curva os lábios num sorriso de escárnio. "O que você quer aqui, porra?"

"Vim buscar Ramona", retruca Logan.

Um rap irrompe a todo volume pela porta aberta, fazendo tudo vibrar. Espreito por trás dos ombros largos de Logan, tentando ver o que está acontecendo dentro do quarto. Tudo o que posso distinguir é um monte de corpos grandes e volumosos. Quatro, talvez cinco. Um horror me inunda. Onde está Ramona? Por que ela achou que seria uma boa ideia ir a uma festa com esses caras — e *sozinha*?

"Vai para casa, imbecil." O cara abre um sorrisinho. "Ela acabou de chegar. Não precisa de carona."

A mandíbula de Logan fica rígida como pedra. "Sai da frente, Keswick."

A música morre de repente, substituída pelo silêncio, então ouço o baque ameaçador de passos pesados à medida que os colegas de Keswick aparecem atrás dele.

Um gigante loiro de olhos azuis quase transparentes abre um sorriso zombeteiro na direção de Logan. "Tentando entrar de penetra na festa, Logan? Eu sei como é. Quer um gostinho do que é ser um vencedor, né?"

A risada com que Logan responde não é de quem está se divertindo. "É, estou morrendo de inveja porque ganharam um amistoso, Gordon. Agora sai da frente. É melhor Ramona estar bem, porque senão..."

"Senão o quê?", zomba outro jogador. "Vai bater na gente? Pode tentar. Nem mesmo um brutamontes como você dá conta de cinco sozinho."

"A não ser quando se trata de sexo", se intromete alguém. "Aposto que ele toparia."

Os outros desatam a rir, mas Logan permanece imperturbável. Ele abre um sorriso e afirma: "Por mais tentador que seja arrebentar vocês — *todos* vocês —, acho que prefiro passar a noite fora da delegacia. Mas vou ficar muito feliz de bater em todas as portas até encontrar o quarto do treinador Harrison. Aposto que ele não vai gostar nada dessa festinha antes do jogo contra o Boston College."

Keswick abre um sorriso presunçoso. "O treinador provavelmente vai querer participar. Nem liga se a gente enche a cara."

"Ah, é? Bem, tenho certeza de que ele vai ligar para o seu nariz."

Logan dá um passo adiante e me encolho, instintivamente, achando que vai dar um soco no cara. Mas ele apenas toca a lateral do nariz de Keswick, chamando minha atenção para as manchas brancas de cocaína.

Logan mostra os dentes num sorriso cruel. "Tá na cara, imbecil. Agora *sai* da minha frente. Fica aqui, Grace."

Ele invade a sala. Eu fico do lado de fora, encarando quatro jogadores de hóquei enfurecidos e, aparentemente, muito doidos de cocaína. O pânico desce por minha coluna, rápido e incessante, e não diminui até Logan reaparecer, menos de um minuto depois.

Para meu alívio, Ramona está ao seu lado, com a cara mais branca que a cocaína no rosto de Keswick e os olhos mais vermelhos do que o ônibus estacionado atrás de nós. Ela corre para os meus braços no momento em que me vê.

"Ah, graças a Deus", choraminga, me apertando a ponto de me asfixiar. "Estou tão feliz por você estar aqui."

"Tá tudo bem." Acaricio seu cabelo gentilmente. "Vamos."

Tento levar Ramona, mas ela para, os olhos desesperados se voltando em direção à porta. "Meu telefone", gagueja. "Ele pegou."

Ela aponta para o jogador que Logan chamou de Gordon, e um rosnado salta da boca do meu namorado à medida que ele corre de volta para a porta. "Você pegou a *merda* do telefone dela? Pra quê? Pra não poder ligar pra ninguém enquanto vocês *estupravam* ela?" Nunca vi Logan tão enfurecido. Seus olhos azuis estão selvagens, os ombros largos tremem. "Me dá o celular. Agora."

Os idiotas na porta reviram os bolsos até que um deles finalmente puxa o iPhone de Ramona do bolso de trás. Ele o joga na direção de Logan com toda a velocidade, mas Logan tem reflexos rápidos e pega o aparelho antes de que atinja sua cara.

"Entrem no carro", ele diz pra gente, sem se virar.

Estou com medo de deixar Logan para trás, mas Ramona está tremendo loucamente, então me forço a ir embora. Mantenho o olhar fixo na porta durante todo o tempo, observando como Logan se aproxima e sussurra algo que não posso ouvir. Seja o que for, faz com que todos os jogadores do St. Anthony o encarem com sangue nos olhos, mas nenhum deles se entrega aos impulsos. Simplesmente entram de novo no quarto e batem a porta.

Deslizo para o assento do meio, e Ramona se instala ao meu lado, apertando o rosto contra meu ombro. "Fiquei tão assustada", geme ela. "Eles não me deixavam ir pra casa."

Faço com que coloque o cinto de segurança e passo o braço em volta dos ombros dela. "Machucaram você?", pergunto, baixinho. "Forçaram alguma coisa...?"

Ela nega fervorosamente com a cabeça. "Não. Fiquei lá só por uma hora, e eles estavam ocupados demais cheirando e bebendo vodca direto do gargalo. Foi só um pouco antes de eu ligar que começaram a me agarrar e tentaram me convencer a tirar a roupa. Quando falei que queria ir embora, trancaram a porta e não me deixaram sair."

A reprovação endurece minhas feições. "Meu Deus, Ramona. O que você estava fazendo com esses caras? Como veio parar aqui *sozinha*?"

Outro soluço escapa de sua boca. "Não era pra eu estar sozinha. Jess e eu esbarramos com eles depois do jogo, e convidaram a gente para vir, mas ela tinha que falar com um cara que ia arrumar um bagulho pra ela primeiro, então me deu dinheiro para o táxi e disse que me encontrava aqui. Cinco minutos depois que cheguei, ela mandou uma mensagem dizendo que não vinha."

Sinto meu braço molhado e percebo que as lágrimas de Ramona atravessaram o tecido da minha manga.

"Ela deixou você sozinha com eles? Que tipo de amiga faz isso?"
Uma péssima amiga.

Mordo a língua e esfrego seu ombro. Uma parte de mim não consegue afastar a sensação de que sou responsável pelo que aconteceu com Ramona esta noite. Sei que é ridículo, mas também sei que poderia ter evitado a situação se estivesse mais presente. Ramona e eu tínhamos um... equilíbrio, acho. Ela me incentivava a ser impulsiva e a parar de pensar demais, e eu a incentivava a *não* ser impulsiva e começar a *pensar*.

Eu me obrigo a afastar a culpa. Não. Me recuso a assumir a responsabilidade. Ramona é adulta. Foi *ela* quem tomou a decisão de ir a uma festa com aqueles caras, e tem muita sorte de eu ainda ter algum resquício de lealdade para ir salvá-la.

Esse último pensamento me faz parar e pensar, como se, de repente, o que fiz hoje fosse o mesmo que Logan faz e pelo qual o critico tanto — ajudar alguém que talvez não mereça. Permitir que anos de história e lealdade persistente me façam tomar uma atitude que não quero necessariamente tomar, embora me sinta obrigada.

Dou um pulo quando a porta do motorista se abre de supetão, mas é Logan, que senta atrás do volante com um olhar de pedra. Quando se dirige a Ramona, no entanto, seu tom é gentil. "Você tá bem? Eles te machucaram?"

"Não", responde ela, com uma voz fraca. "Juro, tô bem." Ramona levanta a cabeça e o olhar que nos lança é tomado pela vergonha. "Obrigada por terem vindo. Desculpa se estraguei a noite de vocês."

"Não tem problema", responde Logan. "O que importa é que tiramos você de lá antes da merda ficar séria."

Suas palavras rudes enchem meu coração de calor. Eu amo esse cara. Sei que não gosta de Ramona, mas, ainda assim, correu para ajudar minha amiga, e o amo ainda mais por isso.

Fico tentada a me inclinar e sussurrar isso no ouvido dele. Quero dizer o quanto o amo, mas me falta coragem.

A verdade é que estou esperando que Logan diga primeiro. Não sei, talvez seja um resquício de insegurança pelo que aconteceu em abril. Logan me rejeitou, e tenho medo de que isso aconteça de novo. Tenho medo de ser vulnerável, de entregar a ele meu coração e recebê-lo de volta.

Então fico quieta. Ramona e Logan também, e voltamos para o campus em silêncio.

32

LOGAN

Três dias antes da primeira partida, o time finalmente dá liga. É como se alguém tivesse virado a chave de "A gente é uma merda" para "A gente pode ter uma chance". Ainda acho que não estamos cem por cento, mas melhoramos nos treinos esta semana, e o técnico não está gritando tanto, então... progresso.

Como é época de provas, faz uns dias que Grace e eu não nos vemos, mas vamos dar uma pausa nos estudos para jantar com o pai dela hoje. Tive treino antes, então ela foi de táxi para Hastings com Ramona, que vai visitar os próprios pais. Ainda não tenho certeza de como me sinto sobre as duas retomarem a amizade, mas Grace insiste que não vão voltar à mesma dinâmica, e acho que tenho que aceitar isso. Além do mais, depois do quase estupro de sexta, tenho sentido muito mais simpatia pela garota. E muito mais raiva do St. Anthony.

Vamos pegar os caras no primeiro jogo da temporada, e o técnico pode não gostar, mas tenho certeza de que vou passar algum tempo no banco por causa de todas as faltas que vou fazer.

Saio da arena e dou uma olhada no telefone. Tem uma mensagem de Grace, dizendo que chegou bem à casa do pai.

E uma de Jeff, me pedindo para ligar o mais rápido possível.

Merda.

Em geral ele não fala assim a menos que seja sério, então ligo de volta imediatamente. Meu irmão atende no quinto toque, parecendo agitado.

"Onde você se meteu?", ele exige saber.

"Treino. O técnico não deixa levar o celular pro gelo. O que foi?"

"Preciso que você vá lá em casa dar uma olhada nele."

"Por quê?", pergunto, inquieto.

"Porque tô no hospital com Kylie."

"No hospital? O que aconteceu? Ela tá bem?"

"Cortou a mão fazendo o jantar." Jeff parece em pânico. "O médico disse que não é tão grave quanto parece, só precisa dar uns pontos. Mas nunca vi tanto sangue, Johnny. Ela tá lá dentro agora. Tô andando de um lado pro outro na sala de espera feito um louco."

"Kylie vai ficar bem", asseguro. "Confie nos médicos, tá bem?" Sei que Jeff não vai relaxar até que deixem o hospital. Os dois são loucamente apaixonados desde que tinham quinze anos.

"O que isso tem a ver com o papai?", pergunto.

"Estávamos saindo da casa quando ele ligou, enrolando a língua e resmungando. Não entendi uma palavra do que tava dizendo, mas acho que pode ter caído. Sou só um, John. Não posso lidar com duas emergências de uma vez. Por favor, vai lá em casa e dá uma olhada nele."

A relutância trava minha garganta como um chiclete. Não quero fazer isso. Nem um pouco. Só que de jeito nenhum vou comprar uma briga com Jeff agora, não com ele em pânico porque a namorada está no hospital.

"Pode deixar", digo, seco.

"Obrigado." Jeff desliga sem mais palavras.

Com a respiração ofegante, mando uma mensagem para avisar Grace que talvez atrase para o jantar, e sigo para o estacionamento.

Bato os dedos no volante por todo o caminho até Munsen. Um pavor se acumula dentro de mim, aumentando e envolvendo minha barriga até virar um nó apertado na minha garganta. Não me lembro da última vez que tive que lidar com as cagadas do meu pai. Na escola, acho. Depois que fui para a Briar, Jeff virou o responsável.

Desligo o motor diante da casa e me aproximo da varanda como os especialistas em paranormalidade daquela merda de filme se aproximaram da casa assombrada. Cauteloso e devagar, morrendo de medo.

Por favor, esteja vivo e bem.

Isso aí. Embora seja um egoísta que às vezes deseje que o pai morra, não posso tolerar a ideia de entrar em casa e encontrar seu corpo.

Uso minha chave para abrir a porta e entro no corredor escuro. "Pai?", grito.

Nenhuma resposta.

Por favor, esteja vivo e bem.

Avanço em direção à sala de estar, o coração batendo a mil por hora.

Por favor, esteja...

Ah, graças a Deus. Ele está vivo.

Mas não está bem. Longe disso.

Sinto um aperto tão forte no peito que é uma surpresa que uma ou duas costelas não se quebrem. Meu pai está deitado no carpete, de bruços e sem camisa, sua bochecha descansando numa poça de vômito. Um dos braços está estirado para o lado, o outro está debaixo dele — aninhando uma merda de uma garrafa de conhaque como se fosse um recém-nascido. Será que ele tentou proteger a preciosa bebida durante a queda?

Avalio a cena lamentável diante de mim e não sinto nada. Um cheiro acre me invade. Franzo o nariz e quase engasgo quando percebo que é urina. Urina e álcool, a fragrância da minha infância.

Uma parte de mim quer dar as costas e ir embora. Sair e não olhar para trás.

Em vez disso, tiro a jaqueta, jogo na poltrona e me aproximo cuidadosamente dele, que está desmaiado. "Pai."

Ele se mexe, mas não responde.

"*Pai.*"

Um gemido agonizante escapa de sua garganta. Suas calças estão ensopadas de mijo. O conhaque escorreu, manchando o carpete bege.

"Pai, preciso ver se você quebrou alguma coisa." Corro as mãos por seu corpo, começando pelos pés e subindo, me certificando de que não sofreu nenhuma fratura na queda.

Meu exame o desperta. Suas pálpebras se abrem, revelando pupilas dilatadas e um olhar triste que dilacera um pedaço do meu coração dolorido, a parte de mim que se lembra de idolatrar meu pai quando criança.

Ele geme em pânico. "Cadê sua mãe? Não quero que me veja assim."

Crec. Lá se vai outro pedaço do meu coração. Nesse ritmo, meu peito vai virar uma caverna oca.

"Ela não tá aqui", asseguro. Então enfio as mãos sob suas axilas para colocá-lo sentado.

Ele parece atordoado. Sinceramente, não acho que saiba onde está ou quem eu sou. "Ela foi ao mercado?", meu pai pergunta, enrolando a língua.

"Foi", minto. "Vai ficar horas fora. Tempo o bastante para limpar você, tá legal?"

Ele não consegue ficar firme, mesmo sentado. O mau cheiro combinado de vômito, álcool e urina faz meus olhos lacrimejarem. Ou talvez não seja o cheiro. Talvez eu esteja chorando, porque estou a ponto de erguer meu próprio pai nos ombros e levar o cara até o chuveiro. Depois vou ter que botar uma roupa nele e colocá-lo na cama. Talvez seja por *isso* que meus olhos estão ardendo.

"Não fala nada pra ela, Jeffy. Sua mãe vai ficar tão brava comigo. Não quero que fique com raiva. E não posso acordar o Johnny..." Ele começa a murmurar incoerentemente.

Tenho dificuldade de respirar ao levantar a massa fedorenta e chorona que é meu pai e o carrego até o banheiro, no final do corredor. O tempo todo, um único pensamento me ocorre.

Meu irmão é um santo.

É a porra de um santo.

Ele faz isso dia após dia desde que fui para a Briar. Limpa o vômito do meu pai, toca a loja e cuida dessa merda toda sem soltar uma única reclamação.

O que tem de errado comigo? Foda-se a NHL. Jeff tem o direito de sair um pouco. De viajar com a namorada e viver uma vida normal que não envolva tirar a roupa do próprio pai e colocar o cara no chuveiro.

Meus pulmões estão queimando, porque a dura realidade acabou de me acertar. Esse é o meu futuro. Em menos de um ano, vai ser meu trabalho em tempo integral.

Nunca tive um ataque de pânico antes. Não tenho certeza de como é. Batimentos cardíacos fora de controle são um sintoma? Mãos frias e úmidas que não param de tremer? A traqueia que não deixa passar nem um sopro de ar? Todas essas coisas estão acontecendo comigo agora, o que me assusta pra caralho.

"Johnny?" Meu pai pisca quando a água quente atinge sua cabeça, grudando seu cabelo escuro na testa. "Quando você chegou aqui?" Ele cambaleia no boxe, o olhar correndo em todas as direções. "Vou pegar uma cerveja. Toma uma com seu velho."

Quase vomito.

É. Acho que pode ser um ataque de pânico.

Estou atrasado três horas para buscar Grace.

Meu celular descarregou quando estava em Munsen e não sei o número dela de cor, então nem pude ligar do telefone fixo para avisar.

Meu pânico diminuiu. Um pouco. Ou talvez eu esteja anestesiado. Tudo o que sei é que preciso ver minha namorada. Preciso segurar Grace e absorver o calor do seu corpo, porque me sinto um bloco de gelo neste instante.

Quando paro o carro diante da garagem de seu pai, a luz da varanda está acesa, e o brilho amarelo acende uma faísca de culpa em mim. Já passa das dez. Estou muito atrasado. Ela teve que me esperar por horas.

Já vai treinando, uma voz cínica me provoca. *Vai ser assim no ano que vem.*

Meus pulmões falham. É verdade. Quantas vezes algo assim vai acontecer quando eu estiver morando em Munsen? Quantas vezes vou me atrasar ou cancelar nossos planos?

Quanto tempo vai levar para ela me largar por causa disso?

Toco a campainha, tentando afastar esse medo. O pai de Grace atende e franze os lábios ao me ver.

"Oi." Minha voz é rouca, permeada pelo arrependimento. "Não consegui chegar para o jantar, desculpe. Teria ligado, mas a bateria acabou e..." Não. De maneira nenhuma vou contar a ele o que tive que suportar esta noite. "Posso levar Grace para o campus, pelo menos."

"Ela já foi", diz o sr. Ivers, curto. "A mãe de Ramona levou as duas."

A decepção me invade. "Ah."

"Gracie esperou o máximo que pôde..." Outro olhar severo, uma repreensão clara. "Mas ela precisava ir para casa estudar."

A vergonha fecha minha garganta. É claro que ela esperou. E é claro que foi embora.

"Ah... tudo bem." Engulo em seco. "Acho que vou voltar pra casa, então."

Antes que eu possa sair, o sr. Ivers pergunta: "O que está acontecendo, John?".

A dor em meu peito aumenta. "Nada. Não é nada. Eu, hum, tive uma emergência familiar."

Ele parece preocupado. "Está tudo bem?"

Faço que sim com a cabeça.

Então nego.

Então faço que sim de novo.

Merda, se decide.

"Tá tudo bem", minto.

"Não. Você está branco feito papel. E parece exausto." Por fim, ele suaviza o tom. "Diga o que houve, filho. Talvez eu possa ajudar."

Sinto meu rosto se desfazer. Ah, droga. Merda, por que ele tinha que me chamar de "filho"? A ardência em meus olhos é insuportável. Minha garganta está travada.

Preciso sair daqui.

"Por que você não entra?", insiste ele. "Vamos sentar. Vou fazer um café." Um sorriso irônico levanta seus lábios. "Eu ofereceria algo mais forte, mas a lei não permite..."

Perco o controle.

Simplesmente. Perco. O controle.

Caio em prantos feito um bebê, bem ali, na frente do pai de Grace.

Ele fica petrificado.

Mas só por um momento. Em seguida, se apressa em passar os braços à minha volta. O sr. Ivers me aprisiona num abraço do qual não consigo escapar, uma parede sólida de conforto contra a qual eu me deixo cair. Tenho vergonha, mas não posso mais lutar contra as lágrimas. Segurei a barra lá em Munsen, mas agora o pânico voltou, e o medo também, e o pai de Grace me chamou de "filho", e, puta merda, estou um caos.

Sou o próprio caos.

33

GRACE

No momento que termino a prova de psicopatologia, disparo para fora da sala de aula como se estivesse tentando fugir de um incêndio.

Meu pai não é do tipo que exagera ou faz drama. É muito sensato e direto, mas tem a tendência enervante de minimizar crises. Então, quando me telefonou de manhã e casualmente sugeriu que eu deveria ver como Logan estava, percebi que havia algo de errado.

Na verdade, sabia antes mesmo do telefonema. A mensagem de desculpas que Logan me mandou ontem à noite havia despertado minha preocupação, mas, quando tentei fazer perguntas, ele insistiu que estava tudo bem, alegando que só teve que ficar com o pai mais do que o previsto. Logan repetiu que estava triste por ter perdido o jantar e por não ter podido me levar para casa.

Fui para a cama incapaz de afastar a suspeita de que algo ruim tinha acontecido. Agora, com a sugestão do meu pai, tenho certeza de que aconteceu. Por isso decido ir de táxi até a casa de Logan, em vez de caminhar ou pegar o ônibus. Quero ver meu namorado o mais rápido possível, antes que a preocupação acachapante que estou sentindo comece a alimentar os piores cenários possíveis na minha cabeça.

Assim que me acomodo no banco traseiro do táxi, pego o telefone e escrevo para ele.

Eu: *Tô indo praí.*

Quase um minuto se passa antes que ele me responda: *Ñ sei se é uma boa, linda. Não tô bem.*

Eu: *Animo vc.*

Ele: *Ñ sei se vc consegue.*

Eu: *Vou tentar*.

Enfio o celular na bolsa e mordo o lábio, desejando saber o que está acontecendo. É claro que tem alguma coisa a ver com o pai, mas o quê?

Uma explosão de raiva irrompe dentro de mim. Minha simpatia pelo pai de Logan está se esgotando, o que me faz questionar se poderei ser uma boa psicóloga. Não planejo me especializar em vício, mas o que o fato de não conseguir sentir compaixão por um alcoólatra diz ao meu respeito?

Merda, agora não é o momento de questionar minha escolha. Só sou capaz de lidar com uma crise por vez.

O motorista encosta junto ao meio-fio na frente da casa, porque a garagem está cheia. A caminhonete de Logan e o Jeep de Garrett estão um ao lado do outro; o carro esportivo de Dean e a Toyota que Hannah às vezes usa estão atrás deles.

Toco a campainha e quem atende é Tucker. Com uma expressão consternada, ele fecha a porta atrás de mim.

"Vocês brigaram ou algo assim?", pergunta, em voz baixa.

"Não." De repente, sinto frio. "Logan disse isso?"

"Não, mas tá tão mal-humorado e reclamão que Dean sugeriu isso."

"Estamos bem", digo com firmeza. Então um pensamento inquietante me ocorre. "Ele andou bebendo?"

"Claro que não. É uma e meia da tarde." Tucker parece confuso. "Tá lá em cima. Da última vez que olhei, tava fazendo um trabalho de marketing."

A resposta me alivia, mas não sei por quê. Logan me disse em várias ocasiões que não bebe quando está chateado. Sei que tem medo de herdar o vício do pai. De repente, me sinto uma idiota por ter feito a pergunta a Tucker.

"Vou subir e falar com ele. Talvez descubra o que tá acontecendo."

Deixo Tucker e me dirijo para o quarto de Logan, onde experimento outra onda de alívio.

Ele *parece* bem. O cabelo escuro e curto está igual. Os olhos azuis estão alertas. Os músculos sensuais estão rijos sob a camiseta e a calça de moletom. Não há sinais externos de ferimentos. Quando nossos olhares se encontram, há um mundo de dor em sua expressão.

"Oi", digo suavemente, caminhando para lhe dar um beijo. "O que aconteceu?"

Seus lábios roçam os meus, mas o beijo não tem o calor habitual. "Seu pai ligou pra você, né?", ele pergunta, com ironia.

"Ligou."

Uma sombra atravessa seu olhar. "O que ele falou?"

"Quase nada. Disse que você passou lá na noite passada e que ele ficou com a sensação de que tá chateado. Sugeriu que eu viesse ver como você está." Avalio seu rosto. "O que aconteceu em Munsen?"

"Nada."

"Logan."

"Não foi nada, linda." Ele deixa escapar um suspiro cansado. "Ou, pelo menos, nada fora do comum."

Pego sua mão. Está gelada. O que quer que tenha acontecido na noite passada ainda está surtindo efeito.

"Senta." Tenho que puxar seu poderoso corpo à força para junto do meu, na cama. Mesmo depois que para de resistir, Logan mantém os olhos à frente, em vez de fitar os meus. "Por favor, me diz o que aconteceu."

"Cacete. Que importância tem?"

"*Toda* a importância, John." Começo a ficar irritada. "É claro que você tá chateado, e falar a respeito ajuda."

Sua risada amarga ecoa entre nós. "Falar não vai resolver merda nenhuma. Mas tudo bem. Você quer saber o que aconteceu na noite passada? Eu vi meu futuro, foi isso que aconteceu."

Estremeço com a rispidez do seu tom. "Como assim?"

"Eu vi a merda do meu futuro. Viajei pra frente no tempo, recebi uma visita do Fantasma do Natal Futuro. De que outro jeito você quer que eu fale, Grace?"

Minha coluna se enrijece. "Não precisa ser sarcástico. Já entendi."

"Não, não entendeu. Não entendeu *nada*. Não vou ter vida depois que me formar. Não vou ter futuro. Tenho que fazer isso pelo meu irmão, porque Jeff tá lidando com isso por quase quatro anos. E agora é minha vez, e eu odeio essa merda, mas vou engolir e voltar pra casa, porque ele é meu pai e precisa da minha ajuda."

Sua declaração rouca parte meu coração em dois.

"Sei o que isso vai fazer comigo", continua ele, soando mais deprimido. "Sei que vai me deixar infeliz e que vou passar a odiar meu pai e acabar perdendo você."

"O quê?", interrompo, em estado de choque. "Por que acha que vai me perder?"

Só então ele olha na minha direção, os olhos azuis cheios de pesar. "Porque você vai acordar um dia e perceber que merece mais. Não entende? Na noite passada, tive uma prévia do que vai acontecer. A gente vai fazer planos, mas vou acabar tendo que trabalhar até mais tarde ou meu pai vai ficar bêbado e cair da escada, e então vou ter que furar ou deixar você esperando, tipo ontem. Quanto tempo acha que vai aguentar isso?"

A descrença me invade. "Acredita mesmo que vou terminar porque talvez você se atrase no futuro?"

Logan não responde, mas sua expressão pétrea me diz que sim.

"Seu irmão não tem uma namorada antiga?", ressalto.

"Kylie", murmura ele.

"Bem, a Kylie terminou com ele? Não, não terminou. Porque ela ama seu irmão e o apoia." Estou com raiva agora. Tanta que fico em pé, lutando contra o desejo de enfiar juízo na cabeça dele à força. "Então o que faz você achar que não vou fazer o mesmo com você?"

Seu silêncio me tira do sério.

"Sabe de uma coisa, John? Vai se foder." Eu me esforço para controlar a respiração. "Está bem claro que você não me conhece nem um pouco, se pensa que sou o tipo de pessoa que vai desistir no instante em que depara com um obstáculo."

Ele enfim responde, a voz baixa e mal-humorada. "Podemos, por favor, não falar disso?"

Inacreditável.

Encaro Logan, boquiaberta, incapaz de entender o que estou ouvindo. E incapaz de ouvir por mais um segundo que seja.

"Você tem razão. Não vamos mais falar disso." Pego minha bolsa do chão, onde a deixei cair, e passo a alça por cima do ombro. "Vou embora."

Isso chama sua atenção. Franzindo a testa, ele se levanta devagar. "Grace..."

Eu o interrompo. "Não. Cansei de ouvir essa merda. Vou deixar você aí com seu mau humor. Talvez, quando você parar de sentir pena de si mesmo, a gente possa ter uma conversa racional." Estou morrendo de raiva ao marchar em direção à porta. "Caso a minha reação à sua idiotice não tenha deixado claro em que pé estou no que diz respeito à gente, é melhor eu explicar uma coisa." Faço uma cara feia para ele. "Eu te amo, seu babaca."

Disparo para fora do quarto e bato a porta atrás de mim.

LOGAN

Levo muito, muito mais tempo do que deveria para despertar do transe. Minha boca continua abrindo e fechando, minhas pálpebras piscando depressa enquanto encaro a porta pela qual Grace acabou de sair.

Ela tem razão. Sou um babaca. Duvidei dela. E...

Espera. Ela me ama?

Minha boca se abre de novo. E fica aberta. Escancarada, na verdade, porque as últimas palavras finalmente entraram no meu cérebro idiota. Ela me ama. Mesmo depois de eu ter sugerido que terminaria comigo num futuro hipotético e praticamente dizer que ela ia me abandonar assim que as coisas ficassem difíceis, Grace ainda disse que me ama.

E eu a deixei ir embora.

Qual é o meu problema?

Corro para fora do quarto e desço os degraus de dois em dois. Duvido que já tenha conseguido chamar um táxi ou chegar ao ponto de ônibus, o que significa que provavelmente está na varanda ou na rua. E ainda posso alcançá-la.

Derrapo na entrada de casa feito um personagem de desenho animado, só para congelar ao ver Garrett na porta. Então ouço um motor de carro lá fora, e meu coração desaba feito um saco de tijolos.

"Hannah vai levar Grace em casa", explica Garrett, baixinho.

Solto um palavrão, frustrado, escancarando a porta em tempo de ver as luzes traseiras do carro se afastando. Droga.

Volto e corro até o quarto, onde pego o telefone e ligo para Grace. Quando a chamada cai direto na caixa postal, mando uma mensagem rápida.

Eu: *Linda, por favor, volta. Sou tão burro. Preciso consertar isso.*

Há uma longa demora. Cinco segundos. Dez. E então ela me responde.

Ela: *Preciso de um tempo para digerir sua idiotice. Ligo quando quiser conversar.*

Droga. Corro ambas as mãos pelo couro cabeludo, lutando contra a vontade de me estrangular até a morte. Por que sempre estrago tudo com ela?

Ouço passos ecoando no corredor. Quando Garrett aparece, engulo um palavrão. "Não posso lidar com sermão agora, cara. Não mesmo."

"Não ia fazer isso." Ele dá de ombros. "Só queria ver se você tá bem."

Me deixo cair na beirada da cama, balançando a cabeça lentamente. "Nem um pouco. Caguei de novo."

"Cagou mesmo." Ele apoia o corpo na parede e suspira. "Wellsy e eu ouvimos a bronca."

"Acho que a vizinhança inteira ouviu", Tucker diz. Ele entra no quarto e se recosta contra a cômoda. "Menos o Dean, porque tá transando loucamente na sala."

Solto um gemido. "Sério? Por que ele nunca vai para o quarto?"

"Quer mesmo discutir a vida sexual daquele tarado?", pergunta Tuck. "Porque acho que isso não deveria ser sua prioridade agora."

É um bom argumento. Só consigo pensar em consertar as coisas com Grace.

Não deveria ter despejado toda aquela baboseira nela. Nem acredito naquilo, pelo menos não na parte em que disse que ela vai terminar comigo. Era o medo falando. E Grace tem razão — eu estava com pena de mim mesmo. Estava tão assustado com tudo o que aconteceu com meu pai na noite passada, para não falar no que aconteceu depois. Quando chorei nos braços do pai dela.

Eu *chorei* nos braços do *pai dela*.

Solto outro gemido. "E se agora eu tiver perdido ela de vez?"

Na mesma hora, Garrett e Tucker balançam a cabeça. "Sem chance", assegura Garrett.

"Como você pode ter tanta certeza disso?"

"Porque ela disse que te ama."

"Seu babaca", acrescenta Tucker, com um sorriso.

Eu te amo, seu babaca. Não são exatamente as palavras que um homem quer ouvir. As três primeiras, sim. Mas as que vieram depois? Dispenso.

"Como faço pra corrigir isso?", pergunto, suspirando.

"Escreve outro poema", sugere Garrett.

Olho feio para ele.

"Não, acho que G. pode estar no caminho certo", intervém Tuck. "A única maneira de resolver isso é tirar outro grande gesto da manga. O que mais tinha na lista?"

"Nada", lamento. "Eu fiz tudo."

Tucker dá de ombros. "Então inventa outra coisa."

Um grande gesto? Eu sou um homem, merda. Preciso de ajuda. "Wellsy vai voltar?", pergunto a Garrett.

Ele sorri diante do meu tom de súplica. "Mesmo que volte, não vou deixar você pedir ajuda. Tem que corrigir isso sozinho."

Há uma pausa, e então...

"Seu babaca", concluem os dois, em uníssono.

34

GRACE

Ainda estou furiosa quando entro no prédio da rádio, várias horas depois de sair da casa de Logan num rompante. Normalmente, não fico com raiva por muito tempo, mas, desta vez, estou com dificuldade de colocar essa energia volátil para fora. Não acredito que Logan ache mesmo que vou *terminar* com ele quando estiver morando em Munsen. Que vou jogá-lo fora feito um brinquedo velho e quebrado e arrumar algo novo em folha com que me divertir.

Babaca.

Quando irrompo na estação, vejo Morris na cabine da produção, equilibrando o fone do aparelho fixo da rádio no ombro enquanto anota algo num bloquinho. Franzo o cenho, percebendo que Pace e Evelyn já estão em seus assentos na outra cabine. Ele está colocando os fones de ouvido por cima do boné virado para trás, enquanto ela se inclina sobre uma folha de papel, concentrada.

Estou atrasada? Olho para o relógio na parede oposta. Não. Cheguei cedo, na verdade. Então por que Morris está na minha cabine?

Dou um passo para a frente e paro ao ver Daisy saindo do corredor dos fundos. Ela tira a franja da testa — que está azul agora — e sorri, timidamente, ao me ver.

"Oi", cumprimento. "O que está fazendo aqui?" Ela não costuma ficar na estação a menos que esteja apresentando ou produzindo alguma coisa, e tenho certeza absoluta de que não tem nada programado para hoje.

"Oi." Por alguma razão, Daisy parece quase... culpada. "Só passei pra trazer um café para o pessoal."

"Desde quando você faz isso?" Estreito os olhos. "Sua camisa tá do avesso." Faço uma pausa. "E de trás para a frente."

Ela baixa o rosto para a roupa e faz uma careta ao perceber a etiqueta junto da clavícula. Então seus olhos voam na direção da cabine da produção.

Sigo seu olhar e arfo ao perceber Morris sorrindo para nós. "Vocês dois tão se pegando?"

Daisy suspira. "Talvez."

Minha raiva de Logan é momentaneamente eclipsada pela novidade. Nossos horários estão tão corridos que Daisy e eu quase nunca ficamos no quarto ao mesmo tempo, o que é bom quando quero privacidade, mas também significa que estou por fora do que acontece com ela.

"Desde quando?", grito, empolgada.

"Umas duas semanas?" Ela dá de ombros. "Não tive tempo de contar. Você não se importa, né?"

"Claro que não. Por que me importaria?"

"Ah, porque você e Morris saíram."

Rio. "Uma vez. E não foi uma experiência bem-sucedida. Bom, adorei a notícia. Fez meu dia. E, confia em mim, o dia foi uma merda, então eu tava precisando mesmo de uma notícia boa."

"Ah, não. O que aconteceu?"

O mau humor volta com uma fúria indesejada. "Briguei com Logan. E não me pergunte mais nada, porque falar sobre isso agora só vai me irritar. Preciso me concentrar no programa do Debi e da Loide."

Olhamos para a cabine principal, onde Evelyn está usando o reflexo do copo de água para conferir a maquiagem, ajeitando delicadamente a sombra nos olhos. Pace está concentrado em seu telefone, a cadeira tão inclinada para trás que prevejo um desastre barulhento em breve.

"Adoro esses dois", comenta Daisy, com uma risada. "Acho que não conheço ninguém mais egocêntrico que eles."

Morris sai da cabine e caminha na nossa direção. Ele percebe a camisa de Daisy e comenta: "Estamos no trabalho. Mostre um pouco de decoro".

"Diz o cara que arrancou minha camisa no depósito." Revirando os olhos, ela se afasta. "Vou me ajeitar no banheiro. Faria isso aqui, mas tenho medo de Debi tirar uma foto minha e postar num site pornô."

"Espera, ele é Debi e ela é Loide?", pergunta Morris, surpreso. "Pensei que fosse um nome genérico para a dupla."

No instante em que as palavras saem de sua boca, um barulho abafado reverbera da cabine. Sabe o cara que passou uma hora contando vantagem para mim sobre a época em que derrubava vacas em Iowa? Acaba de cair da cadeira.

Pace fica de pé num sobressalto e, ao perceber que estamos olhando do outro lado do vidro, mexe a boca formando as palavras "Tô bem".

Morris suspira. "Esquece."

Quando Daisy se afasta, Morris me acompanha casualmente até a porta da cabine. "A primeira chamada já tá em espera", ele me avisa. "Atendi e anotei tudo pra você."

Franzo o cenho. "Você abriu a linha antes de eu chegar?"

Morris me lança um olhar tímido. "Foi sem querer. Estava tentando ligar para o meu pai e apertei o botão errado, aí o telefone tocou, então atendi. Ela tem uma pergunta urgente para Evelyn sobre ponto G... deve ser interessante."

"Sempre é", concordo, com um sorriso.

Vou até meu assento e confiro tudo antes de o programa começar. As luzes piscando no telefone me dizem que há mais gente em espera. Falo com o primeiro ouvinte e o coloco de novo em espera. Estou prestes a falar com o seguinte quando Pace e Evelyn começam o programa.

"Fala, galera!", Pace cumprimenta. "Vocês estão ouvindo mais uma edição de O que tá pegando, com Pace e Evelyn."

Encolhendo-se, Evelyn se aproxima do microfone. "Antes de começar, queria pedir a todos para falar baixo hoje, porque estou com uma ressaca horrível." Ela olha para Pace. "A começar por você, seu tonto."

"Vamos falar com nosso primeiro ouvinte", anuncia Pace, alegremente. "Com quem estamos falando?"

Como não estou ansiosa para ouvir Evelyn falando sobre o ponto G, me inclino para atender outra chamada. Ao ouvir uma voz familiar saindo pelo alto-falante sobre a porta, fico petrificada na cadeira.

"Oi, aqui é Logan."

Meu coração dispara.

Ai, meu Deus.

O que ele está fazendo?

"Conta pra gente o que tá pegando, cara."

Ele pigarreia. "Bem, é o seguinte, Pace. E Evelyn — vou apreciar uma opinião feminina. Espero que vocês possam me dar alguns conselhos sobre como reconquistar minha namorada."

Pace ri ao microfone. "Ah, rapaz. O que você fez de errado?"

"Nem te conto", diz Logan.

"O que aconteceu? Precisamos dos detalhes para usar nossa sabedoria."

Cada centímetro de meu corpo fica tenso à espera da resposta de Logan. Não posso acreditar que está prestes a expor nossa roupa-suja num programa universitário idiota.

"Resumindo? Projetei meus próprios medos e inseguranças nela, e fiz algumas conjecturas que provavelmente não deveria..."

"Vou parar você bem aí, cara", interrompe Pace, esfregando a barba rala, consternado. "Tá usando palavras grandes demais. Que tal baixar o nível pra gente? Quer dizer, pra galera que talvez não seja muito afiada no inglês? Fale de um jeito que até os alunos estrangeiros consigam entender."

Uma risada salta da minha garganta. *Ah, Pace. Não mude nunca.*

Logan parece estar tentando não rir ao reformular a resposta. "Simplificando? Fiz merda. Disse umas besteiras que não queria ter dito, isso a deixou irritada e ela saiu correndo."

Pace suspira. "Ah, as mulheres podem ser difíceis."

"Ei, Logan?", intervém Evelyn.

"Sim?"

"Você tem uma voz sensual. Tem certeza de que quer mesmo essa garota? Estou livre esta noite, se estiver interessado."

Uma tosse estrangulada enche as ondas de rádio. "Hum. Ah, obrigado pela oferta. Mas é ela que eu quero mesmo." Ele faz uma pausa. "Eu amo essa garota."

Meu coração flutua feito uma pipa ao vento. Ele me *ama*?

Em seguida, afunda como uma pedra. Espera. E se só estiver dizendo isso porque *eu* disse?

"Faz algum tempo já", continua ele, e a confissão rouca preenche meu coração de novo. "Não disse porque não queria assustar a garota falando cedo demais."

"Cara, você deveria ter dito."

Fico espantada com a resposta honesta de Pace. Tocada, até. Pelo menos até ele terminar a frase.

"Quando você diz isso de cara, elas dão pra você na velocidade da luz. Aí você pode começar a pular as preliminares."

"Aham", diz Logan, como se estivesse de acordo, mas eu o conheço o suficiente para captar o sarcasmo. "De qualquer forma, essa garota... é o amor da minha vida. É inteligente, engraçada e muito amorosa. Perdoa as pessoas, mesmo quando não merecem. Ela..."

"O sexo é bom?", interrompe Pace.

"Ah, sim. O melhor."

Minhas bochechas estão pegando fogo agora.

"Mas é só a cereja do bolo", complementa Logan, suavemente. "São as outras coisas que importam."

Uma sombra surge em minha visão periférica. Viro a cabeça, imaginando ver Daisy ou Morris do outro lado da porta de vidro.

Minha respiração falha quando meu olhar se fixa em Logan. Ele está no celular, de calça jeans desbotada e jaqueta do time de hóquei, os olhos azuis brilhando com sinceridade.

Nossos estimados apresentadores também o veem, e um arquejo assustado ecoa no ar.

"Espera. É o John Logan que tá falando?", exclama Evelyn.

"Espera. É da Gretchen que você tá falando?", acrescenta Pace, olhando de mim para Logan como se estivesse acompanhando uma partida de tênis.

"Não, tô falando da Grace", esclarece Logan, sorrindo para mim através do vidro. "Grace Elizabeth Ivers. A garota que eu amo."

Não sei se subo na minha cadeira e grito "Eu também te amo" ou se me escondo debaixo da mesa de tanta vergonha. Demonstrações públicas de afeto me assustam. Se eu tivesse uma capa da invisibilidade, usaria em todo aniversário ou evento importante, porque odeio, odeio, *odeio* ser o centro das atenções.

Mas não consigo tirar os olhos de Logan. Não consigo respirar nem me mexer ou formar um único pensamento que não seja "Ele me ama".

"De qualquer forma, vou desligar agora", continua Logan para os apresentadores. "Tenho certeza de que posso dar conta daqui para a frente."

A ligação se encerra e olho em pânico para o painel. Merda. O programa ainda está no ar. Tenho que colocar a próxima chamada.

Para meu alívio, Morris aparece, dando um soco amigável no braço de Logan, e se apressa para a cabine do produtor. "Vai embora", ele diz. "Eu faço o resto do programa."

"Tem certeza?"

Ele sorri. "Esse era o plano desde o início. Quem você acha que recebeu a ligação, Gretch?" Ele aponta para a porta. "Vai."

Não preciso ouvir duas vezes.

Corro para fora da cabine e jogo meus braços em volta dos ombros fortes de Logan. "Não acredito que você fez isso", exclamo.

Sua risada faz cócegas no topo da minha cabeça, e seus braços deslizam até meus quadris, as mãos grandes envolvendo minha cintura. "Achei que nada menos que um grande gesto ia convencer você de que tô me sentindo mal com o que aconteceu hoje."

Eu me afasto, inclinando a cabeça para poder fitar seus olhos lindos. "Acho bom", repreendo. "Não acredito que você disse aquilo. Não pretendo terminar com você *nunca*."

"Ótimo. Nem eu." Ele leva uma das mãos ao meu rosto e o acaricia com uma ternura infinita. "Na verdade, acho que vou pedir você em casamento um dia."

Levo um susto. "O quê?"

"*Um dia*", repete ele, ao ver minha expressão. "Tô falando sério, Grace. No longo prazo. Você ainda tem dois anos na Briar, e vou ficar em Munsen esse tempo todo, mas prometo que venho ver você sempre que puder. Todos os segundos disponíveis que tiver vão ser seus." Sua voz engrossa. "*Eu* sou seu."

Engulo a emoção em seco. "O que você disse para o Pace... era sério?"

"Que eu te amo?"

Faço que sim.

"Tudo era sério, linda." Ele hesita. Então engole em seco. "No semestre passado, Hannah tentou descrever o amor para mim. Ela disse que parece que seu coração está prestes a transbordar, e que quando você ama alguém precisa dessa pessoa mais do que qualquer outra coisa no mundo, mais do que comida, água ou ar. É assim que me sinto com você.

Preciso de você. Não suporto a ideia de não ter você." Ele respira de maneira irregular. "Você é a última pessoa em que penso antes de ir dormir e a primeira em que penso quando abro os olhos de manhã. Pra mim só existe você, linda."

A sinceridade nas suas palavras desencadeia uma onda de calor dentro de mim, mas, apesar disso, não posso deixar de fitar Logan com um pesar profundo. "E tudo o que você falou hoje mais cedo... sobre seu futuro, sobre como vai ser infeliz e detestar a própria vida..." Mordo o lábio. "Não quero que isso aconteça, Logan. Não quero que fique amargo e cheio de ódio e..." Paro de falar.

Seus dedos tremem contra minha bochecha. "Não vou ficar. Ou, pelo menos, vou tentar não ficar. Vai ser uma merda, Grace. Nós dois sabemos disso, mas prometo que não vou deixar isso me destruir, ou destruir o que a gente tem." Sua voz falha. "E não vai durar para sempre, é só até Jeff voltar e assumir o controle de novo. Os próximos anos provavelmente vão ser como se eu estivesse vagando num túnel escuro, mas no fim dele *existe* uma luz. Enquanto você estiver comigo, vai existir uma luz dentro dele também. Sem você, seria só escuridão."

Desato a rir, e uma expressão de dor toma seus olhos.

"Você acha engraçado?", Logan pergunta, triste.

"Não, estava pensando que é uma pena que não colocou tudo o que acabou de dizer no poema que escreveu pra mim."

Um sorriso hesitante surge em seus lábios. "Gostou, é?"

"*Amei.*" Sinto um aperto no coração. "Eu te amo."

Seu sorriso se alarga. "Mesmo depois de eu ter agido feito um babaca?"

"É."

"Mesmo sabendo que vou agir feito um babaca de novo? Porque não posso prometer que não vou. Parece que sou um incompetente quando se trata de relacionamentos."

"Isso não é verdade." Fico na ponta dos pés e beijo sua mandíbula. "Pode ser um tanto sem jeito, mas também é ridiculamente talentoso quando se trata de gestos românticos. Se fizer besteira de novo, tenho noventa por cento de certeza de que vai ser capaz de me ganhar de volta."

"Só noventa por cento?" Ele parece chateado.

"Bem, depende do tamanho da besteira. Quer dizer, se for arranjar briga comigo, como fez hoje, então vamos dar nosso jeito. Mas se eu for até sua casa e encontrar uma masmorra de assassino em série no porão, não prometo nada."

"De onde vem sua obsessão com assassinos em série?" Ele sorri. "Você devia se formar nisso. Identificação de assassinos."

Não é uma má ideia.

Decido pensar na minha carreira com calma mais tarde e passo os braços em volta do pescoço de Logan novamente. "Pergunta."

Seus olhos brilham. "Manda ver."

"Podemos nos beijar agora ou você ainda vai rastejar mais?"

"Depende do que você precisa."

"Eu preciso *disto*." Seguro a parte de trás da sua cabeça e puxo sua boca para a minha.

O beijo é... mágico. É sempre mágico quando estamos juntos. Quando nossas línguas se encontram num emaranhado inconsciente, e minha mente e meu corpo parecem flutuar.

"Eu te amo, Johnny", murmuro em seus lábios.

Sua risada aquece meu rosto. Ele roça a boca na minha e sussurra: "Também te amo, linda."

35

LOGAN

Na manhã seguinte, acordo em casa com Grace aconchegada ao meu lado, e é a melhor sensação do mundo. Ficamos acordados até as quatro, alternando entre conversar, ficar abraçadinhos e transar. E não estou falando do sexo casual e insignificante dos primeiros anos da faculdade. Com Grace é muito maior que isso. Não faz com que eu me sinta vazio, mas cheio. Tomado por emoções que nem consigo identificar.

Grace se mexe em meus braços. Distraidamente, brinco com uma mecha de seu cabelo, que enrolo nos dedos.

"Bom dia", ela diz, bocejando ao levantar a cabeça.

"Bom dia."

"Que horas são?"

"Dez e meia."

"Ai, não. Perdemos a hora? Você não tem treino?"

"Só mais tarde."

"Ah, ainda bem. Fomos dormir tarde ontem."

Ela pula da cama e começa a procurar suas roupas pelo quarto. Sorrio, porque é minha culpa que suas calças estejam em cima da cômoda e a calcinha esteja amarrotada lá longe. Reconquistar Grace me deixou cheio de tesão.

"Tudo bem se eu convidar Morris e Daisy para o jogo de amanhã?" Ela sobe a calcinha pelas pernas nuas e macias, e a visão me deixa tão hipnotizado que me distraio da pergunta.

Meu pau endurece sob o lençol, se erguendo como se estivesse tentando chamar a atenção de Grace. Ela suspira ao perceber o movimento.

"Você só pensa nisso, todos os segundos do dia."

"Praticamente", concordo, então arquejo as sobrancelhas. "Por que você tá se vestindo? Não prefere vir aqui sentar no meu pau?"

Ela revira os olhos. "Claro, se quiser que eu faça xixi em cima de você." Quando abro a boca, ela ergue a mão num sinal de advertência. "E não se atreva a dizer que gosta disso, porque não vou topar."

Rolo de lado, gargalhando histericamente. "Relaxa", gaguejo entre as risadas. "Essa não é minha praia."

Grace ri. "Ainda bem."

Assim que ela deixa o quarto para usar o banheiro, eu me arrasto relutante para fora da cama e pego uma calça de moletom. Pensei em sugerir tomar café da manhã fora. Depois do sexo extenuante da noite passada, um prato gigante e gorduroso de bacon com salsichas cairia bem — mas o técnico vai me matar se eu aparecer no treino lento por causa da depressão pós-fritura. Maldita dieta.

Ando de um lado para o outro enquanto espero Grace sair do banheiro, porque agora sou eu que preciso desesperadamente ir. O zumbido do meu telefone serve de distração para a bexiga prestes a explodir, mas, quando o número do meu irmão pisca na tela, meu bom humor matinal desaparece.

"Oi", diz Jeff, depois que atendo. "Pode passar aqui hoje?"

Abafo um gemido. "Tenho treino à uma e meia, cara."

"Vem agora, então. Acho que a gente vai acabar muito antes disso."

"Acabar o quê?", pergunto, cauteloso.

"Não tenho ideia. Ele diz que tem algo importante a dizer pra gente, mas não quer me dar mais detalhes. Marty está me cobrindo na oficina agora, então vem. Não vai demorar."

Desligo, me sentindo ainda mais receoso do que antes. Meu pai tem algo importante a dizer pra gente? O quê? Há quanto tempo não fazemos uma reunião de família? A resposta é: nunca fizemos uma. Ele nunca sentou com a gente para conversar, fosse sério ou não.

Ainda estou franzindo a testa quando Grace reaparece, e a preocupação marca suas feições na mesma hora. "Tudo certo?"

Balanço a cabeça devagar. "Meu pai quer conversar comigo e com Jeff hoje."

"Hoje? Mas você tem treino."

"Parece que não vai demorar. Só precisa dizer alguma coisa pra gente."

"O quê?"

"Não sei."

Grace fica quieta por um momento. "Quer que eu vá com você?"

Fico tocado pela oferta, mas balanço a cabeça de novo. "Não acho que ele vá querer mais ninguém lá."

"Claro que não", diz ela, com um sorriso. "Pensei que poderia esperar você no carro. Assim, se for ruim, você vai ter alguém com quem conversar na viagem de volta."

Hesito. Não tenho certeza se quero correr o risco de Grace encontrar meu pai.

Mas também não quero ficar sozinho.

"Tá", respondo, soltando o ar. "Mas só se você ficar no carro. Não sei em que estado ele vai estar quando chegarmos lá."

Quinze minutos depois, deixamos a casa, os dois tão soturnos e sombrios quanto o tempo. O céu está nublado e há um cheiro metálico no ar, indícios de uma chuva torrencial que está por vir.

À medida que nos aproximamos de Munsen, meu desconforto aumenta. Quando estaciono diante da casa, minha ansiedade está acumulada num caroço sólido e imóvel na boca do estômago.

"Já volto", digo a Grace, me inclinando para beijar sua bochecha.

Ela balança a cabeça. "Sem pressa." Abrindo a bolsa de pano, ela pega um livro de psicologia e me mostra. "Vou ficar bem aqui, prometo. Não precisa acelerar as coisas por minha causa, tá bom?"

Expiro, trêmulo. "Tá bom."

Um minuto depois, entro na casa sem bater, me encolhendo diante do cheiro familiar de cerveja velha que enche minhas narinas. É como se as paredes da casa estivessem embebidas em álcool e liberassem aos poucos o odor azedo no ar.

"John?" A voz do meu irmão me alcança do outro lado do corredor. "Estamos na cozinha."

Não tiro os sapatos, um hábito que guardei da infância. Já pisei demais em poças no piso e no carpete da casa, encharcando minhas meias. Poças que nem sempre eram de bebida.

Sei que tem alguma coisa acontecendo no instante em que entro na cozinha. Jeff e meu pai estão à velha mesa de carvalho, sentados um de frente para o outro. Meu irmão está bebendo um café. Meu pai está com uma longneck de Bud diante de si, ambas as mãos nela.

"Johnny. Senta aqui", ele diz.

A cerveja não é um sinal promissor, mas, pelo menos, ele parece e soa relativamente sóbrio. E por "sóbrio" quero dizer não desmaiado em meio ao próprio vômito.

Me deixo cair na cadeira mais próxima sem uma palavra. Estudando o rosto do meu pai. Esperando. Estudando o rosto de Jeff. Esperando.

"Chad Jensen passou aqui ontem."

Minha cabeça se volta para meu pai. "O quê? É sério?" O que meu técnico veio fazer aqui?

Ele confirma com a cabeça. "Ligou antes, perguntando se podia bater um papo comigo. Falei que sim. E ele veio ontem à noite."

Ainda estou lutando contra o choque. O treinador Jensen dirigiu até Munsen para falar com meu pai?

"Não sabia de nada", Jeff se apressa em me avisar, sem dúvida interpretando minha expressão de forma errada. "Estava na casa da Kylie quando ele chegou, só descobri isso hoje de manhã."

Ignoro as afirmações de Jeff. "O que ele queria?", pergunto, desconfiado.

Vejo o rosto do meu pai encovar, como se ele estivesse rangendo os dentes. "Discutir as possibilidades."

"Que possibilidades?"

"Para o ano que vem." Seu olhar permanece fixo no meu. "Ele assegurou que não estava tentando ser desrespeitoso ou ultrapassar os limites, disse que sabia que o acidente de carro foi difícil para mim e para vocês e que entendia por que precisamos de você na oficina depois da formatura." Suas mãos apertam a garrafa. "Mas falou que torcia para que houvesse alguma forma de você continuar jogando hóquei no ano que vem, enquanto nos ajuda."

Cerro os punhos e os aperto com força contra a mesa, tentando controlar a raiva. Sei que o técnico tinha a melhor das intenções, mas como assim?

"Ele também me perguntou por que não recebo ajuda do governo, já que os ferimentos causados pelo acidente me impedem de trabalhar."

Maldito Jensen. Ultrapassou *todos* os limites.

"Seu treinador não tem ideia de que sou alcoólatra, não é?", murmura meu pai, e agora já não está olhando para mim. Está olhando para as mãos.

"Não", murmuro de volta. "Só falei do acidente. E isso porque precisava dizer alguma coisa para ele sair do meu pé por não me inscrever no *draft*."

Meu pai levanta os olhos e me encara. "Você devia ter me contado que não se inscreveu."

"Que diferença teria feito?"

"Muita", rebate ele. "Já é ruim o suficiente ter acordado no outro dia de cueca limpa e todo aconchegado na cama feito uma criancinha, sabendo que foi meu filho de vinte e um anos quem me colocou lá." Seu olhar se volta para Jeff. "E que meu outro filho está tocando meu negócio porque não consigo fazer isso sozinho. Mas agora você está me dizendo que está abrindo mão da chance de jogar para a merda do Bruins pra cuidar de mim?"

Ele está respirando com dificuldade, as mãos tremendo tão descontroladamente que a garrafa parece perto de tombar. Então a leva aos lábios e dá um gole apressado, antes de bater o vidro contra a mesa.

Jeff e eu trocamos um olhar cauteloso. Ver papai beber traz caretas idênticas ao nosso rosto, o que provoca um gemido de angústia nele.

"Droga, não olhem para mim assim. Tenho que beber esta merda, porque da última vez que tentei parar de uma vez acabei no hospital com convulsões."

Inspiro fundo, assustado.

Jeff também.

Meu pai olha de mim para meu irmão, então se dirige a nós com uma voz que transparece desespero. "Vou voltar para a reabilitação."

O anúncio é recebido com silêncio.

"Estou falando sério. Liguei para uma pessoa do lugar em que me internei da última vez e pedi para ser colocado na lista de espera, mas eles disseram que tinha aberto uma vaga cinco minutos antes de eu ligar." Ele bufa. "Se isso não é intervenção divina, não sei o que é."

Meu irmão e eu permanecemos em silêncio. Já ouvimos esse discurso antes. Muitas vezes antes. E aprendemos a não ter mais esperanças.

Pressentindo nosso receio, ele aguça o tom. "Desta vez vai funcionar. Vou fazer com que dê certo."

Há uma pausa, depois da qual Jeff pigarreia. "Quanto tempo de internação?"

"Seis meses."

Arregalo os olhos. "Tudo isso?"

"Com meu histórico, eles acharam melhor."

"Você vai morar na clínica?", pergunta Jeff.

"É." As feições do meu pai assumem uma expressão de dor. "Duas semanas de desintoxicação. Não estou ansioso por isso." Em seguida, ele balança a cabeça, como se tentando afastar o pensamento. "Mas vou conseguir. Vou ficar até o final e o programa vai ter efeito. Sabe por quê? Porque sou seu pai."

A vergonha exala dele em ondas palpáveis. "Não era para vocês estarem cuidando de mim. Eu é que tinha que estar cuidando de vocês." Ele me lança um olhar duro. "Você não devia desistir dos seus sonhos por minha causa." Então se vira para Jeff. "Nem você."

"Parece ótimo", retruca Jeff, transparecendo cansaço. "Mas e a oficina? Mesmo que o programa funcione, você ainda não vai poder trabalhar por causa das pernas. Pode fazer a parte administrativa, claro. Mas não a mecânica."

"Vou tentar me aposentar por invalidez." Ele faz uma pausa. "E vou vender a oficina."

Meu irmão não parece satisfeito com a resposta. Eu ainda estou tentando assimilar o que ele acabou de falar.

"Kylie e eu só vamos viajar por dois anos", continua Jeff, triste. "Quero trabalhar aqui quando voltar."

"Então vamos contratar alguém para tocar o serviço até você voltar. Mas não vai ser seu irmão. E não precisa fazer isso se não quiser." Ele arrasta a cadeira para trás e se levanta, cuidadosamente, então pega a bengala encostada à parede. "Sei que já ouviram isso antes. Sei que vai ser preciso muito mais do que promessas para provar que estou falando sério."

Nisso ele tem razão.

"Eles vêm me buscar em uma hora", meu pai diz, bruscamente. "Tenho que arrumar minhas coisas."

Jeff e eu nos olhamos mais uma vez.

Filho da mãe. Está mesmo indo para a reabilitação.

"Não espero um abraço de despedida, mas vocês bem que podiam me ligar de vez em quando, para saber como estou me saindo." Ele olha para Jeff. "A gente fala da oficina quando eu terminar de fazer a mala. Não sei se é melhor já fechar ou se você prefere continuar trabalhando mais um pouco. Seria bom se você encerrasse as ordens de serviço abertas."

Parecendo atordoado, meu irmão consegue responder com um aceno de cabeça.

"E você..." Seus olhos injetados de sangue se fixam em mim. "É melhor entrar nessa equipe de base do Providence. Jensen falou que é um teste, então não vai estragar tudo."

Passei tanto tempo em silêncio que levo um instante para encontrar minha voz. "Não vou", prometo, meio rouco.

"Ótimo. Me conte tudo o que acontecer quando eu ligar daqui a duas semanas. Vocês não devem ter notícias minhas antes disso. Não durante a desintoxicação." Sua voz é igualmente rouca. "Agora fora daqui, John. Seu irmão disse que você tem mais o que fazer hoje. Jeffrey, daqui a pouco a gente conversa."

Então ele se vai, e ouvimos suas passadas arrastadas no corredor, na direção do quarto. De repente, me sinto tão atordoado quanto Jeff parece, e, mais uma vez, nos fitamos boquiabertos por um bom tempo.

"Acha que é sério?", pergunta meu irmão.

"Parece." As dúvidas de sempre retornam, trazendo um quê de cautela à minha voz. "Acha que ele vai conseguir ficar na linha desta vez?"

"Espero que sim."

É, eu também. Mas já me decepcionei muitas vezes no passado. Enganado por suas promessas e sua suposta determinação. O cínico em mim acha que vamos ter essa mesma conversa daqui a um, dois ou cinco anos, e talvez a gente tenha mesmo. Talvez ele fique sóbrio durante o programa, volte para casa seis meses depois e comece a beber de novo. Talvez não.

De qualquer forma, estou livre.

Essa compreensão me atinge com a força de um maremoto, quase me derrubando da cadeira. Não vou ter que vir morar aqui em maio.

Não vou ter que trabalhar aqui. Meu pai vai se aposentar, a oficina vai ser vendida ou tocada por outra pessoa até Jeff estar pronto para assumir o lugar, e eu vou estar livre.

Fico de pé num pulo, assustando meu irmão. "Tenho que ir. Minha namorada tá me esperando no carro."

Ele pisca, surpreso. "Você tem uma namorada?"

"Tenho. Outro dia apresento pra você. Tenho mesmo que ir."

"John." Sua voz me faz parar antes de eu chegar à porta.

"O quê?"

"Você vai me dar uma camisa autografada quando entrar no time, né?"

Um sorriso se estende por todo o meu rosto. "Ah, se vou!"

Deixo a cozinha com o som das gargalhadas do meu irmão às minhas costas e corro para fora da casa. Da varanda, vejo Grace na caminhonete, os pés apoiados no painel e o nariz enfiado no livro. Pela visão periférica, identificou quando a porta da frente se abriu de supetão, então ergue a cabeça e se vira na direção da varanda. Ainda devo estar sorrindo feito um bobo, porque um pequeno risinho surge em seus lábios sensuais.

Desço os degraus da varanda depressa e corro até a caminhonete. O dia ainda está feio. As árvores balançam ameaçadoramente. As nuvens nos cobrem como uma massa grossa e escura. O céu está mais para negro do que cinza.

E, no entanto, meu futuro nunca me pareceu mais límpido.

Epílogo

GRACE

Dois anos depois

Mãe do céu, o camarote executivo da TD Garden é *coisa fina*. Ao me reclinar para a frente em meu assento de couro macio e correr os olhos pela arena imensa, me sinto uma rainha reinando sobre meus súditos. Milhares de torcedores de hóquei ocupam os lugares, um infinito mar de rostos, um borrão de preto e amarelo ocasionalmente interrompido pelo azul-turquesa e branco dos torcedores dos Sharks que por acaso estão presentes.

"Isso é *tão* intenso", sussurra Hannah em meu ouvido, e sei que está tentando manter a voz baixa para que as três outras mulheres bebericando cervejas de pé a um metro e meio de distância não caçoem da nossa inexperiência de novo. Ou da minha, pelo menos. É a primeira temporada de Logan com o Boston — depois da faculdade, ele jogou na AHL por um ano, até que o Bruins finalmente decidiu que estava pronto e assinou o contrato.

Como Garrett teve uma temporada de estreia impressionante no ano passado, achei que Hannah já estaria enturmada, mas, ao sermos levadas para o camarote privado, ela confessou que até então preferia ficar na arquibancada, porque achava que se sentiria intimidada demais aqui sozinha.

Não paramos de nos maravilhar desde que chegamos. Toda vez que as outras pessoas perambulando pelo camarote viravam a cabeça, nós duas comentávamos, embasbacadas, alguma coisa. O bar lá no fundo. A comida na bancada de granito. Os assentos. A vista. Nenhum detalhe passou despercebido.

Espero que a gente aprenda a se conter depois de alguns jogos, mas não tenho certeza se algum dia vou me acostumar a esse tipo de luxo.

"Não consigo parar de pensar que o segurança vai aparecer e nos expulsar", sussurro de volta. "Nunca me senti tão deslocada."

Ela ri baixinho. "Eu também. Mas tenho certeza de que vamos nos ajustar." Seus olhos verdes se concentram no rinque lá embaixo. Os jogadores ainda estão se aquecendo, e é fácil identificar o momento em que seu olhar encontra Garrett, pois todo o seu rosto se ilumina.

Tenho certeza de que a mesma coisa acontece comigo quando vejo Logan.

"Acha que eles vão ter bastante tempo de gelo?"

Penso um pouco. "Logan... provavelmente não. Garrett... com certeza. Ele e Lukov foram incríveis na última temporada." Pensar em Shane Lukov me traz um sorriso ao rosto. Quando o conheci pessoalmente, neste verão, passou dez minutos me provocando sem parar sobre o vídeo que fez e sobre como se julga responsável por meu relacionamento com seu novo colega de time.

"Certo, preciso perguntar uma coisa, e nem tente me enganar." Hannah se aproxima mais uma vez. "Você aprendeu a gostar de hóquei ou só quer agradar o Logan?"

Aperto os lábios para não rir. "Bem, não *odeio* hóquei. Não acho mais tão chato, mas...", abaixo a voz, "... ainda prefiro ver futebol americano."

Ela tenta conter o riso.

A mulher de cabelos escuros que se acomoda no assento ao meu lado não vê tanta graça nisso. "Que vergonha, Grace Ivers", me repreende a mãe de Logan. "Achei que ia conseguir converter você."

"Desculpa, Jean, ainda não."

Ela suspira. "Bom, então ainda há esperança. Um dia você vai enxergar os próprios erros."

Hannah e eu rimos.

Adoro a mãe de Logan. Ela é doce, engraçada e sempre apoia os filhos. David, seu marido, é um dos caras mais sem-sal que já conheci na vida, mas é tão bom para ela que não posso deixar de gostar dele.

Para ser sincera, estou começando a gostar do pai de Logan. Faz quase dois anos que está sóbrio agora, e parece determinado a continuar assim.

Embora às vezes seja difícil conciliar o homem encantador que conheci com o bêbado caótico que Logan às vezes tinha que levantar do chão.

Como Jean ainda se recusa a ter contato com Ward, eles vêm em jogos alternados. A mesma regra se aplica às visitas ao nosso apartamento, que fica no meio do caminho entre Hastings e Boston, o que significa que nós dois só precisamos nos deslocar trinta minutos todo dia. Este ano, quando eu me formar, estamos pensando em procurar um lugar na cidade. Garrett e Hannah já moram aqui, numa casa de arenito vermelho linda que ajudei a decorar.

"É tão engraçado", comenta ela. "Garrett me contou que, desde o primeiro ano na faculdade, ele e Logan falavam de jogar juntos pelo Bruins. E agora eles estão." Ela sorri. "Acho que alguns sonhos realmente se tornam realidade."

Sigo seu olhar, um sorriso tocando meus lábios ao ver o homem que amo com o uniforme que ele ama, voando sobre o gelo, para delírio da multidão.

"É", respondo, baixinho. "Acho que sim."

Agradecimentos

Uma das minhas partes preferidas no processo de escrita é interagir com gente realmente incrível. A cada livro que escrevo, conheço pessoas diferentes e faço novos amigos, e não tenho palavras para agradecer todo o apoio, a ajuda e o incentivo.

Às moças do Locker Room — Kristen, Sarina, Monica e Cora. Conversar com vocês é o melhor momento do meu dia! E amo tanto todas as participantes maravilhosas do grupo por me fazerem rir, me apresentarem livros novos e postarem fotos de atletas deliciosos!

Às primeiras leitoras, Viv, Jane, Sarina e Kristen, por me ajudarem a dar forma a Logan.

Um obrigada especial a Viv, a melhor das melhores amigas que uma garota poderia ter.

À incrível e ridiculamente paciente Zoe York, por segurar minha mão por todos os terríveis procedimentos burocráticos!

A Nicole Snyder, amiga, assistente e minha salvadora em geral — você é a melhor, de longe!

A fabulosa Katy Evans, por sua torcida sem fim, o entusiasmo contagiante e por sempre me colocar um sorriso enorme no rosto!

À minha editora Gwen Hayes e à revisora Sharon Muha — vocês sabem o quanto amo as duas!

A Sarah Hansen (Okay Creations) pela capa maravilhosa.

À minha agente Nina Bocci — não tenho ideia de como eu sobrevivia antes de você.

A todos os blogueiros e colaboradores que ajudaram a divulgar a capa, publicaram comentários e praticamente falaram sobre a série para todo mundo que quisesse ouvir — vocês são incríveis.

E a todos os meus leitores — sua paixão e entusiasmo por esta série é tocante. Amo vocês!

TIPOGRAFIA Adriane por Marconi Lima
DIAGRAMAÇÃO Osmane Garcia Filho
PAPEL Pólen, Suzano S.A.
IMPRESSÃO Gráfica Bartira, novembro de 2025

A marca FSC® é a garantia de que a madeira utilizada na fabricação do papel deste livro provém de florestas que foram gerenciadas de maneira ambientalmente correta, socialmente justa e economicamente viável, além de outras fontes de origem controlada.